TODO ESTÁ PERDONADO

El pasado mes de noviembre de 2010, un jurado integrado por Juan Marsé, en calidad de presidente, Almudena Grandes, Sergio Olguín, Juan Gabriel Vásquez y Beatriz de Moura, en representación de la editorial, acordó otorgar a esta obra de Rafael Reig el VI Premio Tusquets Editores de Novela.

colección andanzas

RAFAEL REIG
TODO ESTÁ PERDONADO

PREMIO

TUSQUETS
EDITORES DE NOVELA

1.ª edición: marzo de 2011

Diseño de la colección: Guillemot-Navares
Reservados todos los derechos de esta edición para
Tusquets Editores, S.A. - Cesare Cantù, 8 - 08023 Barcelona
www.tusquetseditores.com
ISBN: 978-84-8383-316-2
Depósito legal: B. 4.372-2011
Fotocomposición: Anglofort, S.A.
Impresión: Reinbook Imprès, S.L.
Encuadernación: Reinbook
Impreso en España

Índice

Para Anusca. Para Violeta. Para los QSQ

No puede durar el mundo,
porque dicen, y lo creo,
que suena a vidrio quebrado.

Lope de Vega, *La Dorotea*

Nullus liber erit, si quis amare volet.

Nadie será libre, si quiere amar.

Propercio, *Elegías*

Die Kritik der Religion ist die Voraussetzung aller Kritik [...] Die Kritik des Himmels verwandelt sich damit in die Kritik der Erde, die Kritik der Religion in die Kritik des Rechts, die Kritik der Theologie in die Kritik der Politik.

La crítica de la religión es la premisa de toda crítica [...] La crítica del cielo se transforma así en crítica de la tierra, la crítica de la religión en crítica del Derecho, la crítica de la teología en crítica de la política.

Karl Marx, *Crítica de la Filosofía del Derecho de Hegel*

FASE ELIMINATORIA
Examen de conciencia

A speck, a mist, a shape, I wist!
Una mancha, una neblina, una silueta, comprendí.

S.T. Coleridge, *The Rime of the Ancient Mariner*

Dear Mother, dear Mother, the Church is cold.
But the Ale-House is healthy & pleasant & warm.
Besides I can tell where I am used well.
Such usage in heaven will never do well.

Querida mamá, mamá querida, la iglesia está fría,
pero la taberna es saludable y hospitalaria y cálida.
Además de sobra sé dónde me tratan bien.
Un trato así nunca será bien visto en el cielo.

William Blake

Estimado compatriota: soy un superviviente. En 1964 asistí en persona a la victoria de España sobre la Rusia soviética. Por paradojas de la vida aquel año, el de los 25 años de paz, empezó la decadencia del franquismo: rebeldía estudiantil, huelgas, Comisiones Obreras, marejadillas en la periferia nacionalista. Aquel año empezó el deterioro de la Patria madre y eterna a pesar del gol de Marcelino contra Marcelino (Camacho). Aquel gol no logró renovar la furia de nuestra unidad de destino en lo universal. Pero todo llega: veo de nuevo que la roja y gualda campea por los aires de nuestra España, vuelve la furia española y el podemos, podemos. Pero me da pena que pueda pasar como en el 64 y desperdiciemos la victoria. Le escribo esta carta como convocatoria: propongo que no desaprovechemos la energía que la alegría otorga: nada de bocinazos por las calles o banderas en la Cibeles: TODOS A GIBRALTAR. ¡Podemos! ¡Podemos! Oé. Oé. Oé.

Antonio Menéndez Vigil, Madrid
Carta publicada en la sección «Cartas al director»,
Público, 2 de julio de 2008

Había perdido toda esperanza de ver a España otra vez campeona en una Eurocopa. Nos faltaba fe en nosotros mismos. En noviembre de 2007 habíamos pasado la fase eliminatoria al ganar a Irlanda del Norte. Hizo falta la lesión de Torres para que Luis Aragonés, ese formidable cabezota, ese camandulero repleto de soberbia, alineara por fin juntos a Cesc, Iniesta, Silva y Xavi. Funcionó, aunque nos quedamos muy cortos en el área, tal y como yo había dicho que pasaría.

Al final un solo tiro de Xavi consiguió refutar aquel dogma de fe sobre el que se construía el juego del equipo: que había que llegar con el balón atado a los cordones de las botas hasta la línea de gol. ¿Ah, sí? Pues a más de veinticinco metros disparó Xavi, el balón rebotó en la cabeza atónita de Craigan y se metió en la portería de Taylor: ¡Gooooool! ¡Gol de España, señores!

Tengo que confesar que yo era partidario de Raúl, he sido y soy raulista, y no me da ninguna vergüenza, y se me hacía antipático Luis Aragonés: nunca había soportado que le llamaran «el sabio de Hortaleza» ni esa voz de hipnotizador con la que hacía creer que sus palabras significaban siempre más de lo que en realidad decía, que aquello tenía su intríngulis, como si hablara en cursiva.

Pocos lo admitimos sin empacho, pero fuimos legión los que entonces pensábamos que, con Luis, otra vez, España se buscaba a sí misma en vano, intentaba alejarse de su propia sombra, dejarla atrás y seguir andando a solas, como el sonámbulo que pisa los cascotes de un sueño que ya se le ha desmoronado encima, que se ha hecho añicos sobre su cabeza, catapún.

Así que en junio pensé que no nos clasificaríamos. Me dispuse a asistir a otra derrota y a echarle la culpa a Luis Aragonés, el seleccionador; o si no, como de costumbre, al destino, a la fatalidad o al empedrado.

Qué raro: contra todo pronóstico, la suerte no se mostró en contra desde el principio. Al menos no caímos en el Grupo de la Muerte, con Italia, Francia y Holanda. Acabamos en el grupo D, con Grecia, Suecia y Rusia.

Nos estrenamos contra Rusia, el 10 de junio, jugamos al contragolpe, con aquella partitura que tantas veces había interpretado el Atlético de Luis Aragonés en los setenta, y el 4 a 1 terminó para siempre con la discusión nacional sobre el seleccionador (pero no con mi nostalgia de Raúl ni con mi alergia al míster). Estaba claro, pese a todo: el 7 de España ahora era Villa, el Guaje de la cuenca minera, mi paisano. Punto redondo.

Hay otra España, se decían unos a otros los patriotas por la calle, quizá con menos convicción que ganas de creérselo. ¡Hay otra España!

Después nos enfrentamos a Suecia, el 14 de junio, y ganamos 2 a 1. Como Rusia también ganó a Grecia, ya entrábamos en cuartos de final, de donde era tradición que nunca lograríamos pasar: ese maleficio de los cuartos que nos ha perseguido siempre.

Desde por la mañana, en la calle se oía decir que había otra España, que podíamos, oé, oé, oé, y ese día del partido decisivo contra Suecia se multiplicaron las comuniones y se vaciaron las máquinas expendedoras de eucaristías: todos querían ver la retransmisión desde Innsbruck en estado de gracia.

Así empezó todo, este es el comienzo.

Si tomo la palabra es para hablar de los demás, de esa excelente familia que forma parte de mi propia vida, los Gamazo: del padre, don Gonzalo, marqués de Morcuera; de su hijo Perico, mi amigo y benefactor; de su mujer, Mariví Montovio, y de los hijos de ambos, Nacho y Laura. También para hablar de mis compañeros de las fuerzas del orden y de su esfuerzo bajo tierra, de Alfonso Olmedo, de Carlos Clot, de la teniente Teresa Murillo. Y cómo no, para hablar de esa mujer testaruda y tetona, rectilínea y opaca, Rosario Valverde, la empleada de hogar que limpiaba los cuatro baños del chalet de El Viso de Perico Gamazo. Fui yo quien la metió en la casa y, al final, resultó como dejar suelto un elefante en una cacharrería.

Si he decidido romper el silencio es para ponerme en los zapatos de los otros, en los mocasines de piel de Perico Gamazo, en los zapatos de tacón de Laura, en las botas de Nacho y hasta en las Wambas calzadas en chancleta de Charo Valverde.

Una llamada intempestiva que recibió el inspector Olmedo es el hilo con el que empezaré a devanar la madeja de esta crónica.

Olmedo llevaba tanto tiempo esperándolo, que el timbre del teléfono le sobresaltó. Alfonso Olmedo era aprensivo. Lo había sido siempre, desde los tiempos en que estuvo a mis órdenes. La impaciencia le disparaba la imaginación y entonces sólo veía malas noticias: accidentes (fatales), cirugía (cardiaca), tiroteos (a mansalva) o aquel embarazo interrumpido (sobre el que no le habían dejado decidir ni opinar).

–Dime dónde estás –preguntó ansioso nada más descolgar.

–¿Inspector? ¿Inspector Olmedo? –respondió la voz de otra mujer.

Olmedo cerró los ojos y exigió:

–Identifíquese.

–Murillo a la orden, señor. Teniente Teresa Murillo, de Homicidios.

Esas no eran horas, le advirtió Olmedo. Tampoco era el día más apropiado. Él estaba fuera de servicio y, debido al España-Suecia, aquella tarde, a partir de las cinco, no era momento para pedir favores a nadie.

–Se trata de una emergencia.

Si era una emergencia, entonces venía del pasado.

Emergens, emergentis: algo que sobreviene. Desde que su hija se fue de casa embarazada, Olmedo le daba demasiadas vueltas a las cosas, a las palabras y al intervalo entre unas y otras, ese río que tanto le costaba vadear.

Una emergencia era algo que ya estaba allí, sin ser visto, por eso mismo emergía, salía a flote desde las profundidades. Tenía que ser algo que había estado oculto, en el fondo, quizá en el interior de uno mismo, o bajo la urdimbre de los acontecimientos; esperando su oportunidad para aparecer en la superficie, como el tiburón que huele la sangre fresca.

Para Olmedo, emergencias eran los sucesivos novios de su hija, las viejas cartas que aparecían en un cajón y, sobre todo, las enfermedades. Se propagaban en la silenciosa oscuridad de los órganos y, cuando se hacían por fin visibles, siempre era ya demasiado tarde. Un buen día te empieza a salir sangre por los oídos, sin dolor, y cuando te quieres dar cuenta ya estás criando malvas.

Mi padre me enseñó lo que sabe cualquier médico: no hay peor aviso que sangrar sin que te duela nada y sin herida, entonces ya puedes empezar a despedirte y a decirle de pronto a tu mujer que siempre la has querido.

En la línea de trabajo de Olmedo, sin embargo, las emergencias solían ser de bala, casi siempre asesinatos, esas enfermedades de la sociedad que habían permanecido agazapadas tras un contrato firmado, un agravio impune o ese recuerdo del que nunca se habla en voz alta: cadáveres que aparecen flotando y golpean, hinchados, irreconocibles, el muro de algún muelle.

–¿Me recibe, inspector?

–Alto y claro, teniente. Deme coordenadas.

–El cuerpo está en el jardín del hotel Ritz.

El pasado siempre se queda por debajo del agua, son los cuerpos los que regresan. El pasado se va a pique en ese río profundo entre las palabras y las cosas. Como si el pasado fuera esa corriente contra la que intentamos nadar, pero que nos empuja con demasiada fuerza en sentido contrario.

Sin embargo, para nosotros, los anfibios, esto sucede al pie de la letra. Crecimos en una tierra firme que ahora es navegable.

Nací en 1940 y crecí en la España una, grande y libre del Caudillo, tuve un Seiscientos y otros muchos coches, hasta que se acabó el petróleo, viví la II Restauración borbónica, la Inmaculada Transición, el golpe del 23-F, la ayuda norteamericana para consolidar la democracia (y para la ejecución de las obras del Canal Castellana), el entusiasmo institucional con el referéndum de 1984 («De entrada no», decían los del PSOE con calculada ambigüedad), que nos convirtió en Estado Asociado a los USA, con el inglés como lengua cooficial (a partir del segundo referéndum, el del 86) y una monarquía tributaria del Imperio de Washington.

Mi vida se cuenta en dos patadas, he estado siempre al servicio del orden establecido, pero he acabado detestando a quienes me pagan la nómina, convencido de que merecen ser derribados, aunque no tenga el valor para intentarlo.

He vivido entre las sombras. Felipe González, el presidente que convocó el referéndum, tuvo que explicárselo a un país de ingenuos: «El Estado de Derecho también se defiende desde las cloacas». Alguien tiene que hacer el trabajo sucio. Como los mineros, por debajo del suelo, en la oscuridad. Alguien tiene que remangarse y meter la mano para limpiar la taza del váter. Como las chachas, con un guante de goma, en silencio o tarareando una canción oída por la radio.

Primero fui guardia civil y luego trabajé en los Servicios de Inteligencia SECED, CESID, CNI, el que fuera, siempre bajo la protección de Perico Gamazo, al que también acabé traicionando, que Dios me perdone.

Ya estoy retirado, disfruto de una posición desahogada y ahora dedico mi tiempo a leer a los clásicos. Citar a Homero o a Shakespeare es como llevar un alfiler de corbata heredado: un lujo, un signo de distinción, algo que no se compra sólo con dinero. Habrá quien lea para aprender cosas; yo fui guardia, soy hijo de un médico de Mieres y leo para hacerme respetar: algo que los ricos de verdad tienen garantizado de antemano sin esfuerzo.

Ni me casé ni tuve hijos, y he sido capaz de aprender a vivir sin ser amado. No cuesta tanto, siempre que uno esté dispuesto a no querer a nadie. Ni siquiera a quererse a sí mismo.

En mi trabajo también es necesario tener una esquirla de hielo clavada en el corazón.

Pero basta. *De nobis ipse silemus.* Sólo soy una voz entre las sombras, el coro de las voces de los otros.

Aquel día del España-Suecia, cuando quizá dio comienzo todo, me encontraba en el viejo puente de Eduardo Dato, más o menos en el centro de mi Madrid, que empieza en Puerto Atocha, en la bóveda de la antigua estación, y acaba en la plaza de Castilla, contra la proa del monumento a José Calvo Sotelo, el protomártir.

Como todos los vertebrados, Madrid se halla dividida por una espina dorsal, el Canal Castellana, ese oscuro río que fue un bulevar ruidoso: bajo el agua aún se agitan, como esqueletos de manos cubiertas de liquen, mordidas por los peces, las ramas de las acacias, de los plátanos y de algún que otro castaño que ya estará colonizado por corales y esponjas.

De este a oeste, la ciudad que considero mía limita con las Torres Blancas y el Teleférico del parque del Oeste. Lo demás son las afueras, descampados, cementerios de automóviles, improvisadas viviendas con tejados de uralita y hogueras encendidas en un bidón de hojalata.

Miraba aguas abajo, hacia el sur. Tenía en la margen izquierda lo que, no sé por qué, los madrileños llaman la Rive Droite: la zona residencial, asiento de la burguesía y el dinero (a menudo muy reciente y casi siempre obtenido por medios delictivos).

Desde Mariano de Cavia, la Estrella, el barrio de Salamanca (la «Zona Nacional», como se llamó durante la Inmaculada Transición), El Viso, hasta desembocar en Alberto Alcocer (un barrio de viviendas para padres divorciados: nadie logrará quitarme esa idea de la cabeza) y Costa Fleming (donde vivían las entretenidas de aquellos primeros americanos de la base de Torrejón y había bares de alterne con descorchadoras, que se llevaban un tanto por ciento de cada botella).

La Rive Gauche (que es la margen derecha, en realidad) es un amasijo grasiento de populacho y clase media, salpicado de intermitencias de bohemia artística en Lavapiés, La Latina o Malasaña. Desde Ronda de Toledo al Rastro, Sol, la calle Atocha, Chamberí, Argüelles, hasta alcanzar Cuatro Caminos y esa calle de Bravo Murillo, que parecía trasplantada de una capital de provincia y ahora ya es una céntrica avenida de una ciudad del altiplano andino.

Hay cabezas de puente, por supuesto. Toda la calle Almagro es Rive Droite en la otra orilla. Ventas, la Prospe, parte de López de Hoyos son Rive Gauche, distritos populares en territorio enemigo.

Más allá de Puerto Atocha, hacia el sur y el oeste, la ciudad se inflama como una herida supurante en ciudades-dormitorio, como Fuenlabrada, Getafe o el Berbiquí, y en Precintos rodeados de alambradas, como las Barranquillas, el Mortero o el Cárcamo, donde los adictos esperan la muerte entre neumáticos ardiendo, pero sin lograr entrar en calor.

Por el lecho del Canal cruzamos en 1954, cuando aún no habían construido el puente ni habían hecho Madrid navegable, para tirar pedradas contra la embajada inglesa, porque la reina Isabel II se había atrevido a visitar Gibraltar, como si fuera una de sus colonias, la muy hija de la Gran Bretaña. ¡Gibraltar español! Fue la primera vez, desde el final de la guerra, que los estudiantes salían a gritar por las calles y había un entusiasmo sin límites. Yo fui con los chicos de Falange, los mayores, y nunca olvidaré cómo me temblaban las piernas. Hasta entonces, el único esparcimiento juvenil había sido el Congreso Eucarístico de Barcelona, en el 52, donde se nos permitió comulgar a tutiplén y recitar sobrecogidos, con voz trémula y honda emoción, los versos sublimes de don José María Pemán:

> De rodillas, Señor, ante el sagrario,
> que guarda cuanto queda de amor y de unidad,
> venimos con las flores de un deseo,
> para que nos las cambies en frutos de verdad.

En el 54 todo lo tenía organizado el SEU, el Sindicato Español Universitario fundado por la Falange, pero se les fue de las manos y hubo una carga policial tan violenta que muchos manifestantes acabaron gritando consignas contra el propio SEU y contra el Régimen.

Los ingleses, de todas formas, recibieron su merecido. El propio embajador llamó al ministerio, donde le ofrecieron enviar más protección.

—No hace falta que traiga más policía —contestó el hijo de la Gran Bretaña—. Basta con que nos envíe menos manifestantes.

Apenas había cumplido los catorce y corrí por primera vez perseguido por un policía, con mi chaqueta con coderas y un pañuelo blanco en el bolsillo. Perdí un encendedor, un Ronson de gasolina, que aún debe de estar ahí, en el fondo del Canal, en un alcorque o entre dos adoquines del empedrado.

Cuando construyeron el puente, en 1970, ya tenía treinta años, y cuando se acabó el petróleo y lo convirtieron en un canal con salida al mar por Alicante y Lisboa, había cumplido los cuarenta. Cuántas veces me habré acodado allí, suspendido entre las dos orillas, entre dos mundos, entre dos vidas que podría vivir, tan diferentes, con sólo tocar tierra a uno u otro lado del río.

Iba a empezar el partido. A media tarde, la sombra de los edificios cubría el puente y tocaba los balcones del bulevar de Alonso Martínez. Había salido de casa con una gabardina en la que aún estaban los viejos binoculares Zeiss que había llevado por la mañana a Puerto Atocha para ver el buque en cuarentena. En los bolsillos de la chaqueta metí dos paquetes de tabaco, la moneda de plata y la cartulina doblada con la invitación a la boda. No me separaba de aquel tarjetón y tocarlo con los dedos por dentro del bolsillo me tranquilizaba. Ser testigo de esa boda era lo único que ya esperaba de la vida. La moneda era mi regalo de bodas.

Quería pasear, como me recomienda el médico, me asomé al puente y luego pensaba ir andando por la orilla hacia Neptuno y llegar a pie por el malecón del Prado hasta Puerto Atocha, para ver con Charlie Clot el partido en el Seemannsbar de la dársena de Delicias.

Al llegar a Neptuno vi que el Ritz estaba acordonado. Me identifiqué ante el primer oficial que vi, pero mi nombre no parecía decirle nada.

Quizá era demasiado joven. Con lo que yo he sido. A los treinta ya tenía mi propio despacho en Castellana 3. *Sic transit gloria mundi*, verduras de las eras, rocíos de los prados, vanidad de vanidades.

Desde la Bolsa se acercaba un hombre mayor que yo que iba a paso de carga y sólo se detuvo para decirme que no podía detenerse: aquello era una emergencia.

–Estoy a vuestra entera disposición. –Era la primera vez que utilizaba esa frase, cuando ya había dejado de ser verdad.

Perico Gamazo ni me respondió.

Quizá estuviera aturdido. Con lo que habíamos sido.

¿Qué habría pasado en el Ritz?

Entonces no tenía ni idea, pero recuerdo, que Dios me perdone, que lo único que me preocupaba era que la emergencia tuviera algo que ver con la boda de Laurita.

¡La pérgola del Ritz!

Salvo en acto de servicio, ¿cómo habría podido un polizonte de dos mil pavos al mes pisar un sitio del que en la tele hablaban con la voz afónica de admiración?

Para los viajes largos, el inspector Alfonso Olmedo se vestía de chándal y llevaba una bolsa riñonera con una botella de agua mineral siempre a mano. Con eso está todo dicho. A los tíos así los de Seguridad los detectan a simple vista y los bloquean antes de que alcancen el perímetro exterior. Se vistiera como se vistiera, nunca habría podido engañarles, porque ellos eran iguales que él: los empleados se reconocen unos a otros.

Nos reconocemos, para decir la verdad.

El semicírculo de columnas dóricas sostenía un emparrado de vides y lo que a Olmedo le parecieron laureles (pero quizá fuera sólo acanto). A la sombra había veinte mesas con manteles de hilo y bonsáis cultivados por la propia mano de un ex presidente de Gobierno. En aquellos sillones, confidentes, canapés y otomanas se habían firmado tratados de paz y declaraciones de guerra, OPAS hostiles y capitulaciones matrimoniales, sentencias de muerte, notas de suicidio y expedientes de regulación de empleo.

> ¡Ay qué placer
> es bailar un fox-trot
> con un doncel
> que nos hable de amor!
> Aunque cien años llegase a vivir
> yo no olvidaría las tardes del Ritz.

Antes de salir de casa, con su uniforme de gala, había canturreado, se había echado agua de colonia y se había imaginado atravesando la media luna del jardín. Ahora estaba allí, ¡si Carmina pudiera verle!

Estaba convencido de que su hija se sentiría orgullosa de él.

Todo era idéntico que en la pantalla de plasma, pero sin sonido. Con lo único que no había contado Olmedo era con el silencio y el vacío. Parecía el decorado de un rodaje interrumpido por una amenaza de bomba o una huelga de eléctricos.

Bajo los tiernos pámpanos, entre las patas de las mesas, los parterres pisoteados y las copas volcadas, se veía la pared de enfrente, como a través de un esqueleto descarnado, como si el comedor fuera un gigantesco costillar a la intemperie: entre los huesos soplaba el viento y transitaban los voraces insectos.

El aire vibraba con la resonancia de risas remotas, hielos golpeando el vidrio y un tenue taconeo amortiguado por la alfombra de hierba.

¿Dónde estaban todos? *Ubi sunt?*, se preguntó Olmedo. ¿Dónde estaban ahora esos capitanes de empresa y sus *top-models* y púberes canéforas? ¿Dónde aquellas ministras y sus *personal trainers*? ¿Qué fue de tanto galán? ¿Qué de tanto traje cortado a medida, tanta cintura estrecha, tanto cuerpo diplomático susurrando en francés? ¿Acaso había bastado la aparición de un solo cadáver para que se desvanecieran? ¿Habían sido escondidos o traspuestos?

La teniente Murillo se cuadró ante él, apartándole de sus devaneos y esas verduras de las eras.

Ella sí debía de haber estado de servicio: no había podido ponerse el uniforme de gala. Llevaba una gabardina corta, un tres cuartos, pero aun así más largo que la falda reglamentaria. A primera vista, a Olmedo le pareció que podía ir desnuda bajo esa gabardina azul.

Eso me dijo luego: que sabía «positivamente» que llevaba el uniforme puesto, pero que había algo en su mirada que sugería que también «podía» ir sin ropa por debajo. «Cierto resplandor en sus pupilas», me dijo. Alfonso Olmedo era así, un soñador indefenso.

Teresa Murillo tenía las mejillas encendidas y los tobillos hinchados, debía de haber pasado todo el día de pie, y sonreía, aunque con ese gesto desvalido de las personas muy propensas a los catarros.

–¿Quién es la víctima? ¿Dónde está el cuerpo?

–No lo sé –respondió Teresa a la primera pregunta, mientras contestaba a la segunda señalando una mesa patas arriba, al lado del estanque.

Echaron a andar y la teniente le susurró:

–Lamento haber tenido que molestarle en un día como hoy.

–Empieza a las seis, teniente, quizá llegue a ver el segundo tiempo.

En el extremo de lo que Olmedo (le conozco bien) no dudaría en llamar «despedazado anfiteatro», había un corro de uniformados y varios hombres con gabardinas policiacas.

–¿Quién está al mando?

–El comisario Garvía, inspector –le informó la teniente.

–¿El Martillo? ¿Han desembarcado los políticos?

En las cloacas de las fuerzas del orden, por debajo de las aceras soleadas de las personas de orden, todos sabíamos que hacía años que Fernando Garvía no se presentaba en una escena del crimen. Su tendencia a alterar, distraer o destruir pruebas materiales inoportunas le había hecho merecedor del remoquete de Martillo. Ahora ya sólo se codeaba con ministros y sus trajes valían lo que un sueldo mensual de Olmedo. Garvía formaba parte de ese pequeño círculo que giraba rutilante (siempre entre la prensa rosa y la salmón) alrededor del poder incandescente: los Bustelos, Sotelos y parentela, los Navalones, Palomita O'Shea y sus tres protegidas trimestrales, las hermanas Zunzunegui, el naviero Fefé o Jimmy Caturla, el célebre industrial y playboy de altos vuelos que solían capotar en lechos ajenos pero bastante concurridos.

Y, por supuesto, Perico Gamazo, mi protector, al que los pies de foto solían llamar «capitán de empresa» y «atractivo aristócrata».

–A la orden, comisario –se cuadró Olmedo–. ¿Cuántos disparos?

—Ninguno, inspector. Todos esos casquillos son de los escoltas.

—Correcto. Entonces ¿cuál es el arma del crimen?

—Algún alimento tal vez —Garvía estaba divirtiéndose con la perplejidad de Olmedo.

—Ya comprendo.

—No comprende usted nada, inspector. La víctima ha sido envenenada.

El cadáver estaba en decúbito supino sobre el santo suelo y parecía flotar en un charco de vómito pardo y sangre endrina, casi negra, pero con reflejos azulados. En su caída, había derribado la mesa y había arrastrado el mantel, volcando sobre su propia cabeza un consomé al jerez. Uno de los zapatos había salido catapultado a varios metros del cuerpo.

Olmedo se acercó a contemplarlo y desde la mesa una gota de sangre le salpicó el pie derecho.

—Deme novedades —le ordenó Garvía a su escolta, que llevaba un auricular puesto.

—El árbitro ya ha pitado el inicio del partido. Torres se ha escabullido abierto a la banda, pero no encuentra a nadie: ¡otro pase perdido!

—No tenemos remedio. Aquí se detesta el trabajo en equipo —sentenció el comisario.

—¿Contamos ya con una identificación positiva? —preguntó Olmedo.

Hasta el Martillo, el imperturbable comisario Fernando Garvía, parecía intranquilo. No respondía y Olmedo percibió un silencio prolongado que le hizo volver la cabeza.

—Soy el padre de la víctima —resonó una voz a sus espaldas.

Ante ellos apareció, en carne mortal, el propio Perico Gamazo.

DETENCIONES PRACTICADAS EN MADRID

Con ocasión de las alteraciones del orden producidas en Madrid, y además de las detenciones ya comunicadas en nota anterior, han ingresado como detenidos en esta Dirección General de Seguridad, don Miguel Sánchez Mazas Ferlosio, don Dionisio Ridruejo Jiménez, don Ramón Tamames Gómez, don José María Ruiz Gallardón, don Enrique Múgica Herzog, don Javier Pradera Cortázar y don Gabriel Elorriaga Fernández, todos los cuales han quedado a disposición de la autoridad.

Nota de la Dirección General de Seguridad,
10 de febrero de 1956

¡Perico Gamazo!

Éramos como hermanos, durante años pensé que en realidad éramos primos, mi familia de Madrid, el hijo del hombre al que en mi infancia llamaba tío Gonzalo. Tuve muchas noticias de él a través de Vicente Soler, en la época en que Soler y este amigo suyo y el otro y el de más allá, Paco Laverón, Michi Bustelo, Manolito Romana, Benet el pequeño y otros iban a preparar el ingreso en Caminos a la academia de aquellos monstruos republicanos, en la calle Desengaño: José Armero Pla, Gallego Díaz, Barinaga y Antonio Flores de Lemus. Yo en cambio terminé en la Academia de la Guardia Civil y de allí, poco después, cuando me hirieron en Barcelona, me rescató Perico Gamazo. Con el tiempo me convirtió en su hombre de confianza, su brazo derecho, su factótum.

–Menéndez: tú serás mi Castresana –llegó a decirme a finales de los setenta.

Entonces acababan de morir los cuatro juntos, encerrados en un 1500: mi padre, el padre de Perico, el gran Pepe Montovio y el célebre Castresana.

Conocí así la humillación intolerable de sentir agradecimiento. Vi aparecer el aterciopelado, el turbio y húmedo musgo de la gratitud cubriendo la dura piedra helada del rencor.

No ingresaron todos en Caminos el mismo año y algunos desistieron para acomodarse en Minas o Industriales, o incluso para resignarse a Derecho y hasta a Filosofía y Letras. Todos ellos, a excepción de Ángel Beamonte, que se murió en el 51 soñando con la gloria de un Pemán o de un Bécquer, metieron infernal ruido en los sucesos del 56. Y lo más llamativo es que, siendo todos amigos, y de las mejores familias, que se trataban desde siempre, en aquellos días de algarada callejera acabaran atizándose unos a otros. Ni que decir tiene que, en cuanto acabó la chiquillada, ya estaban otra vez codo con codo, y así siguieron hasta hoy, en los mismos consejos de administración, reuniones políticas y celebraciones familiares, con la misma camaradería indestructible que habían creado aquellos pupitres del Pilar, del Liceo Francés o del colegio Estudio.

Fueron la primera generación que no había luchado en la guerra, porque les pilló todavía en pantalones cortos. En los años cincuenta ya eran jóvenes con la incapacidad de parar quietos propia de la edad. Desde que acabó la contienda, estaban los estudiantes sin poder expansionarse a gusto y alborotar en la calle, lo que quizá explica por sí solo el tumulto del 54, ante la embajada inglesa, y aquel pequeño terremoto del 56. Para esa fecha, ya llevaban tiempo los comunistas enredando, intentando infiltrarse en la universidad, como las termitas, con el buscarruidos de Enrique Múgica, Ducay, el famoso Martín Cerezo o el infame Diego Torralba. Salvo este Torralba, que era un chivato a sueldo, la mayoría eran buenos chicos de excelentes familias, como Javier Pradera, Miguel Sánchez-Mazas o Vicente Soler, que tan popular se hizo en la DGS con su nombre de guerra: Martín Cerezo.

Tras algunas trastadas como encuentros poéticos, recitales, revistas de duración mínima y ofrendas florales en la tumba de Ortega y Gasset, en enero del 56 volvieron a dar la matraca con su convocatoria de un Congreso de Estudiantes. Lo que querían era cargarse el SEU, lo sabía todo el mundo, y a nadie le parecía demasiado grave, siempre que no fuera para poner en su lugar a los comunistas de Moscú, ¡pues no faltaba más!

Miguel, un hijo de Sánchez Mazas, redactó un manifiesto que, con la previsible humildad estudiantil, iba dirigido «al Gobierno de la Nación y otras autoridades» y afirmaba que venía «desde el corazón de la Universidad». Hizo doscientas fotocopias y aquel gemebundo ladrillazo se leyó en todas las clases con voz solemne:

31

En la conciencia de la inmensa mayoría de los estudiantes españoles está la imposibilidad de mantener por más tiempo la actual situación de humillante inercia, en la cual, al no darse la solución adecuada a ninguno de los esenciales problemas profesionales, económicos, religiosos, culturales, deportivos, de comunicación, convivencia y representación, se vienen malogrando fatalmente, año tras año, las mejores posibilidades de la juventud, dificultándose su inserción eficaz y armónica en la Sociedad.

Los del SEU, que no se chupaban el dedo, de sobra sabían que «los esenciales problemas deportivos de la juventud» ni eran tan esenciales ni tanto problema, es más, le importaban un comino a esa «inmensa mayoría»: los rogelios iban a por ellos, así que los chicos de primera línea se acercaron hasta la universidad para repartir leña.

Se armó la marimorena, volaron las sillas, los cristales se hicieron añicos y las patadas y los puñetazos arreciaban como pedradas de granizo. Un estudiante arrancó una de las flechas de un yugo de latón que había en la escalera. Los del SEU, que echaban ampollas por indignarse, rompieron a gritar: ¡Sacrilegio! ¡Ultraje! ¡Insulto a la Falange!

En auxilio del agraviado «cangrejo», o de la «araña» profanada (como también se solía llamar al emblema falangista) acudió una escuadra, capitaneada por Francisco Eguiagaray, el mismo que, corriendo el tiempo, sería corresponsal de Radio Nacional.

Al día siguiente los estudiantes salieron otra vez a protestar, calle San Bernardo arriba, hasta que en Alberto Aguilera se cruzaron con falangistas armados que iban en sentido contrario. Hubo un disparo y le dio en la cabeza a un muchacho de Falange, Miguel Álvarez, de la Centuria Sotomayor. Se lo llevaron a la Clínica de la Concepción y, alrededor de la mancha de sangre del caído, los falangistas montaron guardia toda la noche. Increpaban a los transeúntes, que, a su juicio, nunca mostraban el debido respeto a la santa reliquia que se estaba coagulando sobre los adoquines.

También fueron preparando listas de fusilados por si el camarada Miguel moría en el hospital.

Fue una noche larga, no se hablaba de otra cosa. En el colegio de monjas Virgen de los Dolores, en la calle de los Olivos, una niña de doce años volvió del cuarto de baño en trance, transfigurada y con los ojos como platos: se le acababa de aparecer, sobrevolando la bañera, el mismísimo Matías Montero, el mártir estudiantil.

Ante este estado de cosas, al día siguiente, 10 de febrero, se declaró el estado de excepción y se suspendieron las garantías de los artículos 4 y 18 del Fuero de los Españoles. «¡Han vuelto a matar a Matías Montero!», exclamaba la portada de *Arriba*. La cosa no paró ahí: se cerró la universidad, dimitió el rector Laín (o le cesaron) y Franco echó a dos ministros: Ruiz-Giménez, la sor Intrépida de Educación Nacional, y Fernández Cuesta, ministro-secretario general del Movimiento.

Hubo que detener a más de cien revoltosos conocidos.

–Si hay que fusilar a un estudiante, se le fusila –propuso el Caudillo en el Consejo de Ministros.

Al final ni siquiera hizo falta.

En aquellos días, a Manolito Romana, a Vicente Soler y a otros cuantos les alcanzó la porra de los guardias. Acabaron entre rejas Sánchez Dragó, Múgica y el inevitable Dionisio Ridruejo, que estaba siempre en medio, como el jueves.

A Perico Gamazo se lo llevaron detenido a Sol, en una camioneta con ventanillas enrejadas, apelotonado con varios estudiantes y algunos cuarentones que no iban a la universidad a estudiar, como Dionisio. A la sombra me le tuvieron tres días, y aún durara más su cautiverio si de él no le sacara el día 13 su papá, don Gonzalo, sujeto respetabilísimo y muy bien relacionado, y marqués de Morcuera de añadidura.

¡Ay! El susto que se llevaron don Gonzalo y doña Carlota no es para contarlo. Cuando nuestro Perico entró en su casa, pálido y hambriento, con algún que otro cardenal, la ropa llena de sietes y «oliendo a pueblo», su mamá vacilaba entre regañarle o comérselo a besos.

¿Por qué a Pedro Gamazo le llamó siempre todo el mundo Perico? Esto sí que no lo sé. Hay muchos casos de esta aplicación del diminutivo, aun tratándose de personas que han entrado en la madurez de la vida. Hasta hace pocos años, por ejemplo, al autor cien veces ilustre de *Cien años de soledad* le llamaban Gabo sus amigos y los que no lo eran. Nuestras sociedades democráticas han sabido combinar la cortesía con la confianza y hay algunos Pepes, Manolitos, Pacos y hasta Txiquis que, aun después de haber conquistado la celebridad por diferentes conceptos, continúan llamados con esta familiaridad que demuestra la llaneza castiza de nuestro carácter.

Por el mismo motivo, a su papá, el insigne don Gonzalo, como a tantos aristócratas, le complacía que le llamaran Morcuera, usando el título como si fuera un apellido cualquiera, y así se le conoció siempre.

Antes de convertirse en el Rey del Envasado, Morcuera había sido falangista de la primera hora, camisa vieja, amigo de José Antonio y compañero de Muñoz Grandes, pero en 1956 ya se daba cuenta de que habían pasado veinte años desde la guerra y sacaba conclusiones: el Régimen tendría que evolucionar y, tarde o temprano, vendría una democracia. Había que ir tomando posiciones para que, si daba la vuelta la tortilla, los mismos quedaran otra vez arriba.

Él había sido un revolucionario nacional-sindicalista cuando era un joven abogado, pero ahora ya no era ni joven ni abogado siquiera: era un padre de familia, marqués y capitán de empresa. Había acumulado una gran fortuna con no poco esfuerzo y pasando las penalidades reglamentarias. Su hijo ninguna necesidad tenía de trabajar ni de hacer ninguna revolución pendiente, ya fuera la de Girón o la de Lenin, porque para eso ya se había sacrificado él bastante. Que Perico se fuera colocando en el mundo de los partidos clandestinos era una inversión de futuro, como estudiar inglés para el día de mañana. Si un día venía la democracia, que viniera, aunque fuera inorgánica: a los Gamazo y a sus amigos no les iba a pillar desprevenidos.

Para lo cual tampoco era indispensable que se convirtiera en un mártir: con unos días de calabozo había más que de sobra.

Creo que fue el propio Agustín Muñoz Grandes quien le acompañó a ver al ministro, y este dio al punto la orden para que fuese puesto en libertad el revolucionario, el comunista, el subversivo, el descamisado Perico Gamazo.

Para eso habían ganado una guerra: para dejarnos a sus hijos un país a la medida: «España a su medida», como todavía declara la prensa casi cincuenta años después.

EL SENADO RINDE HOMENAJE A LA GENERACIÓN DEL 56

Algunos de ellos provenían de las familias de los que ganaron la Guerra Civil, otros tenían que ver con el PCE o con los amigos del desencantado Dionisio Ridruejo, pero en 1956 todos decidieron formar en las filas del antifranquismo y pagaron con la cárcel. El Senado ha decidido rescatar su memoria, que estos días se puede escuchar en la Cámara alta [...] Antonio López Pina, senador constituyente y catedrático de Historia de las Constituciones, a quien se debe la inspiración del ciclo, cree que en ese año, 1956, nace «una generación que vertebra y va a dar sentido y relieve al medio siglo posterior».

Aquellos incidentes universitarios que dieron origen a aquellas detenciones pusieron al Régimen frente a «una generación joven que, sobre todo, quería *construir España a su medida*» [...] En el acto en el que Semprún regresó a aquel entonces estuvieron algunos de los que fueron sus compañeros: Enrique Múgica, Javier Pradera, y otros como Raúl Morodo, Elías Díaz, José Luis Yuste, Miguel Boyer o Rodolfo Martín Villa.

El País, 20 de abril de 2009

—¡Lo sabía! —saludó Arturo, triunfal y enternecido—. Lo veía venir.

Todos lo sabíamos. Si no tenía remedio: yo adivino lo que veo.

—Ponme lo mío, Arturo —pidió Clot.

—Nunca hay que abandonar un vicio: uno se queda demasiado solo.

—Nos hacen tanta compañía.

Arturo le sirvió la primera copa que Carlos Clot tomaba en tres años.

Tres años sin tocar la botella. Tres años viendo la vida como una película sin sonido. Tres años solo, sin sentir ni siquiera el consuelo de esa sensación de superioridad que tan a menudo se apodera de los que dejan el trago.

Yo pedí una simple cerveza.

—¿Sigue bien la señora?

Le preguntaba Arturo por una ayudante de mago con la que Charlie había andado enredado, una tal Alejandra, cabecita loca y doncellita andante.

—Se fue.

—Todas se van.

—O vuelven.

—Las mujeres nunca retroceden, Carlos. Sólo van en una dirección, como la sangre en las venas.

—La sangre siempre regresa al corazón.

—Porque da la vuelta completa. Cierra un círculo, pero en línea recta, siempre hacia delante. No sé si me explico.

—Si fuera la Tierra plana, se podría ir a alguna parte sin acabar volviendo sin remedio al mismo punto –comentó Clot–. Qué más da, ponme otra.

–Pero es redonda –le desengañó Arturo.

–No perdamos la esperanza, eso no está del todo demostrado.

En el Seemannsbar de la dársena de Delicias apenas se hablaba en inglés, era un local tenebroso para *fucking spics*, los santos bebedores, las aguerridas lumis y esos marineros sentimentales que les cubren los muslos de moratones. De día los jubilados bebían sin cambiar de postura y sin condescender a la conversación o a la sonrisa. Arturo les hacía un pequeño descuento al presentar su Tarjeta Dorada de pensionistas. El vino blanco venía en frascos de grueso cristal verdoso. El tinto estaba en dos toneles. El de la derecha tenía un cartel que ponía VINO TRISTE; en el de la izquierda decía VINO ALEGRE. Arturo se negaba a admitir que fueran el mismo vino:

–A las pruebas me remito.

Y era verdad que quien bebía del tonel de la derecha acababa sin remedio con los ojos empañados y el que bebía del de la izquierda sentía la necesidad repentina de abrazar a desconocidos o cantar vallenatos y bailar cumbias.

–Eso también está por demostrar –solía oponer Clot–. He vaciado muchas botellas. Dentro no hay nada: lo pone uno todo.

Nada había cambiado en el Seemannsbar, salvo la nueva máquina expendedora de hostias envasadas. La tele aún era en blanco y negro.

–Arreando, abuelo –le advirtió Arturo a un tarjeta-dorada–. Váyase a ver el partido a casa, que empieza el abordaje.

A esa hora indecisa el bar aún se mantenía en tregua, pero pronto llegarían los marineros y las primeras lumis recién duchadas, con el rímel intacto y las bragas todavía puestas. Los marineros hacía tiempo que les habían perdido el respeto a los mayores. Si veían a un tercera-edad en la barra, le pegaban dos puñetazos simultáneos, uno en cada oído.

Conmigo tenían consideración. A pesar de mi edad, aún debía de oler a gran distancia a polizonte, a fuerzas del orden, a trabajador de las cloacas del Estado de Derecho.

El tarjeta-dorada se acarició con la mano la pechera de la camisa, empapada de saliva y vino (al parecer triste), y arrastró los pies hacia la máquina.

Comulgó allí mismo con los ojos cerrados y muestras vehementes de respeto.

–Que es para hoy –insistió Arturo.

El anciano se sobresaltó y apretó con fuerza las mandíbulas. Al mismo tiempo hizo una sombría mueca parecida a la sonrisa de una gárgola y se le despegaron las orejas del cráneo. Tenía los ojos saltones como pedradas de un tirachinas.

Se puso a andar hacia la puerta con gestos mecánicos, todo rígido, sin doblar las rodillas ni los codos.

Cuando alcanzó la calle ya tenía la piel azulada y le costaba esfuerzo respirar.

–Menuda merluza lleva. De campeonato –comentó Arturo–. ¿Te pongo otra?

–Sí, pero deja la botella. Y vete llamando a una ambulancia.

Se oyó cómo caía al suelo el santo bebedor.

–*Gebe Gott uns allen, uns Trinkern, einen so leichten und schönen Tod* –rezó el primer marinero que entraba en la taberna, un tipo alto y rubio como la cerveza.

–Que nos dé Dios a todos nosotros, nosotros los bebedores, una muerte tan ligera y tan hermosa –repitió Arturo en español.

–Amén –susurraron los clientes santiguándose.

Cuando Carlos Clot vio el fondo vacío de la botella (dentro no había nada), los marineros ya tenían el corazón como una esponja, empapado de sentimientos aprendidos en canciones, y las lumis llevaban las bragas en el bolso, churretes pegajosos en los párpados y un tibio y dulce perfume a putrefacción, a carne macerada en los sueños de otros.

–Que nadie se mueva –irrumpió un policía uniformado–. Hay un cadáver en la acera. ¿Alguno de ustedes es don Antonio Menéndez Vigil o don Carlos Clot?

–Ya hemos avisado, oficial. Le ha debido de dar un patatús –explicó Arturo.

Clot y yo nos identificamos. El policía se cuadró y me hizo un saludo.

—Tienen que acompañarme, señores. Se trata de una emergencia.

—¿En pleno partido? —preguntó Clot.

—Lo lamento, son tiempos difíciles. El señor Gamazo les necesita.

Del televisor salió un grito desgarrador: ¡Goooooooooool! ¡Gol de Torres! ¡Gol de España!

Era el minuto 14: hubo un córner, los suecos estaban como estalactitas, el balón fue a parar a Silva, que lo metió en el área pequeña, y el Niño sólo tuvo que empujarlo con la punta de la bota. Uno a cero. ¡Golazo de España, señores!

Carlos Clot y yo seguimos al agente, que nos llevó de vuelta al Ritz.

En cuanto vi el rostro de Perico Gamazo lo supe: Laura había muerto.

Ya no habría boda. Nunca podría volver a entregarle aquella moneda de plata.

Perico y yo nos fundimos en un abrazo.

Que Dios me perdone, pero al ver el afecto sincero de Perico, lo primero que pensé fue: mi secreto está a salvo.

Cuando ella tenía doce años y yo treinta y cinco, me había acostado con Laurita, la hija de Perico, el hombre al que se lo debía todo en esta vida, mi amigo, casi mi hermano mayor.

Olmedo y Carlos Clot se sentaron en un sofá chesterfield. Perico Gamazo ocupó el sillón a juego. Fernando Garvía, atlético, exhibía su flexibilidad en un puf de gutapercha. Aturdido por la noticia, me dejé caer en una otomana, como quien tira una piedra a un pozo y ni siquiera espera oír el golpe contra el agua, plof. No abrí la boca y tenía miedo de cerrar los ojos: no quería contemplar ese espacio vacío donde debería sentir dolor, pero en el que sólo había vergüenza.

Estábamos en una suite del Ritz y, al cerrar la puerta, se produjo una sensación de vacío: el mundo exterior desapareció.

–Mi hija ha muerto –levantó una mano como para impedir el paso–. Gracias, gracias. Sé que lo lamentan, pero no es necesario extenderse en pésames. No es la primera vez.

Carlos Clot asintió: él había encontrado a su hijo mayor, Nacho, hacía veinte años, en el 84, pero nada pudo impedir que muriera en un confuso tiroteo entre la policía y unos terroristas.

Medio siglo después de su experiencia carcelaria, el descamisado, el subversivo, el revolucionario Perico Gamazo era un anciano pétreo y tan respetable que jamás necesitaba levantar la voz. Ya no le quedaba nada. Su mujer se había suicidado. Su hijo Nacho había muerto a tiros. Y ahora Laura había sido envenenada. Pero nobleza obliga: estaba entero, aplomado, impertérrito, y apretaba las mandíbulas como si fueran una tenaza. Cruzó las piernas, sosteniendo con la punta de los dedos la raya del pantalón. Llevaba un excelente terno de Sastrería Hortelano, el mismo que cortaba a su padre.

–Tampoco es la primera víctima. Ya han muerto otras cuatro personas –añadió Garvía.

–¿Van cinco muertos? –se escandalizó Olmedo.

–Pero no eran mis hijos.

–Laura Gamazo era la prometida del ministro de Medio Ambiente –informó Garvía–. La situación es crítica.

–¿Hay una investigación en marcha? –preguntó el inspector.

–En absoluto. Todavía no –respondió Garvía–. No era el momento oportuno.

–Ahora ya lo es. Mi hija ha sido envenenada –Gamazo hizo un gesto para que Garvía continuara con las explicaciones.

–Alguien está adulterando las hostias consagradas envasadas al vacío. Introducen estricnina con una jeringuilla. El tóxico ha aparecido incluso en paquetes de máquinas expendedoras.

–Comprenderán que no podemos permitir que esto trascienda –afirmó Gamazo.

Lo comprendíamos. Desde aquella burbuja del Ritz podíamos imaginar el mundo al otro lado de la puerta cerrada y los titulares de prensa: «Hostias asesinas», «Comunión letal», «El cuerpo de Cristo envenena». En aquella suite, al otro lado de la puerta, se podía oír ya la indignación de los que siempre se opusieron a la idea, los enemigos del progreso, los partidarios del oscurantismo y las tinieblas. Sentados en aquellos sillones de cuero podíamos prever la catástrofe para el imperio industrial de Gamazo, fabricante exclusivo de los envases eucarísticos, creador de riqueza y empleo, y por consiguiente, bien podíamos figurarnos el impacto en la economía de la nación.

–La investigación empieza ahora –aseguró Garvía–. El inspector Olmedo se hará cargo. Usted, Olmedo, y otra persona que usted designe serán los únicos de su equipo que tengan conocimiento de lo que están buscando. Sus hombres no pueden saber ni una sola palabra. Trabajarán a ciegas, con los ojos vendados, teledirigidos, pero sin saber siquiera hacia dónde se encaminan. ¿Me he explicado?

–De acuerdo.

–Sólo se comunicará conmigo o directamente con el señor Gamazo. Todos sus informes serán verbales y confidenciales, y no documentará ninguna de sus actividades. Le garantizo que dispondrá de los medios que considere necesarios. Carta blanca, inspector.

–No será fácil, comisario.

–No hay otra opción. En cuanto a ti, Charlie, te seré sincero: recomendé que te mantuvieran al margen.

–No me sorprende, Fernando.

–Tu participación ha sido decisión directa y personal del señor Gamazo, así como la presencia del señor Menéndez Vigil, que todos agradecemos.

Perico Gamazo sonrió afirmativamente y preguntó:

–¿Sabe por qué le he llamado, Clot?

–Quizá me echaba de menos.

–Puede ser –admitió–. Hizo un buen trabajo en 1984.

–Le recuerdo que no llegué a terminarlo. Su hijo murió.

–No fue culpa suya. El caso se resolvió a mi entera satisfacción –afirmó Gamazo, con una voz que dejó bien establecido que no admitía réplica.

Luego prometió que les recompensaría con generosidad.

–Yo soy un funcionario –respondió Olmedo con rapidez innecesaria, casi delatora.

–Mis tarifas ya las conoce usted –expuso Clot–. Cien al día más gastos y quinientos por adelantado.

–¿No ha subido ni siquiera la inflación desde entonces? Se estará quedando bastante tieso, amigo.

–Reduzco cada año un cinco por ciento todas mis necesidades. A mi edad ya no es tan difícil.

Garvía miró el reloj con estoicismo: sólo quedaban dos minutos. Si la situación en el terreno de juego hubiera cambiado, ya habría recibido un mensaje en el móvil.

Al final del primer tiempo nos habíamos ido al vestuario con un doloroso empate a uno. Saltaron las costuras, como era previsible, por la banda derecha, con Iniesta convaleciente y Sergio Ramos sin iniciativa, como si antes de moverse tuviera que esperar a oír voces en el interior de su cabeza. En el minuto 34 Ibrahimovic eyaculó por fin en la red de Casillas. Qué a gusto se debió de quedar el tío.

–Un minuto, Clot, un minuto. Sólo te lo voy a decir una vez –interrumpió Garvía–. Te conozco, así que métetelo en la cabeza: si abres la boca, eres hombre muerto. Un *dead man walking*, ¿capiscas? Está en juego la Santa Eucaristía. Calcula.

–Y la fortuna del señor Gamazo.

–Así es, amigo Clot –terció Gamazo–. Para mí sería la ruina, ¿por qué no voy a admitirlo? Usted no es capaz ni siquiera de imaginar cuánto me ha costado mi dinero.

–No sólo a usted.

Tal vez Perico Gamazo creyó que se refería a lo que había heredado o quizá a que todos los creadores de riqueza lo consiguen mediante el trabajo en equipo, con un esfuerzo espectacular y coordinado. Tal vez Clot quiso aludir a que es el sufrimiento de otros lo que hace posible cualquier fortuna. Tal vez los dos sabían que hablaba del caso del 84. Como fuera, ninguno parecía partidario de discutir, así que Gamazo dio la reunión por terminada:

–El comisario Garvía les resumirá después lo que se sabe.

–Nos reuniremos a las nueve en Balmoral –confirmó el Martillo, y advirtió–: Vengan de incógnito.

Francisco Garvía abrió la puerta y fue como una vía de agua en el casco de un buque, bajo la línea de flotación. El rugido del exterior entró a chorro limpio inundando la suite: ¡Goooooool! ¡Goooooool de Villa!

El timbre del móvil comenzó a sonar.

–Ahora empieza todo. A trabajar, señores –ordenó el creador de riqueza–. Estamos en plena Eurocopa. Quédese un momento, Clot. Y tú también, Toñín.

Perico Gamazo era la única persona del mundo que me llamaba Toñín.

Aún estaba intentando adivinar por qué me había llamado. Ya no trabajaba a su servicio y mis contactos en el ministerio no serían de gran ayuda, así que empezaba a dudar.

Me preguntaba, aterrado, si antes de morir Laura le habría revelado a su padre nuestro secreto.

A los ricos no se les pregunta de dónde viene su dinero. Es de mala educación.

Preguntarles a los hijos de los ricos es inútil. Ellos ni siquiera saben que son ricos, se consideran de clase media o, como mucho, algo acomodada. Nada del otro mundo: siempre conocen a otros que sí son los ricos de verdad. Viendo a los Gamazo, su casa de Raimundo Lulio y aquel chalet de El Viso al que se mudaron luego, su finca de Moratilla, sus cubiertos de plata y su criada de uniforme, ¿cómo iba yo a pensar que nosotros también teníamos dinero, si mi padre sólo era un médico en un pueblo de la cuenca minera?

La tercera generación ya hereda la fortuna familiar junto con la leyenda, en el mismo paquete.

La fábula de los Gamazo y los Montovio, la que contaban Laurita y su hermano Nacho, tenía dos caras: la leyenda negra y la historia oficial. Ellos difundían las dos a la vez, inseparables, como el suplemento dominical con el periódico: así conseguían que los demás creyeran estar ante un relato objetivo y un narrador que no se callaba nada. Así empujaban al oyente, sin que se diera cuenta, hacia la media aritmética, hacia la equidistancia, hacia el complaciente, el siempre agradecido mínimo común múltiplo: la verdad debe de estar a mitad de camino.

Del abuelo Pepe Montovio se cuentan demasiadas cosas, solían decir. Dicen que al terminar la guerra hizo una fortuna delatando a inocentes para quedarse con edificios enteros. Aseguran que envió al paredón o a Ocaña a docenas de pequeños propietarios, viudas con un piso y un gato, tenderos con puesto en el mercado de Olavide. Otros, en cambio, le adoran, dicen que fue un héroe en el Guadarrama, que salvó a muchos de una muerte segura y que perdió millones para construir viviendas de protección oficial. Es verdad que nunca se entendió con el Régimen: Franco se negó a hacerle ministro. Era falangista, pero de la vieja guardia, de los que creían en la revolución pendiente y en la doctrina social de José Antonio: paternalismo populista, sí, pero siempre a favor del obrero. Lo cierto es que a la Falange Franco la utilizó.

Del abuelo Gonzalo Gamazo se cuentan demasiadas cosas, solían decir. Dicen que en la posguerra se hartó de ganar dinero con el estraperlo, hay quien afirma que estaba metido en el contrabando de antibióticos, como en la película de *El tercer hombre*, y aseguran que a menudo los medicamentos estaban en condiciones más que dudosas (es decir, inservibles, caducados más allá de toda duda razonable). Los que trabajaron con él le tenían devoción, en Moratilla les pagó estudios a muchos chavales del pueblo y era el padrino en casi todos los bautizos. Era un marqués de la vieja escuela, como el propio conde de Romanones: muy señor, que sabía estar en su sitio, pero vivía el día a día con los campesinos, como uno más. En Madrid nunca estuvo a gusto: los militares y El Pardo desconfiaban de la nobleza, les daba miedo y jamás contaron con ella. Lo cierto es que, a don Juan, Franco lo manejó como a un muñeco.

Total, que no sé qué decirte, decían, con estudiada inocencia: todo se desfigura. El abuelo no sería un santo, por supuesto, pero tampoco el demonio del que hablan algunos. Eran tiempos difíciles. Hizo lo que pudo, como todos. Tuvo suerte, pero también se mató a trabajar, esa es la verdad. Nadie le regaló nada.

Alcanzado este momento, el hermano Gamazo Montovio correspondiente levantaba las manos, alzaba los hombros, sonreía y dejaba que el oyente encontrara el punto de equilibrio entre los dos extremos, convencido de que había sacado «sus propias conclusiones».

Decía Balzac que detrás de cada gran fortuna hay un gran crimen. Eso será en Francia. Aquí sólo hay traiciones, cobardías casi disculpables, negocios bajo cuerda y, por debajo de cada moneda, detrás de cada billete, la sombra de una guerra civil que nadie quiere recordar.

Tanto Pepe Montovio como el papá de Perico, don Gonzalo, marqués de Morcuera, habían hecho dinero en los cincuenta y sesenta, porque para eso habían ganado una guerra. Perico Gamazo multiplicó la fortuna familiar en los ochenta, gracias al acuerdo con el Vaticano para fabricar envases eucarísticos, porque para eso ellos habían ganado una paz.

Y allí estaba ahora, en el Ritz, huérfano de padres y de hijos, viudo, solo al final de su vida, pero altivo, indoblegable y, por fin, dispuesto a explicarnos qué quería de nosotros.

—Es probable que mi hija sea una víctima inocente, pero no quiero que en la investigación se descarte ninguna posibilidad. Podría ser una venganza personal. Hay una mujer, ¿sabes de quién te hablo, Toñín?

—Sí, se trata de Rosario Valverde, la llamaban Charito —tuve la amabilidad de evitar fingir que no recordaba su nombre.

—En primer lugar, no creo que ella sea capaz de organizar algo así —afirmó Perico—. Además, no tiene ningún motivo. Ha pasado demasiado tiempo. Usted quizá la recuerde también, señor Clot.

—No he conseguido olvidarla —confesó el detective.

Era un sentimental y esa mujer había aparecido en su vida y en la de la familia Gamazo como se le presentó Aquiles a Licaón, «en calidad de desastre imprevisto».

—Quiero que no descarten esa posibilidad, pero no es necesario informar a la policía y menos aún al comisario Garvía, ¿me comprenden?

—Pierde cuidado, Perico —le tranquilicé.

—Gracias. Ahora, si me disculpan, tengo que ocuparme de muchas cosas. ¿Quieres ver el cuerpo, Toñín?

Así la recuerdo: estaba de rodillas, con los ojos cerrados y la boca muy abierta, y deslizaba hacia fuera la lengua, apoyándola en el labio inferior. Fue la primera vez que la vi. Llegó su turno, pero debió de suceder algo, porque se puso roja y se tapó la cara con las manos. Sus hombros se sacudían como si estuviera llorando. Cuando se puso de pie, le temblaban las rodillas.

Quizá en ese momento, al verla andar dando tumbos, aún ruborizada, con las pestañas mojadas y los ojos brillantes, empezó mi deuda y la nostalgia hacia el confín de sus muslos.

Si fue así, no lo supe entonces: ella tenía nueve años y estaba en gracia de Dios. Acababa de recibir la Primera Comunión.

Tres años después, cuando ya tenía doce y tras aquella tarde en el hotel de Tendilla, me explicó lo que le había pasado. El sacerdote depositó la hostia consagrada sobre su lengua, pero ella recordó de pronto un pecado que no había confesado. El temor la sobresaltó tanto que, en lugar de empujar la hostia contra el paladar, la trituró con los dientes.

–Yo he masticado el cuerpo de Nuestro Señor –me confió con verdadero asombro, casi sin jactancia, en Moratilla–. ¿Qué te parece eso? ¿A que no tengo perdón de Dios?

–*Sunt lacrimae rerum* –le dije, apartándole el flequillo de la cara–. No te preocupes, mírame a los ojos: aquí tengo lágrimas de sobra por todos tus pecados.

–Más las necesitas tú –dijo ella, y me apartó la mano con la que le quise enroscar el mechón de pelo tras la oreja.

Se había quitado las sandalias y tenía los pies dentro del agua. Llevaba un vaquero cortado con tijeras a ras de ingle y una camiseta blanca de tirantes. Le pregunté si ella no se arrepentía de nada.

—Sólo de ti.

—¿Soy peor que comerse a todo un Dios a bocados?

—Eso fue sin querer.

—¿Quieres decir que esto ha sido queriendo? Pues te lo agradezco.

—Esto sólo es tu pecado, imbécil, no el mío.

—Entonces yo soy la víctima —le dije, no tan en broma como parecía.

Metió las manos en el agua y se acarició los tobillos. La corriente del Tajuña le golpeaba las muñecas.

Ni entonces ni nunca me dijo qué pecado era el que se había olvidado de confesar en la parroquia de Santa Gema. Un pensamiento rencoroso sobre su padre, una palabra más alta que otra con su madre, una mala obra contra una amiguita del parque o un pecado de omisión, no le habría dicho a una compañera dónde le había escondido su colección de pegatinas. ¿Qué otra cosa iba a ser? Sólo tenía nueve años, como Beatriz cuando Dante la conoció y decidió entregarle su vida, así sin más, menudo botarate.

Esa noche de su Primera Comunión, como Dante Alighieri, el botarate, también yo tuve un sueño.

Vi a Laurita dormida en brazos de su padre, con velo, vestido blanco y un crucifijo dorado. Al despertarse, metía las dos manos en el pecho de su padre, Perico Gamazo, mi amigo, mi protector, mi semejante. Luego la niña venía hacia mí andando como si se dirigiera al altar, tímida y ceremoniosa. En las manos llevaba algo que estaba en llamas. Me lo ofreció diciendo: «Toma y come de él: es su corazón», y lo acercó a mis labios. Lo mordí, al principio sin ganas, aunque al final lo devoré entero. Me supo a gloria, a libertad ardiente, empapada en sangre; pero en mi interior se volvió amargo y doloroso como la manzana del primer pecado, como el alma prisionera de la que habla Dante.

¿Que si quería ver su cuerpo muerto?

Cómo iba yo a ver su cadáver sin dar un grito o callarme para siempre.

Yo, que la había conocido cuando fue insolente y adorable, cuando sin proponérselo tenía el mundo a sus pies, aunque entonces todo lo que ella exigía era un pintalabios, unas sandalias azules, aquella moneda de plata, un cucurucho de helado con dos bolas o que le contara un cuento inventado por mí: el de la niña perdida y el hombre de ceniza.

Yo, que había mirado su espalda desnuda cuando mirarla dolía tanto, cómo iba a ver su sangre en el suelo sin delatarme.

Quizá quería ponerme a prueba: dicen que un cadáver, en presencia del culpable de su muerte, vuelve a sangrar por las mismas heridas.

Rocé con los dedos, por dentro del bolsillo, el cartón cuyo texto sabía de memoria:

D. Pedro Gamazo Navascués *Doña Eugenia Bustelo y Bramante*
Marqués de Morcuera *Vᵃ de Cachón*

Participan el matrimonio de sus hijos
Laura y Francisco Javier

Y tienen el honor de invitar a usted y a su apreciable familia a la Ceremonia Religiosa que se celebrará el día 30 de junio del presente a las 19:00 horas en la Parroquia de Santa Gema, ubicada en la calle Leizarán 24.

Siempre había sabido que sólo una cosa me redimiría: ver a Laurita casada. Después de eso, ya podía morir en paz, aunque sin perdón ni castigo. En cuanto aquella niña, convertida en la mujer esquinada, displicente y desapacible que fue, volviera a arrodillarse vestida de blanco en el santuario, en cuanto le diera el sí al excelentísimo señor Cachón Bustelo, ante Dios, ante las reliquias de Santa Gema, ante los hombres y, sobre todo, ante mí, todo habría concluido.

Ahora ella había muerto y su padre esperaba una respuesta.

–Prefiero recordarla viva, tal y como era –dije por fin y me negué a ver su cuerpo muerto, que Dios me perdone.

Al peligroso subversivo, al descamisado, al revolucionario Perico Gamazo nos lo tuvieron dos días a la sombra, en aquellos concurridos calabozos de la Puerta del Sol, en el Kilómetro Cero.

–¿Y si se nos hace comunista? –se angustiaba doña Carlota, su mamá.

–No digas simplezas. ¿Tú te crees que los ingenieros de caminos se vuelven comunistas así como así? Lo único que pasa es que está en la edad.

Su padre tenía razón: malditas las ganas que tenía Perico de empuñar las armas y meterse en revoluciones, asaltos a la contradicción de primer plano y dictaduras del proletariado. Al fin y al cabo, según acabó confesándole a su padre en una conversación de hombre a hombre, lo único que pedían los estudiantes era un poco de democracia. O en otras palabras: cargarse al SEU.

Pepe Montovio recibió a Gonzalo Gamazo, marqués de Morcuera, al día siguiente en su despacho del ministerio. Se abrazaron con sonoras palmadas en la espalda y en las hombreras de los trajes.

Montovio llevaba un terno de pata de gallo, corbata verde botella y un pañuelo blanco en el bolsillo de la chaqueta. Morcuera llevaba un sencillo traje gris.

–¿Quién te corta, marqués?

–Esto es de Marías.

–¿Quién es ese?

–Un sastre en la plaza de la Villa.

51

–Mira, compadre, que te corte Hortelano, calle Gaztambide. En este Madrid, sin un traje de Hortelano no eres nadie.

Montovio cojeó hasta su asiento, detrás de la mesa.

–Morcuera, ata en corto al chaval. O somos o no somos.

Todos los ámbitos de la inteligencia los penetraba Montovio mediante esas disyuntivas rotundas ante las que había que tomar partido de inmediato.

–Somos, Pepito, somos. Estoy muy preocupado.

–Pues tampoco es para romperse la cabeza. Tú tienes que mostrarte firme. Si el chico se va de fulanas, ¿qué haces tú? ¿Le felicitas? Por supuesto que no. Tú vas y le dices que es una falta de respeto a la mujer y esas pamplinas. Pero en el fondo de tu corazón te llevas una alegría, ¿a que sí? Ya es un hombre, coño, y no es maricón. Pues esto es igual, ¿entiendes?

–No acabo de verlo. Es que se nos puede hacer subversivo.

–Algún día nos va a venir de perlas tener nuestros propios subversivos. Nunca hay que poner todos los huevos en la misma cesta.

–Parece mentira que lo digas tú.

–Mira, marqués, lo único que yo digo es que algún día puede dar la vuelta la tortilla. Ese día, o estás arriba o te quedas abajo. Tú y yo ya hemos ganado una guerra, camarada. Ahora les toca a ellos, a los muchachos, ganar una paz. ¿O vamos a dejar que la paz nos la ganen los rojos?

–Lo que importa es defendernos del comunismo internacional. La democracia es la antesala del bolchevismo.

Montovio encendió un cigarrillo y tosió con el estrépito que solía provocar. Cuando aquel hombre tosía, las conversaciones se interrumpían, las ventanas se cerraban de golpe y los papeles echaban a volar por los aires. Cuidaba su enfisema con rubio americano de contrabando, el auténtico, alternado con habanos del mismo calibre que los de Bernabéu. La cirrosis la mimaba echándose al coleto copas de anís o coñac, según la hora del día.

–Déjate de bolcheviques. El comunismo no es ninguna conjura: no es más que hambre. Contra el comunismo, la mejor arma es el nivel de vida. Tú dale al obrero un automóvil y ya verás como entra en razón. Esa es la consigna. Desarrollo. El plan de Estabilización. Los americanos. Y el desarrollo, tarde o temprano, significa democracia, Morcuera, desengáñate. No hay por qué asustarse: lo que hay que hacer es ir tomando posiciones. Ojo: una democracia administrada por nosotros, no te confundas.

–Eso dice Perico, que ellos sólo piden democracia.

–Y cargarse al SEU, compadre, que no nos chupamos el dedo.

–Sí, eso también –admitió Morcuera.

Por Madrid ya circulaban octavillas que decían: «¡Abajo el SEU! ¡Abajo Blas Himmler!», que era como los revoltosos llamaban al pobre Blas Pérez, ministro de la Gobernación.

–Pues entonces lo único que falta por saber es quién le ha venido calentando la cabeza.

–No para de hablar de Dionisio Ridruejo.

–Acabáramos. No me digas más.

A Montovio no hacía falta que nadie le contara quién era Dionisio Ridruejo.

–Dice que les lió para firmar no sé qué manifiesto.

–Sería un panfleto. Mira, Dionisio tuvo la desfachatez de mandarme una carta. ¡A mí! Imagínate, le mandé venir a mi despacho. El tío, tan campante, va y me dice: Buenos días. Yo me cuadro brazo en alto y le grito ¡Arriba España!, y le digo: no te olvides de mi grado. Arriba España, mi coronel, dice. ¿Qué cojones es esto?, le pregunto. Pues una carta, es una «carta abierta», me dice. ¿Conque una carta abierta? Mira, chaval, las cartas se envían cerradas. ¡Ce-rra-di-tas! ¿Estamos, Dionisio? Estamos, mi coronel. Entonces voy y le digo: para dejar abiertas las cartas, ya podías enviar tarjetas postales.

–Tiene gracia –admitió Morcuera–. Así se ahorraba el sobre.

–Pues ni sonrió. Es un cenizo. No se divertía ni en Rusia.

–Ese iba a lo que iba.

–Un pelmazo, pero estaba cagado. Total, voy y le ordeno que se siente y que me explique qué cojones pone en la puta carta abierta. ¿Usted no la ha leído, mi coronel? ¡Por supuesto que no la he leído! A mí, lo que me quieras decir me lo dices a la cara, Dionisio, si tienes huevos. ¿Por correo? De eso nada: a la cara, como los hombres.

–Se acojonó, seguro.

–De la cabeza a los pies, pero eso sí, venga a hablarme de democracia, de participación, de que los estudiantes necesitaban elegir. Me dice el tío: los jóvenes sólo pueden elegir entre lo impuesto y lo prohibido.

–Bueno, ¿y qué narices querrá Dionisio que elijan?

–Eso mismo le dije yo: lo que tienen que hacer los estudiantes es estudiar, es su deber. O están con nosotros o están contra nosotros. Y le digo: a ti, Dionisio, precisamente a ti, debería darte vergüenza. Tú eres un camarada. Y va el desagradecido y me suelta que no hemos hecho una guerra para tener menos libertad, sino más.

–Qué fantoche.

–Pues aún me dijo, muy digno, ya sabes cómo es, con esa cara que pone de huerfanita a la que le acaban de pellizcar el culo, va y me dice: a este paso, mi coronel, muchos de los que fuimos vencedores empezamos a sentirnos vencidos, porque habríamos preferido serlo.

–Qué cuajo. ¿Y tú qué hiciste?

–Qué iba a hacer. Saqué el arma de la cartuchera y le apunté al corazón. Quítate de mi vista, le dije. Mira, Dionisio, esta vez te vas a ir a tomar por el culo, pero vivo. Por Rusia y por la División Azul. Pero la próxima, te juro que aprieto el gatillo, camarada. Y el tío se me cuadra, saluda, taconazo, y sale con el rabo entre las piernas.

–No sé cómo aguantaste tanto, Pepito. Hace falta paciencia.

–Tendría que haber disparado, pero qué quieres: soy un sentimental. ¿Tú crees que hemos ganado una guerra para esto?

A Montovio que no le hablaran de Dionisio, no. El tipo era una novia despechada. Debía de ser el hombre que más gastaba en papel carbón en toda la península. No hacía otra cosa que escribirle cartas de esas abiertas a todo bicho viviente: al Caudillo, al Jefe Nacional del Movimiento, a Luca de Tena, al Sursuncorda y a San Corpus Christi. De cada carta hacía veinte o treinta copias que iba repartiendo a mano, como si fueran participaciones de alguna lotería. Y para guinda le mandaba también copia a los periódicos extranjeros, que debían de estar hasta la coronilla del remitente: A la Opinión Internacional, de parte de Mr. Ridruejo, Spain.

Había sido camisa vieja y había disfrutado como un enano con sus correajes, las botas de cuero negro y las capas de seda blanca, hasta que se dio cuenta de que el Régimen no le iba a dar la gloria poética, que era lo único que él ambicionaba desde pequeño, vaya usted a saber por qué.

—Hace los sonetos a pedales, uno detrás de otro —confirmó Morcuera.

—Es como el que deja a su mujer porque no se la chupa —explicó Montovio, con una de sus imágenes características—. El tío empezó a ver que a los rojos no hacen más que chupársela en París. Tú te vas al extranjero, dices que Franco te hace sufrir horrores y ya te la están chupando. ¡Toma Parnaso! ¡Toma fama de literato! ¡Toma honores de resistente a la dictadura!

—Otro resentido.

—Ya te digo. Mira, Morcuera, entre tú y yo: a mí mi esposa no me la chupa. Ni yo se lo consentiría jamás.

—A ver, qué falta de respeto.

—El matrimonio es para fundar una familia, no para hacer esas marranadas. ¿Es que no hay furcias de sobra? Pues lo mismo. Aquí estamos construyendo un Estado, aquí no estamos para chupársela al señorito poeta y reírle sus endecasílabos.

—La familia es la célula de la sociedad —afirmó Morcuera, distraído, como si acabara de acordarse de algo.

—Si ha sido Dionisio, la cosa no tiene importancia. Ese, de comunista, tiene lo que yo de obispo de Mondoñedo. Es un pez frío. Lo único que tiene que hacer ahora el chico es acabar la carrera y luego a Estados Unidos. Que aprenda bien el inglés. Ese es el futuro. Tú déjame hablar con él y, en cuanto apruebe, a Chicago. Nos vuelve bilingüe, hecho un campeón. Hay que estar preparados, marqués. La paz no se gana con obuses ni a tiro limpio, como la guerra. Ahora les toca a ellos y sus armas son otras, pero todo queda en casa.

—¿Al extranjero? ¿Él solo? ¿Y si se nos tuerce?

—Qué torcido ni que ocho cuartos. ¿No quería libertad? Pues dos tazas. Que se harte de democracia. Algún día nos va a hacer falta eso. El que no es comunista a los veinte años no tiene corazón. Pero el que sigue siendo comunista a los cuarenta no tiene cabeza.

–O sea, que se nos vuelve comunista –el marqués de Morcuera sintió un escalofrío.

–¿En Estados Unidos? Tú estás chiflado. Allí antes se hace vendedor de Biblias. O negro, como los del jazz.

–No fastidies. Negro. Qué cosas tienes. No, si a mí no me parece mal, sobre todo por el inglés. Pero menudo disgusto se llevaría su madre.

–Ni te preocupes. Yo hablo con ella.

–¿Con Carlota? ¿Tú vas a hablar con Carlota?

–Para eso estamos, marqués. Yo se lo explico, tú déjame, verás como lo entiende a la primera.

–¿Cuándo?

–En cuanto le cuente el plan.

–No, si digo que cuándo hablas tú con ella.

–Pues el día menos pensado. La invito a un vermouth y se lo cuento todo.

–Claro. Por supuesto. ¿Un vermouth?

–Un aperitivo. Estás en el limbo, Morcuera. Ahora vamos a lo importante: los limones. ¿Qué me dices? ¿Estás dentro?

Montovio había conseguido una licencia de exportación de limones a la península escandinava y le había propuesto a su compadre formar parte de la empresa.

–¿Cómo van los limones hasta Suecia? –preguntó Morcuera.

–Cómo quieres que vayan. En barco desde Bilbao. No iban a ir en bicicleta. Los Triple A van en cámara y los podemos vender hasta a seis pesetas. Son para zumo, los tíos se lo beben sin azúcar ni nada. Los otros van en bodega. Llegan un poco secos, nos ha merengao, pero a los suecos les da lo mismo. Qué tíos. Se comen un limón a bocados. A ellos plin. Los vamos a llamar «Limón de Mesa» o «Limón Gourmet», nos los quitarán de las manos. Van para rodajita sobre el filete empanado, en vaso para cocktail, para el pescado al horno, para armarios, para floreros... Estos vikingos no han visto un limón en su vida, ¿me entiendes? Calidad zumo o calidad mesa: tenemos un cupo de mil toneladas y ya hay pedidos parar mil quinientas.

–¿Entonces?

–Entonces se pide una extensión de cupo, que pareces tonto, y nos dan las dos mil toneladas, porque en realidad son dos cítricos totalmente distintos: el limón de mesa y el limón de zumo, ¿lo pescas?

–Son el mismo limón, nadie se tragará eso.

–Ya verás que sí. Nadie dirá ni pío. El subsecretario está en el ajo, a través de un cuñado suyo que es socio nuestro. Eso déjamelo a mí. Tú de esto no sabes, marqués.

–Sí, pero ¿cómo van los limones hasta allí?

–Te lo acabo de decir, hombre de Dios: en un barquito. ¿Cómo huevos quieres tú que vayan? ¿En Iberia? ¿En cohete espacial? ¿A la pata coja?

–Digo que si van en cajas.

–Nos ha jodido que van en cajas. De madera.

–¿Rectangulares? ¿A cuánto sale la caja? ¿A 0,25?

–Sí, claro. Cajas de las de siempre. Mira, no te entiendo. ¿Adónde quieres llegar?

–Te lo dibujo. Así lo ves mejor, Pepito. Le he estado dando muchas vueltas.

Morcuera dibujó una caja rectangular llena de limones y rellenó con el lápiz el espacio libre entre limón y limón. Se desperdiciaba un 15 por ciento de la superficie disponible. Luego dibujó otra caja en forma de diamante y la llenó de limones hechos a lápiz: se aprovechaba el 90 por ciento del espacio. Cabían ocho limones más.

–Me cago en todo lo que se mueve –comentó Montovio con admiración–. ¿Y a cómo salen las cajas diamante?

–A 0,30.

Montovio repitió la cantidad y cogió la regla de cálculo.

–Arrea –concluyó–. Si sumas y restas todo, ganamos el equivalente a cuatro limones por caja. Eso mínimo.

–Pues por tonelada... ¡échale un galgo!

Montovio silbó:

–Tú sí que sabes, marqués.

–Tengo el envase Diamante ya patentado.

–Pues entras con diez mil, pero vas al veinticinco por ciento, ¿qué te parece?

–Veinte por ciento pero tú me consigues la patente internacional del envase.

–¿Por dónde va el expediente?

–Se ha atascado en Exteriores.

–Eso nos lo arregla el amigo Castresana en dos patadas. Déjalo de mi cuenta. ¿Puedes empezar a servir cajas en un par de meses?

–Y antes si hace falta. En Alcorcón tengo la fábrica lista. El cartón me lo traen de Alcoy.

–¿Qué cartón? Esas cajas ¿no eran de madera? –interrumpió Montovio, alarmado.

–No fastidies. Eso es la prehistoria. Cartón tratado, camarada: el futuro es el cartón. Más resistente, pero con mucho menos peso. Olvídate del cristal, de la hojalata, de la madera. Olvídate de todo, menos del cartón. A partir de ahora, piensa en cartón. Botellas, cajas, bolsas... Tarde o temprano hasta las viviendas serán de cartón.

–Cojonudo. Todo lo que tú quieras. Pero el pliego pide cajas de madera. Ma-de-ra. Así lo pone, negro sobre blanco.

–Es que son de madera, Pepe. Hasta cierto punto. Es un aglomerado, ¿te das cuenta? Lleva cartón, polímeros, arenisca, en fin, un poco de todo. Pero tiene madera. Auténtica madera. Madera-madera.

–En confianza: ¿de cuánta madera estamos hablando? –preguntó Montovio con repentina seriedad.

–Pues puede llegar hasta el quince por ciento. Depende.

Montovio entrecerró los ojos y luego dio una sonora palmada sobre la mesa.

–A mí me vale. ¿Un quince por ciento? ¡Eso es madera!

–Claro que sí. Hasta cierto punto.

–Eso es madera. No me vuelvas a hablar jamás de cartón tratado, ¿entiendes? La caja diamante se construye con madera. Madera termo-activa, por ejemplo, si tú quieres. Pero madera, ¿estamos o no estamos?

–Estamos, estamos.

–Pues venga esa mano: vamos a mojarlo.

Así hacían los negocios el papá de Perico y su compadre Pepe Montovio. Nadie les había regalado nada. A Pepe Montovio le costó el uso de una pierna y el marqués de Morcuera había tenido el valor de dar un puñetazo en el momento oportuno, sin pararse a pensar en las consecuencias.

Cuando salimos de nuevo a la calle, ya había empezado la celebración.

Acabábamos de pasar a cuartos de final con un gol de Villa en el descuento: minuto 92.

La euforia se apoderó de la ciudad como una tormenta de verano. ¡Hay otra España! Esa era la consigna, como si no supiéramos de sobra que siempre nos eliminan en cuartos: el eterno maleficio del combinado español.

Mucho después de que dejara de tener gracia, aún se repetía el juego de palabras entre Villa y maravilla. Se extendió el convencimiento de que por fin España se había encontrado a sí misma, volvimos a creer en la redención nacional, como creyó Cánovas, como creyó Azaña, como creyeron Adolfo Suárez, Felipe González, Aznar y Zapatero, como estamos decididos a creer todos, una y otra vez, en contra de toda evidencia.

Así *ye* la vida. Así es la Historia. Así es el fútbol.

Cuando la suerte empezó a sonreírnos, nadie recordaba haber sido raulista, pero fuimos legión los que sostuvimos que un equipo se construye bajo un capitán, un caudillo, un carismático conductor del juego.

Bien recuerdo un domingo en Olavide. El Madrid jugaba en Valencia y no lo retransmitían (fue durante una de nuestras crónicas guerras del fútbol). Debía de ser el minuto 20 de la primera parte: Raúl estaba en el banquillo y yo en la terraza del Maracaná, con Miguel Tomás, Julito Llamazares, Luis Landero y otros jóvenes, tomando gin-fizz y croquetas de pollo, una extraordinaria combinación de sabores. En otra mesa vi un hombre que miró su teléfono y acto seguido se puso de pie, en actitud marcial y solemne. Casi al mismo tiempo, en otras mesas, comenzaron a levantarse otros tipos, unos de traje y corbata, otros en chándal, alguno con un mono azul de obrero, auténticos merengues de toda edad y condición. Ya habría dos o tres en posición de firmes en el Maracaná, y otros tantos en el Méntrida, cuando sonó mi móvil. Era un SMS que sólo decía: «En pie. Raúl ya está jugando». Me levanté como una flecha y me cuadré igual que lo haría ante la bandera o ante el sagrario, en respetuoso, sublime, recogido silencio.

Allí estaba «cuanto queda de amor y de unidad», la «presencia real» sobre el terreno de juego.

Cuando el combinado de Luis Aragonés empezó a ganar sin Raúl, ¿dónde se metieron todos aquellos merengues puestos de pie? ¿Qué fue de tantos verticales? ¿Acaso se quedaron atornillados a las sillas? ¿Fueron barridos de un escobazo a la papelera de la Historia?

Ahora, de un día para otro, todos creían a pies juntillas en un equipo «sin individualidades», todos abominaban de «las figuras» y de «los galácticos», todos confiaban en la juventud por encima de la experiencia, en el trabajo de equipo, en la sociedad civil y en los buenos sentimientos: otra España les parecía posible. ¡Podemos, podemos!, exclamaban con la candidez y el énfasis de un niño en víspera de Reyes. Oé, oé, oé.

¿Es que a nadie le dolía ya España? ¿Es que nadie pensaba en la redención y el santo sacrificio con derramamiento de sangre?

Otra España era posible. Cómo no. Indolora y sonriente, sin una voz más alta que otra, la continuación incruenta de nuestra Historia, después de un paréntesis de anuncios con el sonido a todo volumen.

Los que nos habíamos declarado raulistas y en contra de Aragonés comenzamos a estar mal vistos. Muchos guardaban silencio, otros esperábamos la caída inevitable del camandulero, su merecida némesis; y muchos más cambiaron de chaqueta y recompusieron la sonrisa a todo correr. Admitieron que, aunque el 7 de Raúl pesaba como una lápida, el Guaje tenía hombros más anchos de lo que habían supuesto: venía de la profunda oscuridad de los pozos mineros de Tuilla y había traído hasta la superficie, a pleno día, la ciega obstinación de las tinieblas, la contundencia de los barreneros y esa empedernida fe en alcanzar el gol con la piqueta, arrancándoselo a la piedra.

Por encima de todo, el asturiano no quería ser una estrella, se negaba a capitanear el equipo como habría hecho Raúl, rechazaba el protagonismo y repetía en todas partes: «Tiene más mérito ser minero que futbolista».

El muchacho se aferraba a una camaradería de descampado, de chavales jugando en un solar, con las mochilas para marcar las porterías, regateando todavía con el bocadillo de la merienda en la mano.

En la calle se oían gritos de júbilo y canciones asturianas:

¡Qué bien paez un mineru
con la boina y el palu
y la lámpara encendía
cuando marcha pa'l trabayu!

Algunos se lanzaban vestidos a las aguas del Canal, otros se encaramaban a la estatua de Isla Cibeles, casi todos se rompían la garganta: Oé, oé, oé. Podemos, podemos.

A mí no me habían convencido. Un equipo sin caudillo, decapitado, no es fútbol: es una yuxtaposición de jugadores que no se coordinan, que no están subordinados a una voluntad inteligente. Es decir: es un patio de colegio.

Mineros. Hombres enteros:
el corazón en la mano,
como los vasos sidreros.

Era el acabose. Basta con decir que se recitaban poemas de Alfonso Camín.

Mientras el torrente desbordado se despeñaba hacia Cibeles, Clot y yo echamos a andar hacia Balmoral, tropezando con cuerpos felices.

Soy minero, soy minero,
soy minero y aldeano
y la moza que yo quiero
huele a tomillo temprano.

Seamos realistas: hacía veinticuatro años, desde 1984, que no pasábamos de cuartos. ¿Por qué iba a ser distinto esta vez? Qué más da. Así es la esperanza, como una cucaracha. La pisas y parece muerta, pero en cuanto le das la espalda empieza a mover otra vez las patas. La espachurras hasta que se deshace y, en cuanto vuelves con un papel para recoger los restos, la encuentras correteando por el pasillo. Le echas insecticida y se contrae hasta que cierras el bote de espray: entonces se pone a trepar por la pared.

Nunca te libras de la esperanza, tiene el caparazón demasiado resistente, se alimenta de cualquier cosa, se adapta a todos los medios, sabe defenderse de la agresión de la realidad o, al menos, ponerse a cubierto hasta que escampe.

En cuanto la casa se quede a oscuras, volverá. Si cierras los ojos, aparecerá en silencio a tus pies. Si te tumbas en la cama, tapado hasta las cejas, se arrastrará bajo el colchón.

En aquellos tiempos de 1956, no era tan fácil avisar por teléfono, aduciendo cenas de trabajo, y los maridos, nuestros padres, muchas veces no tenían más remedio que trasnochar de día, y se iban de picos pardos a media tarde, a golpe de coñac y gin-fizz, con unas señoras pechugonas a las que, si no iban con ojo, podían acabar poniéndoles un piso o la inevitable tintorería. Aquellas entretenidas de los cincuenta imponían mucho: hacía falta carácter. Todas parecían viudas de un capitán de Intendencia y, sobre todo, muy decentes, mujeres de principios sólidos. Solían ser maternales y propensas a los reproches mudos, pero prolongados. Lucían escotes profundos como cuévanos, faldas de tubo, medias cristal y unas pestañas postizas que echaban para atrás. Con desoladora frecuencia tenían una hija interna que «estaba con las monjas» y «era un ángel», y cuya evocación les empañaba los ojos. Su charla era caudalosa, con risotadas imprevistas y desconcertantes, con intervalos de melancolía rural, y sin trastienda ninguna: versaba sobre el mundo del cine, los horóscopos, crímenes célebres, tasación de joyas y patrimonio ajenos, y sublimes proyectos de redención por el amor. Por encima de todo anhelaban ser transportadas en el asiento de atrás de un vehículo del Parque Móvil, las paellas de Riscal y reconocerse en las protagonistas de boleros, rancheras y coplas: estafadas, engañadas, destruidas por su corazón loco, por haberlo dado todo y... ¡volverían a hacerlo! A ellas les sobraba mucho, pero mucho corazón.

Morcuera y Montovio habían empezado con cócteles en Balmoral y habían acabado en Chicote.

En la mesa del fondo, Montovio se estaba trajinando a María Amparo, que se hacía llamar Parry.

A su edad, más cojo que Romanones, tras haber sido prisionero de los rojos en una checa, tras haber combatido en Rusia, tras haber fundado un imperio de transporte marítimo-fluvial de mercancías, cometió el error de preguntarle por qué se hacía llamar Parry.

De pequeña, vino a decir, no distinguía entre la erre doble y la sencilla, y pronunciaba las dos como vibrante múltiple:

–Me llamo Ampa-rro –se recordó a sí misma, tal como era veinte años atrás, y la voz se le puso ronca.

Montovio siguió adelante con el plan trazado de antemano:

–Voy a decir al conductor que nos lleve al Tirol: hacen el mejor gin-fizz de todo Madrid.

A bordo del coche, Parry se encontraba por fin a sus anchas: melancólica, lasciva y codiciosa. Era así como mejor se reconocía, cuando sentía una dulce humedad a la vez en la entrepierna y en las entretelas del corazón.

Sucia pero inocente, feliz y calculadora, le ofreció la mano a Montovio.

–Al hotel Tirol, Castresana –ordenó Montovio.

La presencia del conductor la excitaba. Podía sentir su lujuria y su frustración, sus ganas de saltar al asiento de atrás, la impotencia de su resentimiento. Acariciaba a Montovio pendiente del cuello de Castresana y de la aparición de su pupila en el espejo retrovisor.

En el coche, hasta que llegaron a Marqués de Urquijo, todo había ido bien. Ella le apretaba el muslo de la pierna buena, lo que le provocó una erección tan firme que se atrevió a deslizarle la mano bajo la falda. El tacto de las medias en sus uñas le dio dentera, pero ella se dejaba hacer. Cuando subió la mano, sólo dijo, traviesa, con voz ahogada por el placer:

–No estamos solos –pero no le apartó la mano.

Dejó que Montovio pasara un dedo por el filo de las bragas. María Amparo gemía con exageración. Era la banda sonora para excitar al conductor y así excitarse a sí misma. Encontró su ojo en el espejo: una pupila opaca, instantánea, que le hizo separar los muslos y adelantar la pelvis.

El dedo de Montovio rozaba un tejido suave, semejante a un pétalo con rocío de amanecer, tal y como le dio por pensar a él, que también tenía acceso a sus momentos de ternura.

Sin embargo, en cuanto entraron en el bar del Tirol, María Amparo se transformó en otra mujer.

–Yo quería haber sido panadera, como mi padre. Me habría casado con Carlos, le habría hecho muy feliz. Era mi novio, le faltaban dos dedos de la mano derecha. Se los llevó con una máquina. Estos dos dedos –decía, levantando el índice y el corazón–. ¿Sabes una cosa? A veces sueño con su mano. Sueño que esos dos dedos me rozan los labios, así, mira.

Y se acariciaba los labios entreabiertos con la yema de los dedos.

Pepe Montovio no sabía qué decir: se limitó a toser con su estrépito de costumbre. Ella siguió hablando, como si no se dirigiera a nadie:

–Son sólo los dedos. Nunca he soñado con él, sólo con su mano. Con esos dedos que no he visto. Ya no existían cuando conocí a Carlos. En cambio ahora vuelven en sueños, sin nadie, sólo los dedos separados del resto de sí mismo. Dos dedos en la oscuridad. Así, mira. Mira, José.

–Llámame Pepe, hija.

Montovio ya no estaba empalmado, sino todo lo contrario.

Ahora bien, ¿qué era todo lo contrario de una erección? Debía de ser un cráter que se iba ensanchando bajo su vientre y le provocaba angustia, impaciencia y un repentino rencor hacia aquella otra mujer, tan diferente de la que él había acariciado en el coche.

–No recuerdo ya su cara, Pepe. Te lo juro, no la recuerdo. En cambio sueño con esos dedos que no vi nunca. ¿No te da pena? ¿O te da miedo?

–No nos pongamos tristes –propuso Montovio, convencido de que María Amparo estaba a punto de llorar.

–Eso es, chin, chin, no nos pongamos tristes –levantó la copa, al borde de las lágrimas.

—Por nosotros —dijo Montovio, que no entendía por qué ahora el miedo le unía más a ella que el deseo que había sentido en el coche.

—¿Tú me entiendes, Pepe?

—Claro que sí, mujer —mintió él.

Qué iba a entender.

¿Qué derecho tenía ella a hacerle esto, a mover en el aire los dedos cercenados de un albañil manchego? Que nadie le contara su vida, por favor: ya tenía Montovio bastante con soportar la suya propia. A él nadie le había regalado nada.

Como si él no hubiera sufrido más de la cuenta. Mucho más de lo que la tal Parry podía imaginar.

—¿Por qué me pasa esto, Pepe?

—Porque somos así, qué le vamos a hacer, soñamos cosas sin sentido.

—¿Te he dicho que tengo una hija?

—No, todavía no.

—La parí con dolor, por eso la quiero tanto. Es un ángel.

—Ahora ya hay parto sin dolor, el Papa ha dicho que está permitido.

Pío XII acababa de recibir en audiencia a setecientos ginecólogos de once países para que le explicaran el nuevo método del parto sin dolor y se había dejado convencer: no contradecía las palabras de la Sagrada Escritura.

—Es que, si no te duele tanto, entonces ¿cómo vas a querer luego igual a esa criatura?

—Eso era antes, cuando se hipnotizaba a la madre. Ahora es diferente, es un «método psicoprofiláctico» —le explicó Montovio.

Estaba comprobado que el parto bajo hipnosis o con anestesia provoca indiferencia afectiva hacia el recién nacido. El nuevo procedimiento, sin embargo, dejaba a la parturienta en plena posesión de sus poderes psíquicos, inteligencia, voluntad y afectividad. Al menos eso decía la prensa.

—Está escrito: parirás con dolor. Es palabra de Dios.

—Hablaba con parábolas.

—No hay parto sin dolor.

–Ni hortera sin transistor.

–El amor a los hijos es la cicatriz de lo que te han hecho sufrir –afirmó María Amparo.

–El dolor de parto no es más que un reflejo condicionado, lo ha dicho el doctor Pavlov.

–Un comunista, ¿verdad?

–El Papa dice que tiene razón.

–Perdona, hijo mío, el Papa será todo lo Papa que tú quieras, pero ¿qué narices sabrá él de parir? Con el máximo respeto te lo digo.

–Mujer, no digas bobadas. Ha dicho que no contradice la Sagrada Escritura.

–También ha dicho que no es obligatorio.

–Eso no.

–El dolor es bueno para el alma, Pepe. Mira, si no, los mártires.

Siguieron así un rato: Parry rechazaba la obstetricia indolora, ya que la mujer no puede perder, en ese supremo momento, su conciencia de madre, la «presencia real» de la maternidad, pues el amor al hijo, como todos los afectos, nace del dolor.

Montovio no lograba convencerla. A ella le había dolido y se sentía orgullosa de aquel sufrimiento, gracias al cual quería aún más a su hija.

–Lo que tú digas.

–A mi hija yo la quiero tanto porque me ha dolido mucho parirla. Se llama Conchita. La tengo con las monjas, ¿te lo he dicho?

–No –respondió Montovio con resignación.

–¿Te duele? –preguntó Parry de pronto, casi en un susurro.

–¿El qué? –se sorprendió Montovio.

–La pierna.

–No. Ya no. Sólo cuando cambia el tiempo.

–Si quieres, subimos.

Pepe Montovio pasó por recepción a recoger la llave y acabaron en la habitación 360, mirando por la ventana una pequeña luna enfermiza y amarillenta que había sobre el parque del Oeste.

–Déjame verla –le pidió ella.

Parry pasó los dedos y los labios por las pálidas cicatrices de Montovio y contempló en silencio la rodilla deforme y rígida. Al final, a Montovio no se le levantó.

Lo que vio entonces en los ojos de Parry le sujetaba más a ella que su propio deseo insatisfecho.

A la muy zorra, ya lo veía él venir, acabaría poniéndole piso.

Aquello no tenía arreglo: tendría que pedir ayuda a Castresana, el hijo del pueblo, el célebre Castresana, el último recurso.

Así lo hizo y, cuando yo la conocí, todavía suculenta, aunque algo jamona, María Amparo estaba casada con Castresana. Durante mucho tiempo pensé que Conchita, aquella ratita presumida, era hija de Clemente Castresana.

Entretanto, a Morcuera no le apeteció quedarse en Chicote: allí tenía la sensación de hallarse en una peluquería de señoras o en la sala de espera de un ginecólogo, rodeado de mujeres por todas partes.

Las mujeres le intimidaban. A los quince años, su padre le había enviado «a por un alfiler» al cuarto de la chacha, a la que previamente había dado una propina para que «el chaval se estrenara». Ella se llamaba Piedad, era de una aldea asturiana, de Parres, tenía veinticinco años y le faltaban dos dientes, lo que le hacía hablar con silbidos y multitud de zetas que remplazaban a la mayoría de las eses.

Gonzalo nunca había entrado en aquella habitación en la que sólo cabía una cama pequeña, un armario y una mesita de noche.

–Mi padre necesita un alfiler.

–Ya lo zabía –dijo Piedad, le hizo pasar y, a su espalda, Gonzalo la oyó cerrar la puerta.

Piedad estaba despeinada, en camisón, descalza y de mal humor. Era una mujer triste, de mirada tenue y pasado tenebroso.

Le ordenó que se tumbara en la cama, pero él sólo se atrevió a sentarse.

Piedad apartó los tirantes del camisón, sacó los brazos y dejó caer la prenda, ayudando con las caderas para que resbalara hasta el suelo.

Estaba desnuda.

Como si saliera de un pozo, dio un paso fuera del círculo del camisón y se acercó a él.

Gonzalo nunca había sentido tanto miedo. Cerró los ojos, convencido de que iba a morir en esa habitación que ni siquiera tenía ventanas. Ella le desabrochó el pantalón.

–Azí no vaz a poder –dijo.

Entonces se arrodilló y se puso a chupársela. El filo del hueco de su dentadura le arañaba sin hacerle daño, pero él sentía una raspadura dentro del pecho y un temblor incontrolable en las rodillas. Ella le empujó en los hombros para que se tendiera boca arriba y se subió a horcajadas sobre él.

Fueron quizá unos minutos, un intervalo de tiempo sombrío, atravesado por el vuelo de los pájaros, y cuya duración midió Gonzalo por el latido furioso del temor y el de la humillación, más amortiguado, pero más duradero.

Todo terminó sin que Gonzalo se hubiera quitado ni siquiera los zapatos y sin decir palabra. Piedad se limpió con una esquina de la sábana, Gonzalo se abrochó los pantalones y abrió la puerta, aún tembloroso y pálido.

–Por lo menoz tú no pegaz –fue lo único que dijo ella.

Al salir dejó la puerta abierta.

Ya no sentía miedo a morirse: ahora Gonzalo lo deseaba.

Así no tendría que imaginar a su padre pegando a Piedad desnuda en aquella habitación que parecía que estuviera bajo tierra, como la galería de una mina.

Cuando salió de Chicote, se sintió por fin a salvo.

Echó a andar hacia Cibeles. Miraba la luna descolorida sobre el rascacielos de Telefónica. Vagabundeó buscando la soledad, la noche, el silencio, lo que quiera que busquen los poetas de menor edad, los idiotas y los fugitivos.

No podía quitarse una sospecha de la cabeza: a él su mujer, Carlota, sí que se la chupaba.

Se preguntaba de dónde habría sacado Carlota semejante idea sobre el uso del matrimonio.

Cuando Carlos Clot y yo llegamos a Balmoral, los demás ya nos estaban esperando

El poderoso comisario Fernando Garvía hizo un resumen de lo que se sabía hasta el momento. Cinco víctimas en una semana. Todo indicaba que no tenían ninguna relación entre sí, salvo la pareja que había consumido un tándem a bordo de una barca en el Retiro. Los envases procedían de puntos de venta situados en la Rive Droite: un hotel en la calle Velázquez, un gimnasio en Don Ramón de la Cruz y la máquina expendedora del vestíbulo del Ritz. La única excepción era la máquina del Seemannsbar, pero se comprobó que había habido un error en el canal de distribución: el cargamento estaba destinado a unos grandes almacenes de la calle Serrano. No había duda, apuntaban a la «Zona Nacional», a la guapa gente de comunión diaria.

El modus operandi no podía ser más sencillo: bastaba una punción en la tapa para inyectar el tóxico, y la aplicación inmediata de una mínima cantidad de silicona para volver a sellarla. Podía realizarse con discreción absoluta en pocos segundos, en un descuido del comerciante, del transportista o del reponedor que atendiera la máquina.

–¡Nadie está a salvo! –exclamó Alfonso Olmedo, el asustadizo inspector.

–El que no comulga no corre ningún peligro –observó Clot–. Y los ataques parecen dirigidos sólo a la Rive Droite. Por cierto, se trata de estricnina, ¿verdad?

Garvía no pudo disimular su irritación. Ese era el verdadero problema con el señor Charlie Clot: se hacía el listillo, quería

71

quedar por encima de todo el mundo, se las sabía todas. En definitiva, tocaba las narices. Y mucho, él mismo no sabía cuánto.

—Acertaste. Una variedad —tuvo que admitir a regañadientes. Clot detestó aquella antigua coctelería a primera vista y con la misma intensidad con la que se aborrece a un cuñado. Era un lugar silencioso y elegante, elegido por Garvía, con sillones de cuero, camareros sigilosos, maderas nobles y estampas de caza.

Fernando Garvía era un hombre demasiado joven (desde cualquier punto de vista), aunque ya muy acostumbrado a mandar. De complexión disipada y costumbres musculares, llevaba el cráneo afeitado al cero, llamativas orejas y los labios abultados mediante inyecciones de bótox. Tenía un mentón penetrante, mirada pronunciada y toda la pinta de dormir con un vasito de agua en la mesita de noche. Su aspecto indicaba que, de ser necesario correr, lo haría siempre a toda velocidad.

Olmedo estaba, como él mismo confesó, «profundamente impresionado». Quizá por eso preguntó:

—¿Quiere decirse que esos infelices, al comulgar, mueren como ratas?

—Ojalá. Es mucho peor —disfrutaba Garvía con su medroso subordinado—. Con más lentitud, con más dolor y con más conciencia. El alcaloide actúa de forma selectiva sobre el sistema nervioso central. Anula un neurotransmisor y así interrumpe la comunicación entre el cerebro y los músculos. Es parecido al tétanos: espasmos, convulsiones y una rigidez inmediata. Comienza con la retracción de las comisuras labiales y la erección de las orejas. Luego se endurecen los músculos cervicales, torácicos y abdominales. ¿Me sigue?

—Aterrado, mi comisario, pero le sigo.

—Continúo: la desventurada víctima no puede flexionar las articulaciones y sigue andando durante algunos metros como un pelele, con las rodillas y los codos rígidos. Los maxilares se cierran, los dedos se agarrotan y la respiración se hace muy difícil. Aparece la cianosis, pero nunca disminuye el nivel de conciencia ni el dolor. Al contrario, el mínimo estímulo visual, auditivo o táctil provoca una reacción terrible. El roce de un dedo es como una quemadura, una luz que se enciende resulta cegadora, una tos sobresalta como si los tímpanos reventaran. Se quedan con los brazos en cruz, inmóviles, aunque a veces hay un pedaleo involuntario. Al final mueren por asfixia o paro cardiaco. En conjunto, la agonía no suele durar más de una hora.

–Que Dios tenga compasión de sus almas –suplicó Olmedo antes de santiguarse in nómine Patris.

–Míralo así: por lo menos están recién comulgados –comentó Clot.

–Ahí llevas razón –admitió el compasivo inspector–. Van al cielo de cabeza.

–¿Has presenciado tú alguna de esas muertes, Fernando?

–Poseo abundancia de testimonios clínicos, Clot.

–Una pregunta –Olmedo levantó el dedo, como si estuviera en el pupitre del colegio–. ¿No podría haber algún otro caso sin identificar? ¿Estamos seguros al ciento por ciento?

–¡Pero cómo naranjas vamos a estarlo! A ver: una abuela comulga en su buhardilla, cae redonda al suelo y a los cinco días la encuentran cadáver. ¿Quién se va a molestar en hacer una autopsia? Puede haber por ahí todos los casos que le dé a usted la gana.

–Correcto. Lo capto, lo capto.

Ante tan desaforadas muestras de elocuencia, Carlos Clot entendió de inmediato por qué Fernando Garvía no había vuelto a pisar la calle ni una escena del crimen. En realidad no pertenecía a las fuerzas del orden, como nosotros, sino a las personas de orden: su sitio no estaba en las cloacas, sino por encima del nivel de las aceras, en su lugar al sol. Era un charlatán. Un condenado pico de oro. Estaba cómodo entre los políticos: era capaz de hablar sin decir nada, medía todos sus gestos y su objetivo siempre parecía ser evitar la disipación de la energía, ya fuera en calor, ya en movimientos, en voces destempladas o en cualquier otra forma de pasión de su espíritu (inerte y acomodaticio) o de su carne (herbácea y dócil, apenas soliviantada).

Clot llamó al camarero y le pidió otro Cutty Sark. Era el único que bebía alcohol, los demás estaban de servicio.

–La clave está en el móvil –expuso Garvía con tono doctoral–. ¿Por qué, Dios mío, por qué? ¿A quién beneficia esto? *Cui prodest?*

–¿Qué sacará nadie con tanto profanar lo más sagrado? –añadió Olmedo.

–Sobre el papel, sólo hay dos posibles líneas de investigación –anunció el comisario–. Una es la material. La otra, la espiritual. Detrás de esta monstruosidad, ¿hay un interés material, algún beneficio económico? O todo lo contrario: ¿hay una motivación ideológica o, digamos, teológica? Una de dos: o alguien pretende arruinar a don Perico Gamazo o alguien se propone atacar la fe mayoritaria en nuestro suelo. ¿Nos enfrentamos a un crimen de empresa o a un *theo-killer* en serie? ¿Lo capta usted?

–Alto y claro, don Fernando. Es como quien dice: *Cherchez la femme!* –sugirió Olmedo, sin duda a voleo y por no quedarse callado.

–¿Un lío de faldas? Esa sería una tercera línea de investigación: *cherchez la putaine!* –bromeó Clot.

–Oiga, Olmedo, no me parece momento adecuado para bromas. Y tú igual, Clot, lo mismo te digo.

–Ha sido sin querer, comisario.

–Olvídelo, inspector. Como he dicho: o teología o cuenta de resultados. Si esto fuera una novela, el asesino actuaría por razones teológicas. En mi opinión, es lo más improbable. La vida no es una novela. Sobre el papel, podría ser. En la realidad que vivimos, hay que centrarse en el negocio.

Esta vez Alfonso Olmedo lo captó a la primera:

–La vida es todo lo contrario de una novela –afirmó convencido.

–Usted lo ha dicho: seguiremos la línea material. ¿Quién y por qué quiere arruinar a don Perico Gamazo?

A Clot, de pronto, le costaba un gran esfuerzo tragar. Se cubrió la boca con la punta de la corbata y, cuando retiró la tela, estaba empapada en sangre.

Consiguió que nadie más que yo se diera cuenta.

Encendió un Lucky, apagó la cerilla agitando la mano, en lugar de soplar, y dijo:

–Si os parece bien, yo me concentraré en la línea más improbable: también hay que salirse por la tangente. Alguien tiene que hacer el trabajo sucio.

74

–Mira, Clot, a nadie le importa demasiado cómo pierdas el tiempo, siempre que seas capaz de mantener la boca cerrada. Y apaga ese cigarrillo, aquí no se fuma.

–Entonces tendré que salir a la calle. El próximo punto de reunión me toca elegirlo a mí.

El papá de Perico, Gonzalo Gamazo, tercer marqués de Morcuera, era consciente de su responsabilidad histórica; había que dar un puñetazo sin calcular las consecuencias.

Desde aquel balcón enrejado casi un siglo de Gamazos y de España le contemplaban: no podía darles la espalda. Cuando pasó por delante de la antigua «Casa Gamazo. Ultramarinos y Coloniales», oyó detonaciones hacia el convento de las Comendadoras.

Con una mano delante y otra detrás, a partir de aquel almacén de la calle Amaniel, su abuelo Pedro había fundado un imperio comercial. Un imperio modesto, casi de andar por casa, pero suficiente para que la Diputación de la Grandeza le facilitara sin demasiadas averiguaciones la rehabilitación de un título de marqués.

Trabajo, trabajo y trabajo: ese había sido el único secreto de don Pedro I. A él nadie le había regalado nada, él había dormido en la tienda, bajo el mostrador, hasta la noche antes de su matrimonio.

Cuando llegó la Revolución de 1868, don Pedro I ya había vendido el negocio y formaba parte de esa nueva clase que, con su esfuerzo, su tenacidad y su ingenio, estaba construyendo España; la dinámica burguesía que invertía el fruto de su trabajo (y el de sus mal dormidas noches bajo el mostrador) en ferrocarriles, explotaciones mineras o industrias metalúrgicas.

Durante todo el siglo XIX y gran parte del XX, no hubo televisión. La actualidad se contemplaba a pie de acera (y los más pudientes desde sus propios balcones del principal). Don Pedro I había visto con esos sus mismos ojos a Isabel II («tan guapetona, tan sencilla, pero a la vez muy señora») y la barbarie revolucionaria. Aquellos ojos suyos de 1870 habían visto a Serrano y a Prim, y a don Amadeo de Saboya entrando en Madrid en un caballo blanco («aquí no supimos comprenderle»). Con la misma mano que extendía como prueba de cargo, había estrechado la de Cánovas del Castillo, el héroe que había devuelto a los Borbones al trono restaurado. Don Pedro I se había atrevido a felicitar al grande hombre, en casa de los Lagunero.

–Está usted salvándonos de nosotros mismos –le dijo–. Lo que usted está haciendo es convertir España en una Inglaterra con sol.

–Tiene miga: Inglaterra con sol. Qué célebre. Usted sí que lo ha entendido, amigo...

–Gamazo –le apuntó un edecán.

–Eso es esta Restauración, amigo Gamazo: monarquía parlamentaria y Constitución, pero con sol y mujeres hermosas.

–No se olvide del gazpacho, don Antonio –añadió el solícito edecán.

–Ah. Ahí me duele. *Touché.* Se lo confieso, Gamazo: me perezco por el gazpacho –le confió el ilustre malagueño a don Pedro I.

Durante toda su vida, al oír la palabra «Cánovas», don Pedro saltaba como si se le hubiera disparado un resorte, el más apretado muelle de su alma: qué gran hombre, cuánto le gusta el gazpacho, cómo respeta nuestra tradición, es el único que ha concebido un proyecto, hay otra España, una España que por fin se encuentra a sí misma, una España posible, sin cantos de sirena ni utopías, sólo con «lo hacedero», como él dice, un país por fin en paz, después de un siglo de guerras civiles, una patria donde se den la mano la antigua nobleza, los propietarios de tierras, y las nuevas energías de los emprendedores que crean riqueza para todos, una España unida en la que sea posible vivir y prosperar, gracias al gran pacto social entre el capital y el trabajo.

Y encima con sol. Y el embrujo de nuestras mujeres tan hechiceras. Y sin olvidar el gazpacho, la perdición del grande hombre.

Desde entonces mucho vivió don Pedro I, corrió mundo, hizo fortuna, se convirtió en marqués, pero nunca olvidó de dónde venía:

–La noche antes de mi boda, yo todavía dormí en la tienda –le contaba a quien quisiera escucharle.

Por lo tanto, él no le debía nada a nadie: todo lo que tenía lo había obtenido gracias a su propio esfuerzo.

A su hijo Nicolás quiso dejarle don Pedro I ese patrimonio personal y patriótico, sus riquezas, el título de marqués de Morcuera, la fe en Cánovas, la creencia en que otra España era posible, la lealtad a la Corona y unas fincas que adquirió en la Desamortización de Madoz, a finales de los sesenta.

Del caudal de la herencia sólo apartó una cosa: el trabajo.

Si hacía años que él ya no era tendero, ¿qué necesidad había entonces de que su hijo lo fuera?

Don Pedro I, primer marqués de Gamazo, se veía a sí mismo como uno más de la antigua *noblesse d'épée*, la de la espada: al fin y al cabo, él también había ganado el título con sus manos. Envolviendo paquetes en lugar de pegar mandobles, pero tanto daba. Gracias a Cánovas, su hijo Nicolás viviría en una España en paz, en la que su padre le había destinado a la *noblesse de robe*, la aristocracia de la toga, en alguna de las más altas magistraturas del Estado.

Nicolás se hizo abogado, consiguiendo así el primer título universitario de los Gamazo, y llegó a gobernador de la provincia de Albacete.

Así se hizo la Restauración de 1875, a partir de una idea de España, un proyecto de convivencia pacífica y modernización del país.

El edificio constitucional se sostenía sobre la aleación entre la antigua nobleza y la nueva burguesía: un acero inoxidable a las inclemencias del movimiento obrero, la política arancelaria o las ideas socialistas.

Sin embargo, la resistencia de los materiales es limitada.

El Desastre del 98 produjo las primeras melladuras graves en la fortuna de Nicolás. Hacía falta otro Cánovas, un soñador con los pies en la tierra, alguien que transformara este país de cabreros en una patria en la que fuera posible vivir igual que en Inglaterra, pero con sol y gazpacho. El Directorio de Primo de Rivera hizo lo que pudo, pero la oxidación aumentaba, imparable: huelgas, barbarie y el espectro de la lucha de clases que acabó provocando otra guerra civil en 1936.

Tras la victoria, el hombre providencial fue el Generalísimo, que mantuvo en pie durante otros cuarenta años la Restauración sin rey, pero muy pronto con príncipe heredero.

Un siglo duraba ya la I Restauración. A partir de 1975 se hizo necesaria una II Restauración con nuevos materiales y aleaciones más duraderas, pero inspirada en el mismo proyecto que impulsó Cánovas: un régimen oligárquico administrado por instituciones democráticas.

Pero esta es otra historia y la contaremos en otro lugar quienes la protagonizamos y aquellos a quienes se les impuso. A nosotros y a ellos nos llegará el momento de hablar (y de callar), de escribir (y de leer), de aparecer en pantalla (y de ver lo que pongan por la tele).

Con la II República vino la disolución de España, la anarquía, el marxismo extranjero, la violencia en la calle y el peligro real para la fortuna de los Gamazo.

El hijo de Nicolás y nieto de Pedro I; Gonzalo Gamazo, tercer marqués de Morcuera, papá de mi amigo Perico, llegó a la mayoría de edad y vio ante él un horizonte que se estrechaba, que parecía retroceder, como si el porvenir estuviera decidido a contraerse para no dejar sitio a sus más legítimas expectativas, la esperanza hereditaria que venía de los sueños tenaces e intranquilos de su abuelo, esos sueños dormidos bajo el mostrador de la tienda.

El pacto de Cánovas, el que había traído paz y prosperidad, hacía aguas. Las masas irrumpían en la vida pública a gritos, reclamando «presencia real». Era esa rebelión de las masas que había profetizado Ortega y Gasset. La lucha de clases, el odio y el resentimiento, en lugar de la concordia y el bien común.

Aquel verano de 1936 Gonzalo tomó partido. Tenía una responsabilidad histórica, familiar y patriótica.

Él no era partidario de pegar un puñetazo. Había que evitarlo a toda costa. De acuerdo, pero cuando uno decidía dar un puñetazo, lo que no tenía sentido era pegar flojito. Si das un puñetazo, que sea con todas tus fuerzas. Al hígado. A la mandíbula. Al corazón y para tumbar al contrario. Si pegas, pero poco, ¿de qué te vale? Sólo para que el otro te lo devuelva mucho más fuerte y te tumbe a ti. Hay que evitar llegar a las manos; pero si no hay más remedio, hay que pegar con toda el alma.

En líneas generales, esa era su visión del Alzamiento y la Cruzada.

Habían aguantado todo lo que habían podido y más. Habían intentado evitar el puñetazo. Todo lo habían sufrido. Todo lo habían padecido. La sangrienta revolución de Asturias en el 34. La persecución de los sacerdotes y las personas de orden. La quema de iglesias. El comunismo. La chulería proletaria, la brutalidad de la algarada, la sublevación campesina. La entrega de la patria al comunismo internacional. El separatismo. La blasfemia. El vil asesinato de Calvo Sotelo, el protomártir. ¿Qué más tenían que haber soportado? ¿Qué tenían que haber hecho? ¿Rendirse sin ofrecer resistencia? ¿Poner la otra mejilla? ¿Tomarse el Evangelio al pie de la letra?

A ellos nadie les había regalado nada: ¡su abuelo dormía en la tienda! Todo lo que tenían era fruto del esfuerzo y su labor había creado la riqueza que disfrutaban los que ahora mordían la mano que les daba de comer. ¿Qué se esperaba de ellos? ¿Tenían que entregar lo que nadie les había regalado? ¿Ofrecer la mano abierta para recibir el mordisco? ¿Aplaudir?

Todo tenía un límite.

Madrid todavía no estaba ardiendo, pero había una reverberación en el horizonte, templos en llamas, cúpulas convertidas en hogueras, campanarios como flechas de fuego.

Con paso firme, Gonzalo se dirigió al convento de las Comendadoras, decidido por fin a pegar un puñetazo.

En ese momento, el hombre de las alpargatas acababa de amenazar con darle otro puñetazo al caballero del traje gris. Alrededor de ambos había un corro de media docena de individuos de rostro desencajado y gesticulación feroz. El del traje gris intentaba impedir que armaran una hoguera con un confesonario ya reducido a tablones y, por encima de todo, que una mujer arrojara al fuego un crucifijo.

–Soy el doctor Menéndez y soy militante de Izquierda Republicana, pero no voy a consentir este ultraje gratuito –acababa de declarar el del traje gris, sacando un carnet del bolsillo interior de su chaqueta.

Le respondieron con carcajadas. La mujer, sin soltar el crucifijo, consiguió hacerle un corte de mangas. Parecía casi una vieja, aunque iba vestida de miliciana y con cartuchera. Tenía el pelo sucio y arbustivo, la tez de color ceniza y dos arrugas verticales que parecían abiertas a punta de navaja en las mejillas.

–No lo vamos a consentir –afirmó Gonzalo, dando un paso al frente para ponerse al lado del doctor Menéndez.

–Tú a callar, marquéz de mierda.

Sólo entonces, al oír su voz, reconoció a Piedad, la antigua criada.

–¿Este es marqués? –preguntó uno de los hombres, empuñando la tercerola.

–Un chupazangre –explicó Piedad–. El marquéz de Morcuera, un fazista.

–Venga, nos llevamos a los dos.

El final de aquella primavera del año ocho estuvo pasado por agua, llovía casi todas las tardes y también a horas intempestivas, mientras estábamos dormidos. Si no recuerdo mal, las mujeres todavía llevaban las rodillas al aire, con zapatos de punta cuadrada y medio tacón, y ya habían descartado por completo los sujetadores con relleno y el escote de pico. Se pusieron de moda las bicicletas plegables, los relojes de arena y los envases eucarísticos tándem, para matrimonios o para jóvenes tan enamorados como para comulgar juntos, como dos dantescos botarates.

Ese año hubo noticias, no siempre verdaderas en todos sus detalles, pero acompañadas de oscuros presagios, conjeturas malévolas y un amplio margen para la improvisación enriquecedora.

El día de la muerte de Laura, había arribado a Puerto Atocha el buque enarbolando el pabellón amarillo de cuarentena. No logró atracar, porque encalló en un bajío frente a la dársena de Delicias.

Nadie se atrevió a subir a bordo, ni el práctico del puerto ni las autoridades, que instalaron un cordón sanitario. Al parecer, salvo dos mujeres muy hermosas que se habían vuelto locas, toda la tripulación estaba muerta. Doscientas almas lanzadas como flechas al vacío; doscientos cadáveres descarnados, huesos pulidos que parecían una dentadura, amontonados en el pañol de popa como la sonrisa en una calavera.

Se habló de la peste bubónica y de un virus mortífero creado en laboratorios secretos. Se decía en voz baja que una de las dos mujeres supervivientes tenía la piel tan blanca como la lepra, *domina cutis candidae ut lepra.* También se contaba que quien oía en la oscuridad sus carcajadas perdía para siempre el deseo de volver a casa y seguía avanzando en línea recta, como esos sonámbulos a los que tan peligroso dicen que es despertar.

Al parecer, durante la noche las desdichadas jugaban una contra la otra, tirando los dados con estrépito sobre la madera de cubierta y lanzando sus risas desquiciadas hacia la ciudad dormida.

En una chalupa sin tripulante les hicieron llegar medicamentos de amplio espectro, agua potable, víveres y envases eucarísticos para que aquellas desventuradas pudieran sobrevivir o al menos morir reconciliadas.

Como todos los años, parecía que siempre estaba a punto de suceder algo definitivo, irreversible, casi todos los días.

Por eso mismo, aunque luego nunca pasa nada, si por fin sucede algo, todo el mundo puede jactarse de que ya lo había presentido.

Tal y como había supuesto, Carlos Clot estaba en un bar enfrente del Balmoral, acodado en la barra.

–Voy a ver a Micawber –me dijo.

–Si se trata de un asunto teológico, Pachín es tu hombre. Y también te ayudará a encontrar a la chica, no te olvides de Rosario. Sólo por no dejar cabos sueltos.

–Ha pasado mucho tiempo.

–Para ti el hilo sigue desatado.

Si era una pregunta, mi amigo no respondió. Se encogió de hombros, apuró su vaso, dejó un billete en la barra y salió a la calle.

La conoció en el 84, cuando ella salió de comisaría. Rosario tenía cardenales por todo el cuerpo, ojeras y una neumonía con fiebre alta. Charlie la cuidó en su casa durante unos meses, hasta que ella decidió volver a las andadas. Se enamoró como un colegial. Luego a Charo la capturaron y fue a prisión, y Charlie se casó con aquella periodista, Cristina, y tuvieron una hija.

No me resulta tan difícil comprenderle. Sólo vi una vez a Manuela, la madre de Charo, cuando se desangraba sobre el cuerpo de su amante, en plena calle, frente a una puerta que

83

permaneció cerrada. Aún recuerdo su sonrisa, sus dedos acariciando la boca del muerto, su belleza desfigurada por las balas y la flor de sangre en su pecho izquierdo. Yo entonces sólo tenía dieciocho años, pero deseé con todas mis fuerzas haber sido el cadáver al que murió abrazada aquella mujer.

Vi a mi amigo enfilar la cuesta arriba de la calle Hermosilla y pensé que, por una vez, el Martillo tenía razón: era un *dead man walking*, un pies planos que no se levantaba ni dos mil pavos al mes, un piernas al que, a pesar de todo, se me hacía difícil no seguir queriendo.

Quizá sólo fuera otra mala racha, pero era la más duradera que le conocí nunca, llevaba demasiado tiempo volando bajito, casi tocando el suelo. Ya no tenía mujer ni oficina ni trabajo ni socio. Alejandra, la cabecita loca y doncellita andante, se había ido sin que Carlos Clot se preguntara por qué. Qué más daba, ¿no se iban todas? Como si hiciera falta una razón para marcharse y otra distinta para seguir a su lado. Como si el mismo motivo, o ninguno, no fuera suficiente. Como si él no supiera.

Alejandra había vuelto a perder la cabeza por la magia, quería regresar a los escenarios y, según decía, «sentir el caluroso aplauso del público», aunque fuera desde el doble fondo de esa caja en la que un tipo la cortaba en dos con un serrucho. Además había otro hombre, un tal Enrique Moneo, abstemio y al que todo el mundo conocía (cariñosa y familiarmente) como Bolito. Bolito era jinete, estudiante aventajado, miembro de la tuna de Arquitectura y heredero de un imperio inmobiliario. Así era la vida. Así era Alejandra. Así era él, mi buen y viejo amigo Clot, un impresentable, un tipo provisto de un talento singular: el de defraudar siempre a todo el mundo.

No pudo seguir pagando el alquiler de su oficina, así que había abierto despacho en su propio domicilio, en la calle San Marcos, como una costurera o un homeópata, sin más desembolso que un letrero pegado a la puerta.

Dixie y Suzanne, su antiguo socio y la antigua secretaria que compartían, se habían casado (no sé si empujados por la curiosidad o por el fatalismo).

Su hija, Clara, le había escrito una carta en la que decía que ya no le consideraba su padre: su verdadero padre era el valenciano, el vil valenciano, un hombre de negocios que se hacía llamar Vincent y se apellidaba Puig, Roig, Bosch o algo que también sonaba como un disparo imprevisto o el estallido de un globo. Él era, el valenciano, el que más la quería, eso había dicho la niña. A él, a Clot, no pensaba volver a verle nunca, porque los tres (su madre, el vil valenciano y ella) se iban a trasladar a la capital del Imperio, a Washington: ahora eran por fin una familia de verdad, eso decía la chica.

De su hija, Charlie Clot no estaba dispuesto a decir ni una sola palabra más. Por lo tanto, yo tampoco, salvo que acababa de verle (sin ser visto) esa misma mañana, cuando aquella «familia de verdad» zarpó de Puerto Atocha.

Clot estaba en la dársena del Reina Sofía, bajo la lluvia que encharcaba las alas de su Fedora para desaguar luego, como un canalón, a chorro limpio, sobre las hombreras de la gabardina. Yo llevaba mis Zeiss y sé que su hija le vio, y que se miraron el uno al otro. Clara se apartó de la borda, se puso detrás de su madre y del valenciano (iesa familia de verdad!), y sólo entonces levantó una mano, se la llevó a los labios y le envió al que ya no consideraba su padre un beso soplado. Charlie lo cazó al vuelo, cerró el puño con fuerza (como si el beso de viento, pneumático, pudiera escaparse y salir volando) y luego abrió la mano y se rozó los labios con los dedos. Le envió a ella otro de vuelta, también soplado, también pneumático, como habría dicho el gran Pachín Micawber.

Cristina y el vil valenciano se dieron la vuelta, cada uno cogió a Clara de un brazo y desaparecieron por la compuerta que daba a los camarotes de primera clase.

Carlos Clot se quedó allí, de pie, mirando cómo el buque se hundía en el horizonte, tictac, tictac, cada vez más pequeño, como el péndulo de un reloj. A pesar de los binoculares, con tanta lluvia es difícil asegurarlo, pero afirmo que no derramó ni una sola lágrima.

Esa misma tarde volvió a beber mi buen y viejo amigo Charlie Clot en el Seemannsbar de Arturo.

Esa misma noche también perdió lo último que le quedaba

de los buenos tiempos: aquel fiel Fedora que aún era un sombrero potable. Se le cayó al agua en un muelle de Legazpi.

Desde entonces comenzó a utilizar una gorra de visera, como si fuera un proletario, un tercera-edad o un chulapo de sainete.

También apareció la sangre sin dolor: la señal que sólo anuncia algo oculto pero irreversible, algo de lo que ya es demasiado tarde para defenderse.

Al principio le costaba tragar y, al toser, le aparecía en la mano o en el pañuelo una constelación de diminutos puntos rojos.

Era sangre, sin ningún dolor y sin ninguna herida.

Sin duda el avance de la cirrosis le había provocado ya varices esofágicas y el día menos pensado una hemorragia le dejaría seco.

En la puerta había una placa dorada que decía:

FRANCISCO MICAWBER
Pneumatología

Por allí resoplaba.

A pesar de su apellido, Pachín Micawber era otro *fucking spic*, un anfibio que había crecido en tierra firme y hablando en español.

Le llamaban *Town-Ho*, el grito de los arponeros de Nantucket al divisar una ballena en el horizonte, y este hombre, sólo por su amabilidad, se merece una descripción más pormenorizada. Tenía esa bondad de los proboscídeos, capaces de apartar con la trompa indefensas hormigas para no pisarlas sin querer.

Su obesidad era tan rotunda que despertaba la admiración de las mujeres (y un oscuro deseo) y, en los hombres, un sobrecogido respeto. Nadie podía estar tan gordo sin algún propósito deliberado o en obediencia a un designio superior o quizá en cumplimiento de una misión secreta. Aquello tenía que ser el resultado de una disciplina inquebrantable y una finalidad oculta.

Era calvo y tenía los ojos azules, tres papadas que le tapaban el cuello de la camisa y una barriga sobrecogedora que mantenía horizontal la corbata. Llevaba su viejo traje de lino, tirantes y un pañuelo con el que se secaba la frente a intervalos regulares.

Sostenía los cigarrillos (fumaba más de sesenta Lucky Strikes al día) con las yemas del pulgar y el índice: entre los dedos no habrían cabido. Verle cruzar las piernas merecía un redoble de tambor y, cuando al fin conseguía izar un tobillo hasta el otro muslo, el espectador, que había permanecido en vilo, sentía ganas de aplaudir.

–¿Todavía en dique seco? –le preguntó a Carlos Clot mientras abría la caja fuerte empotrada en la pared, una Hinze & Bostelmann del 42, de acero, con puerta de 12 mm.

Una buena pieza. Salvo el recurso a explosivos, esos armatostes sólo se abren de oído, con ayuda de un fonendoscopio.

–Me hice a la mar –confesó el detective encogiéndose de hombros.

–¿Te pregunto?

–Casi que no. Otro rato, Town-Ho.

Con un cabezazo de asentimiento, Micawber puso dos vasos sobre el escritorio y le mostró a Clot una botella:

–Ginebra holandesa. ¿Te va bien?

–Prefiero algo opaco. No me fío de la transparencia.

–No tengo tu viejo Loch Lomond, pero hay Cutty Sark –anunció Micawber y materializó sobre la mesa una botella de contenido color ámbar.

Clot sólo bebía líquidos que no dejaran pasar la luz, como nosotros mismos. Que se pudiera ver el otro lado le intranquilizaba. Pachín Micawber sirvió dos vasos llenos y se sentó con visible esfuerzo y un resoplido suave, casi un suspiro con los ojos cerrados.

Hacía muchos años que Micawber era su asesor en lo concerniente a asuntos teológicos. Nosotros también le habíamos consultado a menudo desde el ministerio: lo sabía todo de los grupos religiosos radicales. Su especialidad profesional era la pneumatología, el estudio del Espíritu, el pneuma, el hálito que se extiende sobre las aguas como la neblina del amanecer. Clot le explicó el caso que llevábamos entre manos.

–Qué interesante desde el punto de vista pneumático –comentó el paquidérmico Micawber.

–No quiero teorías, Pachín. Vamos a lo práctico.

–Nadie las quiere ya, Charlie. Nadie. Ahora todos quieren algo que tenga una utilidad práctica. A ser posible inmediata. Hoy todo es «eminentemente práctico». Y así nos va, camarada,

¡así nos va! No me sorprende que nos hayamos vuelto más simples que el mecanismo de un cubo.

–A veces uno sólo necesita el resultado. A veces tenemos prisa, Pachín. A veces, para actuar, es mejor no saber demasiado.

–Seamos serios: si tú conoces a una mujer con dos tetas como dos whoppers, ¿qué es lo primero que tienes que hacer?

–Mirarla sólo a los ojos.

–Exacto. Eso lo sabe todo el mundo. Lo sé hasta yo. Regla número uno. A ti sólo te interesa el «resultado práctico». Sin embargo, tú sabes que, si le miras las tetas, estás perdido. Kaputt. Adiós par de whoppers. Sayonara. Tu «resultado práctico» se escurre canalillo abajo, como por un desagüe. Ahí lo tienes.

–¿Qué tengo? –Clot extendió las manos con las palmas hacia arriba, vacías.

–Tienes una teoría. Una señora teoría. Tú sabes que, si miras hacia abajo, metes la pata. ¿Te lo ha enseñado la práctica acaso? No es más que una teoría que tú tienes. Una teoría como todas: previa a la experiencia, un salto al vacío. Pero sin ella, como te lances de cabeza a la práctica, te pegas el batacazo.

–Town-Ho, ahora hablamos de algo espiritual.

–Para cualquier frivolidad, un simple par de tetas, tejido adiposo al fin y al cabo, recurres a la teoría. En cambio, cuando te enfrentas a un *theo-killer* en serie y te juegas la vida, sales a cuerpo gentil, sin teorías, como si tal cosa. Y todo para ganar tiempo. Es la persona humana lo que *non tien igua*. Somos nosotros, los paisanos, los que no tenemos arreglo.

–Será que tiran más dos tetas –sonrió Clot.

–Atrévete a saltar. Por tu propio bien. Sin teoría, despídete del teteramen.

–Tú ganas, Pachín –se resignó Clot–. Ponme otro, pero deja la botella a mano.

Se aflojó el nudo de la corbata, se recostó contra el respaldo de la silla y se dispuso a escuchar las acrobáticas teorías de Micawber, el pneumatólogo.

Cogidos de la mano, saltaron al vacío, sobrevolando heresiarcas, anatemas y autos de fe, hasta que tocaron tierra, hora y media después, en un resultado algo más práctico para Clot.

Según el pneumatólogo, Clot debía dirigir su investigación en tres direcciones:

–Hoy por hoy sólo hay tres grupos con capacidad operativa para intentar algo semejante. Uno, los bucalistas. Son tridentinos y rechazan la comunión en la mano. Dos, los neognósticos, que creen que la materia es el principio del mal y, por tanto, que el Salvador no tiene cuerpo. Y tres, el GRAPO.

–¿El GRAPO? ¿Qué tiene que ver el GRAPO? Pensaba que se había disuelto.

–Están en activo. Los que no eran de la policía, quiero decir.

Tanto Clot como Micawber sabían que el GRAPO era quizá la organización terrorista más infiltrada por las Fuerzas de Seguridad. Incluso hay quien piensa que fue creada desde nuestras cloacas, pero yo lo dudo: de ser así, lo sabría, y puedo afirmar que sin duda contaba con algunos militantes de buena fe, revolucionarios quizá miopes, pero voluntariosos.

–Se suponía que en junio de 2007 la policía había conseguido desarticular por completo a la banda.

–Error. Nunca se rindieron. Ahora van a por la fe. Van al grano. *«Die Kritik der Religion ist die Voraussetzung aller Kritik.»* Palabra de Marx.

–Amén. La crítica de la religión es la premisa de toda crítica.

–Veo que todavía sigues leyendo.

–Porque la carne no es tan triste.

–A nuestra edad ya no conviene abandonar ningún vicio.

Con los ojos cerrados, Clot dijo:

–¿Es que me vas a obligar a preguntártelo?

–No, amigo, no hace falta. No sé si ella sigue en la organización. Charito desapareció. Ahora tendrá más de cincuenta años. No creo que sea la misma. Ha llovido mucho.

–Pero sobre mojado, Pachín. ¿La encontrarás?

Micawber le aseguró que la encontraría y Clot le comentó la otra línea de investigación que había emprendido el inspector Olmedo a las órdenes de Garvía, el Martillo.

–¿Tú crees que puede tratarse de un crimen empresarial? –le consultó–. ¿Te parece más probable el motivo económico o el religioso?

90

–¿Es que hay alguna diferencia? Charlie, la religión no es más que poder, igual que la economía. La teología es contabilidad. El misticismo es una garantía de liquidez, como un aval en el First National Bank. Ninguno de esos grupos es una ONG, amigo, qué te has creído. Los bucalistas recaudan dinero y lo invierten. Una parte viene del cepillo de sus iglesias y otra parte la obtienen los muchachos, esos chavales que hablan en latín macarrónico: casi todos son traficantes, mueven Topaz, polvo blanco y píldoras verdes. Al lado de los neognósticos, sin embargo, son un negocio familiar, una pyme de la teología. Los neognósticos son palabras mayores: un conglomerado de empresas, un holding espiritual, una cadena de grandes superficies místicas, con inversiones en armas, farmacéuticas y geopolítica: son capaces de organizar un golpe de Estado o una guerrilla si les interesa.

–Estoy fuera, Pachín, ya no tengo contactos.

Pachín Micawber le miró a los ojos:

–Clot, amigo, déjalo correr. No te pagan lo suficiente. Esto no es ninguna broma: tú no sabes a lo que te enfrentas. No los conoces: los creyentes son tipos desesperados. Están dispuestos a todo. Están tan hambrientos de sentido que matarían con tal de vencer a la muerte. Son bombas de relojería. Han decidido creer en la eternidad, ¿lo entiendes? ¿Te cabe en la cabeza? Por lo tanto, la vida, esta vida, les importa un rábano. Sobre todo la tuya, camarada. Son así, te descerrajan un tiro, ¡bang!, y tan campantes. Les da lo mismo. Tienen un Dios que les castiga y les absuelve. Disponen de la eternidad para rectificar. El mundo de los creyentes es un verdadero infierno, hazme caso.

–He aceptado el trabajo. Soy un profesional, Town-Ho.

–Para ellos tu vida es calderilla: la dejan de propina sin mirar atrás, a cambio de su salvación eterna.

–Sé cuidarme. Tú consígueme esos contactos.

–Ya no eres tan joven, Charlie.

–Razón de más.

–Supongo –se rindió Micawber, y luego añadió–: Espero visita.

–¿Todavía? Tú tampoco eres ya joven para esas visitas. También corres peligro.

–Nunca hay que quedarse demasiado solo, amigo.

Tras un siglo de guerras civiles, llegó el momento en que el honor de la patria, «cuanto queda de amor y de unidad», se encontraba en manos de ese puñado de hombres de uniforme que aún se mantenían de pie sobre las arenas africanas; en las toscas y percudidas manos de los legionarios de Franco y Millán Astray. Y aquí es donde hace su aparición, empuñando su arma reglamentaria, el célebre Clemente Castresana, el hijo del pueblo, el hombre a quien nadie le tosía, mi predecesor.

Clemente Castresana, sargento primero, estaba entonces a las órdenes del teniente Montovio. Pepe Montovio era de familia de militares, sus antepasados llevaban cien años a caballo. Castresana, en cambio, se consideraba el español de a pie. Era el hombre bricolaje, hecho a sí mismo a mano, con materiales de aluvión, allegados a salto de mata en tabernas y cuarteles, en patios de vecindad y casas de trato, en trastiendas, en despachos y a cielo raso; pero en todo momento guiado por su afán de «arrimarse a los buenos», como Lázaro de Tormes. Así fue como consiguió alcanzar, hacia 1950, «la cima de toda buena fortuna», cuando el ya capitán Montovio le contrató como secretario particular, chófer y factótum, vestido de paisano y con el arma oculta bajo la chaqueta.

En Melilla, en julio de 1936, Montovio consiguió sublevar la guarnición sin más armas que su pistola reglamentaria y el fiel Castresana. Fue Castresana quien retuvo en su domicilio a Madrona, mientras Montovio organizaba el levantamiento, por supuesto en nombre del comandante Madrona. Menos de dos horas tardó en hacerse dueño de la plaza. El comandante Madrona, ante el hecho consumado, se puso al frente.

Demasiado tarde: Madrona había dudado más de lo decoroso. A los tibios los vomita el Señor y él pagó muy cara su indecisión. Tras la victoria, la delicada garganta del Caudillo le expelió; la duda del comandante se le atragantó como un pelo en la cucharada de sopa y fue vomitado a un acuartelamiento de provincias.

Sin embargo, Montovio no movió un dedo: fue Castresana el que difundió informes sobre Madrona allí donde más daño podían hacer. Eso le permitió a Montovio negar en público los rumores, siempre con firmeza, pero con muy pocas palabras, como si no quisiera delatar la debilidad de un camarada, por mucho desprecio que sintiera en su interior. ¿Qué pasó en Melilla? ¿Tuviste que darle un empujoncito a Madrona? ¿Es verdad que se cagaba en los pantalones? Y Montovio torcía el gesto: Melilla se alzó a su hora y el comandante cumplió con su deber, afirmaba. De ahí no le sacaban: digno, ejemplar, con esa superioridad moral que permite mostrarse magnánimo precisamente con quien menos lo merece.

Mientras Montovio respiraba ese aire puro de la cumbre, el de la nobleza de espíritu, tan rico en oxígeno que emborracha, Castresana le hacía el trabajo sucio, era su sherpa Tensing, el aborigen porteador, el que permanecía a ras de suelo, ensuciándose las manos, escarbando a gatas en los vapores mefíticos de la delación ignominiosa, el fiel Castresana que abonaba el terreno con estiércol nutritivo.

Así se convirtió el hijo del pueblo en indispensable para Montovio, que llegó a coronel y adquirió una legendaria reputación de camarada impecable, de hombre de fiar y valiente hasta el sacrificio secreto. Un tío con dos pelotas y, aun así, un hombre de una sola pieza.

Y si no llegó a serlo, poco le debió faltar. La estimación de los demás, cómo nos ven los otros desde fuera, a menudo se convierte en el modelo al que intentamos acomodar nuestro carácter, nuestra conducta y hasta nuestro aspecto. Casi sin darnos cuenta, siempre acabamos pareciéndonos a aquel por quien nos habían tomado. Uno se resigna a volverse tonto perdido; otro, padre ejemplar; otro, filántropo o capitán de empresa. Hay incluso quien se apresura a contraer una enfermedad en cuanto dos o tres amigos afirman que le ven desmejorado. Todo es proponérselo. La fuerza de la voluntad es imparable, una apisonadora, un alud en la montaña, un bulldozer que no retrocede ante nada.

Por eso mismo es una verdadera lástima que la voluntad sólo pueda gobernarse a distancia, como un juguete teledirigido: los mandos los tienen los demás, son los otros los que ponen en acción el resorte de nuestra voluntad, hasta empujarnos a ser héroes o traidores, sanos o enfermos, magnánimos o mezquinos.

Como suele suceder con todos los juguetes, el mando a distancia acaba siempre en manos del matón de la clase, del más bruto del patio de recreo, el que nos convertirá en el gordito acomplejado, o en la que se deja meter mano, en esa tía que traga y a la que nadie respeta, o en ese chaval que tiene que regalar sus cromos para que le dejen en paz, en un rincón, sorbiéndose los mocos y restañándose las lágrimas con el puño del jersey.

Tarde o temprano, siempre hay alguien sin piedad que no tendrá reparo, sólo por divertirse, en destrozar cualquier juguete.

Durante la guerra, ya en la península, Montovio se comportó como un héroe y obtuvo una Laureada individual. En una escaramuza en el Alto de los Leones, los rojos les cortaron la retirada. Montovio y Castresana, con una sola ametralladora, cubrieron la huida de diez hombres. Fueron heridos y capturados. Si no les mataron allí mismo fue porque las insignias de Montovio les sugirieron la posibilidad de un canje de prisioneros.

Montovio tenía dos tiros en la rodilla izquierda; Castresana presentaba heridas de metralla muy aparatosas, pero superficiales.

Sin ninguna atención médica, les trasladaron a Madrid en un camión que se detuvo en la checa de Bellas Artes. Allí les curó las heridas su compañero de cautiverio, el doctor Menéndez.

Eran cuatro en la misma celda: Pepe Montovio, el célebre Castresana, el doctor Menéndez y un joven al que habían detenido en plena calle Amaniel, al parecer porque, en un acto suicida, se había identificado nada menos que como el marqués de Morcuera. Se lo llevaron con las manos atadas a la espalda a esa antesala del infierno que había en la calle de Alcalá, bajo la protección de una Minerva de bronce que coronaba el edificio.

Montovio y Castresana, militares, sabían lo que ignoraban los rojos y los paisanos cautivos: el ejército nacional no negociaba. Sólo les esperaba el paseo.

No tengo por qué ocultar que yo soy el hijo de aquel doctor Menéndez y que, en aquella prisión, esa excelente familia de los Gamazo comenzó a formar parte de mi vida, hasta enlazarnos para siempre con ese nudo que nunca se desata: el de la culpa.

Los acontecimientos, como se sabe, se complacen en tomar giros inesperados. El reventón de una rueda de la camioneta que les conducía a la eternidad les permitió salvarse a los cuatro.

En cambio, años después, a finales de los setenta, un accidente de tráfico acabó con la vida de los mismos cuatro, prisioneros en un 1500 lanzado al vacío. Pepe Montovio y Gonzalo Gamazo, el marqués de Morcuera, iban en los asientos delanteros. Mi padre y Castresana iban detrás. El coche se despeñó en el desfiladero de los Bellos y se los tragó la sima de la garganta del Cares. Murieron en el acto, sin recibir la extremaunción, aunque una vez publicada la Ley de Amnistía de 1977: todo estaba perdonado.

No vi el cadáver de mi padre, como tampoco he querido ver el cuerpo muerto de Laura.

Cuando perdí de vista a Clot, calle Hermosilla arriba, toqué por dentro del bolsillo la invitación de boda y eché a andar hacia el Canal, atravesando la euforia por el triunfo de España.

La voluntad de Dios se expresa a través de un lenguaje que nosotros no podemos comprender: el de los acontecimientos. ¿Cómo podemos dar sentido a los acontecimientos para llegar a conocer «la intención del autor»?

Sólo nos queda admirarnos de las cosas singulares que permite Dios para sus fines.

Cuando iba a casarse, Laura murió envenenada.

Sus abuelos, mi padre y Castresana sobrevivieron, ganaron la guerra y nos entregaron la paz como regalo, sólo para rendir el alma un buen día en esa curva de montaña que les llevó al abismo.

Eran nuestros padres, pero ni nos exigieron que les comprendiéramos ni nos permitieron juzgarles.

La multitud quedó atrás, tirándose al agua del Canal en Cibeles, y cuando alcancé el Observatorio del Retiro comencé a oír aquel golpe de dados que no era capaz de abolir el azar.

Me parapeté en el antiguo Ministerio de Agricultura.

El galeón varado era una embarcación fabulosa, recién salida de ese sueño intranquilo que no se consigue recordar del todo.

Se parecía un poco al *Judith*, con el que Sir Francis Drake navegó hasta México. Sería de unas cincuenta toneladas, un clásico 4, 2, 1: la eslora, de casi cincuenta metros, era cuatro veces la manga y la manga el doble que la altura. Conservaba parte del velamen y casi toda la arboladura, salvo el palo de mesana y la gavia del mayor. Asomando sobre el mellado tajamar, bajo el bauprés, vi el mascarón de proa: era la escultura en madera de una mujer de cintura para arriba. Estaba desnuda y era ciega, en el lugar de los ojos había dos negras piedras de ónice.

El dolor de los pecados

Todo começo é involuntário.

Fernando Pessoa, *Mensagem*

Pero pasamos. ¿Así que nunca íbamos a pasar de cuartos? Pues ya hemos «pasao». Vaya que si pasamos. Derrotamos a Italia, aunque fuera por penaltis, pero «con alma y corazón».

¡No pasarán!, gritaban por las calles.
¡No pasarán!, se oía a todas horas
por plazas y plazuelas con voces miserables.
¡Ya hemos pasao!
Ya hemos pasao y estamos en las Cavas.
Ya hemos pasao con alma y corazón.
Ya hemos pasao y estamos esperando
pa' ver caer la porra de la Gobernación.
Ya hemos pasao, decimos los facciosos.
Ya hemos pasao, gritamos los rebeldes.
Ya hemos pasao y estamos en el Prado
mirando frente a frente a la señá Cibeles.

Pasamos a semifinales y, como en el cuplé que cantaba Celia Gámez, la «hermosa zorra de las anchas pampas», ya estábamos frente a la señá Cibeles.

Nadie dijo que fuera a ser fácil, ni siquiera hermoso o heroico, nadie dijo que fuera a ser un paseo militar. Todo lo contrario. Fue un partido aburrido, grisáceo y trabajoso, una guerra de atrición, tan sórdida pero tan sublime como cualquier otra. El esférico se volvía cuadrado al tocar nuestras botas y avanzaba a tirones, sin ritmo ni alegría; tuvimos casi todo el tiempo ocho defensas abajo y el equipo italiano parecía inconsútil, no lográbamos abrir ninguna costura entre sus líneas cerradas y sólo hacer pasar el balón ya era más difícil que enhebrar una aguja. Tuvimos que ir a la prórroga.

Una prórroga es un agujero en el tiempo, una sima que se abre inmóvil bajo nuestros pies, un cráter sin fondo que nos reclama.

Más de lo mismo. Fuimos a penaltis. Ganamos in extremis.

«Casillas cambia la historia de España», tituló sin exageración el *Abc*. Otro país era posible y la selección podía decir, como Cánovas: «He venido para continuar la historia de España». O como Suárez, cuando dimitió y se fue para evitar «que el sistema democrático sea un paréntesis». O como Azaña, que pretendía encontrar para la patria «el camino de redención».

Pasamos, a pesar de la maldición de la fecha inmediata al solsticio. Tres veces nos habían eliminado en cuartos por penaltis un 22 de junio: en el Mundial de México del 86 (ante Bélgica), en la Eurocopa del 96 (frente a Inglaterra) y en el Mundial de Japón y Corea en 2002 (contra los coreanos).

«España ha roto el maleficio», declaró con solemnidad S.M. el rey Juan Carlos I.

Esa noche Madrid fue una fiesta. Hubo naumaquias en el Canal Castellana, comas etílicos, cópulas inverosímiles, y se agotaron los suministros eucarísticos en todas las máquinas expendedoras. Por la calle, en los puentes y malecones, se cantaban las asturianadas de mi infancia:

> Axuntabense, axuntabense
> con una xiblata al pie de un tonel
> puestu nun barrancu y tapau con llaurel.
> Axuntabense, axuntabense
> mozos bien gayasperos
> que a más de beber
> cantaben, bailaben y animabense.

Todos querían estar lo más cerca posible unos de otros y *axuntabense*, se juntaban para gritar con una sola garganta. Oé, oé, oé. Podíamos, podíamos.

Sólo yo quería permanecer solo y apartarme de la multitud y del doloroso clamor de la felicidad de otros.

No pude evitarlo, acabé de nuevo en la dársena de Delicias, frente al galeón varado. Esta vez me acerqué aún más. Desde el final de la calle Bustamante, subido al muro del malecón de Ferrocarril, alcancé a distinguir el nombre de la nave: *Questio*. Lamento, en latín.

A través de los binoculares, casi podía sentir la mirada de aquella mujer de madera y de ojos ciegos y pétreos; casi podía tocar sus hermosos pechos inmóviles, devorados por el salitre; casi podía besar sus labios carcomidos y entreabiertos; su boca opaca, sin lengua ni dientes. No tenía brazos y sobre su frente se desplegaba una maraña de cabellos enredados como algas o como sierpes; en ellos florecían anémonas y líquenes, y una taracea de corales y conchas incrustadas. A la luz de la luna pálida flameaba el pabellón amarillo con un resplandor febril. No se veía un alma, gemían las jarcias y las olas exhaustas rompían contra el casco del buque como lágrimas que se deshacen en los pómulos. Estaba embarrancado, con una fuerte escora a babor, en un banco de arena cerca del espigón.

Como el desdichado Macbeth, sentí la tentación de dar un salto desde ese bajío a la eternidad.

De las dos mujeres vivas no había ni rastro, ni sus carcajadas ni el resplandor de su *candida cutis ut lepra*, pero se oían a intervalos regulares, como latidos de un corazón salvaje, los golpes de dados sobre la cubierta.

Tampoco sé cuánto tiempo permanecí allí, encaramado al muro, contemplando aquella nave maldita, a la luz de una luna en cuarto menguante, como una uña que quisiera arañar las nubes grises del amanecer.

No sé qué esperaba de aquel buque varado, de aquella mirada ciega o de aquellas mujeres que lanzaban los dados contra los tablones de madera.

Ahora se decía que en el sollado había un animal vivo, una criatura fabulosa, mitad hiena, mitad mujer, y que esa bestia encadenada era la que había propagado la epidemia mortal. Sin embargo, también se había difundido el rumor de que, entre los cadáveres de la tripulación, había doce cráneos que tenían orificios de bala en el parietal derecho. La vox populi es así.

Me sorprendió el amanecer en el malecón, muerto de frío, vaciado por dentro, como si sólo quedara ya la cáscara de mí mismo.

Tampoco sé qué me sujetaba y me impedía marcharme, qué tiraba de mí hacia aquel buque encallado, con la misma atracción trágica y la misma fuerza abisal que me empujó hacia Laura Gamazo, hacia Laurita, esa niña a la que nunca le quise contar ningún cuento, ni siquiera uno inventado por mí, como el de la niña perdida y el hombre de ceniza.

Todo comienzo es involuntario. Quién sabe cuándo empezó lo que ahora mismo le está pasando. Desde dónde, desde cuándo viene el golpe.

Hay una antigua viñeta de *Punch* en la que se ve a dos campesinos con sus azadas, inclinados sobre la tierra. Están en un campo de labor, bajo el cielo despejado. En el horizonte se recorta la silueta de un castillo. Uno le dice al otro: «Oye, ¿te has enterado de que hoy se acaba la Edad Media?».

La Edad Media no comenzó en el 476, una tarde de septiembre, poco después de las siete, cuando el rey de los hérulos, Odoacro, capturó al último emperador romano, Flavio Rómulo Augusto. Tampoco terminó el martes 29 de mayo de 1453, a mediodía, tras la caída de Constantinopla. ¿Empezó acaso la Revolución francesa, de la nada, el 14 de julio de 1789? ¿Se convirtió Jarabo en aquel asesino desalmado sólo cuando apretó el gatillo por primera vez, el 19 de julio de 1959, en la calle Sáinz de Baranda, o ya lo era antes? Pero, entonces, ¿desde cuándo? ¿En qué momento empezó todo?

Quizá Dante supiera que su amor por Beatriz nació (ya entero y eterno) aquella mañana de 1257, el día nublado en el que la encontró en el puente de Santa Trinidad, nada más cruzar el río; como si Hefesto acabara de partirle la cabeza de un hachazo para sacar de ella a Atenea completamente armada, con la lanza y la égida y lanzando gritos de guerra.

A los demás que nos registren, que nos aspen si sabemos cuándo empezamos a dejar de querer o a mirar con más atención. No hay quien pueda poner el dedo en el mapa del pasado y decir: aquí, en este momento exacto, comenzó lo que me ocurre ahora. Nadie es capaz de hacer un nudo en el hilo del tiempo y afirmar: aquí fue. Aquí se torció el camino, aquí se jodió el Perú, aquí se soltó el punto y abrió en la media una carrera que ya no tiene arreglo.

¿Cuándo empezó nuestra guerra, esa contienda de la que todos venimos? ¿El 18 de julio de 1936? ¿O era ya inevitable después de la revolución de octubre de 1934? ¿O arranca de la época de Cánovas y sus doscientas familias que se repartieron el país? ¿De la dictadura de Primo de Rivera? ¿Del triunfo del Frente Popular y su entrega a Moscú y al comunismo internacional?

En las aulas del colegio del Pilar se sabía a ciencia cierta que la guerra empezó tras el vil asesinato del protomártir. Su hijo, Luis Emilio Calvo Sotelo, era del cole, compañero de clase de Benet el pequeño.

Paco Benet y su hermano, sin embargo, siempre estuvieron convencidos de que la guerra civil empezó por su culpa. Su padre les había regalado unas pistolas de juguete, unas Brownie, que eran entonces la última moda para los niños bien de Madrid. Salieron los dos hermanos, con cincuenta cartuchos cada uno, a la terraza a pegar tiros y, como el sonido de los disparos parecía de verdad, acudió la guardia de asalto a la casa de la calle Abascal. Dos días después, el 18 de julio, estalló una guerra auténtica y los hermanos Benet no tuvieron ninguna duda de que la habían causado ellos con su juego (tal vez ni siquiera inocente).

Ahora hay quienes afirman (entre ellos Pío Moa, el antiguo terrorista, fundador del GRAPO e improbable Gran Timonel de una República Federal-Popular española) que la guerra la provocó la revolución del 34. Otros aseguran que sólo fue un ensayo general de la guerra mundial.

A mis padres el estallido de la guerra les sorprendió, como a tantos, en mitad de una partida de cróquet, en la finca de unos amigos, en el valle del Torce. Tuvieron que interrumpir el juego. O como quizá dirían Jung y Juan Benet, tuvieron que participar en otro juego más lúgubre y bíblico.

Para Perico Gamazo, en cambio, la guerra fue un regalo, unas inesperadas vacaciones. La paz le cayó encima como un jarro de agua fría: había que volver al colegio.

Quizá aquella guerra no fue más que el periodo armado de la lucha de clases en España, lo que no quiere decir que los dos bandos tuvieran la misma responsabilidad. Ni la culpa ni la verdad son el coloso de Rodas, que tiene un pie apoyado en cada orilla y reparte su peso por igual a ambos lados.

Una guerra es una narración, un comienzo deliberado. El primer tiro o la primera frase no son más que la decisión (quizá arbitraria, tal vez errónea, siempre dogmática) de pintar una raya en el suelo y decir en voz alta: hoy acaba la Edad Media o ahora empieza algo o había una vez o *fiat lux*.

Por eso fue sin duda el Alzamiento Nacional el que desencadenó la guerra, el que alzó la voz y tomó la palabra (y las armas).

Sin embargo, una vez señalado o establecido, todo principio (tal vez involuntario) reclama un final (ya necesario), una clausura, su colorín colorado para ser felices y comer perdices.

Un principio abre un agujero en el tiempo con el único y ciego deseo de ser sepultado en él para cerrarlo.

Persigue un final que, a su vez, señala un nuevo principio, el cual también exige su conclusión, desde la que todo comienza otra vez. Así es la vida que llevamos.

Como parte de la lucha de clases, la guerra fue tan inevitable como lo es en algunas parejas el matrimonio (y su desenlace). Por eso mismo también nadie (ni entre las llamadas grandes potencias ni entre las personas de buena fe, entre ellas muchos patricios republicanos) hubiera consentido que al final ganaran «los buenos», a partir del momento en que «los buenos» ya no eran ellos, esos circunspectos y bondadosos caballeros de la Institución Libre de Enseñanza, tipos con chaleco y sombrero, republicanos con ideas avanzadas, librepensadores, filántropos, esperantistas y demás partidarios del Progreso, sino lo más inesperado y temido: auténticos campesinos y obreros, ¡los mineros saliendo de la mina!

Ese disparo que interrumpe el concierto de la orquesta filarmónica.

El denso, el opaco, el impenetrable pueblo.

Esos en cuyo nombre se habla, pero nadie quiere ver ni en pintura.

Rosario Valverde, tal vez, la inevitable Charo, pisando el parquet encerado con sus zapatillas de suela de goma, esa mujer tan indefensa como peligrosa, esa ráfaga de viento que abrió de golpe la ventana que daba a la calle.

Una cosa es la causa del pueblo y otra, muy distinta, que no haya clases y, por consiguiente, que el defensor del Progreso acabe también con el filo de las uñas negras o recogiendo ajos bajo el sol de Las Pedroñeras.

Mi padre era médico, lector de Unamuno, deísta y partidario de la escuela laica y del Progreso.

«En la República encontramos nosotros la salvación o el camino de redención del pueblo español», había dicho Manuel Azaña al fundar Izquierda Republicana.

En eso debió de creer mi padre, que militó en el partido de Azaña para lograr la redención de España y del pueblo, y la transformación de la sociedad, pero no mediante la violencia revolucionaria, sino gracias a la leche condensada, la escuela obligatoria y las viviendas de protección oficial.

Para él y sus amigos (muchos de los cuales dormían con bigotera), partidarios del teatro ambulante por los pueblos de España o de las excursiones didácticas al Guadarrama, muy bien podía ser una sublime y solemne experiencia dormir una noche en el monte «con el niño que cuida mis vacas», siempre que las vacas sigan siendo mías.

¡Qué noches, qué noches!
¡Qué horas, qué auras!

Otra cosa es que el «vaquerito de mi alma», «el niño yuntero» y otras figuras de portal de Belén vayan al colegio con tus propios hijos.

Una cosa es el derecho al voto y las Misiones Pedagógicas y otra, muy distinta, tirar un crucifijo a una hoguera o levantarle la voz a un caballero.

Ahí fue cuando mi padre se dio cuenta de que la República

se les estaba yendo de las manos. No era aquello, no era aquello. Una cosa es la redención del pueblo y otra cosa es dejar suelto al monstruo de Frankenstein con todos sus tornillos aún sin apretar del todo.

Siempre que el pueblo ha irrumpido en el espacio público (como el consabido elefante en la cacharrería) ha cundido el pánico entre las personas razonables, por progresistas que sean las ideas que profesen (o quizá con más fundado pavor cuanto más progresistas).

La «presencia real» del pueblo, de su carne y su sangre, en el Congreso, en los periódicos, en la santa calle, debe de ser, para la burguesía, lo que Freud llamaba «el retorno de lo suprimido». Mucho más para esa burguesía ilustrada que se pretende de izquierdas. Es un miedo atávico, hereditario, puesto que genéticamente la burguesía proviene del pueblo, del Tercer Estado. Ese es su *roman familier*, mientras que ante el pueblo de verdad se abre siempre el mismo ávido abismo: *«l'empire familier des ténèbres futures»*.

La eucaristía de la democracia burguesa no cree –gracias a Dios, hasta ahí podíamos llegar– en la «presencia real» del pueblo: le basta con que la hostia consagrada en las urnas sea sólo un símbolo que les llena de gracia. Así se celebraron las misas mayores de la I y la II Restauración borbónica, la de Cánovas y la de Juan Carlos I.

Por eso, cada vez que el pueblo ha intentado protagonizar la Historia, a sus propios defensores, los que habían estirado el resorte de la causa popular (no pocas veces en su propio beneficio y otras de buena fe), les han entrado orteguianas cagaleras (¡no es esto, no es esto!) y han dedicado todos sus esfuerzos a promover la reacción necesaria para que el muelle vuelva a su estado de reposo, para «encauzar el entusiasmo», para «evitar el radicalismo», para «refrenar los excesos» o, en definitiva, para expulsar al pueblo del primer plano, es decir: para ponerlo en su sitio.

Hace poco oí a un historiador británico, un tal Antony Beevor (que quizá ya sea Sir Antony, a este paso), y me recordó a mi padre. Le explicaba nuestra guerra a una audiencia de bien-pensantes contemporáneos, solidarios, socialdemócratas, pacifistas, comprometidos con el planeta.

«La guerra civil acabó en 1939», les dijo. «La ganó el bando de Franco y tuvo como consecuencia una terrible dictadura que duró hasta 1975. Tal y como estaban ya planteadas las cosas, si la hubiera ganado el otro bando, los republicanos, habría desembocado también en una terrible dictadura que habría durado... ¡hasta 1989!»

Acabáramos: hasta la caída del muro de Berlín.

El público cabeceó con entusiasmo ante tal exhibición de sensatez y ecuanimidad, ante el Coloso de Rodas puesto de pie en aquella sala. La II República fue un esperanzador proyecto de progreso, mientras se mantuvo en manos de ateneístas de buenos modales como mi padre. Es decir, mientras se conformó con la liturgia. En el momento en que en la ceremonia empezó a haber «presencia real», se dieron cuenta de que «habían creado un monstruo», como todo aprendiz de brujo. Aquello se les iba de las manos, rumbo al comunismo o al precipicio.

Al parecer la República cayó en la misma trampa de la doncella mojigata que, para protegerse del señorito que se propasa, se entrega a un verdadero rufián. Sintiéndose en peligro, asustada de que le tocaran el culo al bailar un pasodoble, no vio más remedio que echarse en los brazos del comunismo internacional. Qué error, qué inmenso error. De no ser por las tropas nacionales, aquel error fatal habría conducido a la dictadura del proletariado, tan brutal como la de Franco, pero ¡mucho más duradera, señores!

No era eso, pero tampoco aquello. Ellos sólo querían Inglaterra con gazpacho, Suecia con sol, Estados Unidos con flamenco. Cada uno en su sitio y pan con chocolate para merendar en los colegios. ¿Era tanto pedir?

Para nuestra izquierda levítica y litúrgica que ni siquiera admite la comunión en la mano (por eso el voto no lo deposita en la urna el votante, sino el presidente de la mesa) no hay peor enemigo que la fe sincera, la fe del carbonero, la «presencia real» del pueblo soberano. Como para la curia vaticana no hay nada más peligroso que tomarse el Evangelio al pie de la letra. ¡A quién se le ocurre creerse de verdad el Sermón de la Montaña o aquella bobada del rico, el camello y el ojo de la aguja!

Eso sólo son parábolas: no son palabras.

El escepticismo es lo único que nos protege de los extremos devastadores.

Mi padre creyó en la República, hasta que fue evidente que no estaba dispuesto a aceptar las consecuencias.

A mí me pasó lo mismo, creí en la España Nueva del Caudillo, hasta que tuve que participar en sus consecuencias.

Ahora ya no creo en nada, pero cumplo con mi deber, defiendo el orden y acepto ser culpable y que la injusticia me favorezca. Al menos no pretendo ser inocente.

He creído de buena fe en la redención de España, como tantos otros, pero ahora ya sólo creo en la culpa sin redención.

Qué poco duran nuestros pecados, incluso los más graves (y no digamos ya contra el sexto mandamiento). Es tan breve el placer, tan fugaz el pecado, que sólo nos deja un consuelo: que por lo menos la culpa dure para siempre. Que grabe en una piedra el rastro indeleble, a salvo del perdón y del olvido.

Es la única eternidad a nuestro alcance, la de la condenación y el remordimiento.

—Papá, ¿cómo murió mi madre?

—En Barcelona —respondió Benito Valverde, tajante, como si eso lo explicara todo.

—¿En el extranjero?

—¡Barcelona es España, niña! Pero está muy lejos de aquí.

—¿Murió de viaje?

—Eso es —afirmó el padre sin convicción.

—¿Se chocó?

—Se la llevó Dios. —La niña notaba que su padre se sentía incómodo, casi irritado—. Está en el cielo y desde allí siempre cuida de nosotros. Y ya vale, ahora ponte a hacer los deberes.

Era un domingo por la tarde, el segundo peor día de la semana para Charo, que estaba interna con las monjas de la Sagrada Familia, conocida como la SaFa. Si no tenía trabajo, Benito iba al caserón de Fernández de los Ríos a recogerla los viernes por la noche y pasaban juntos el fin de semana.

Charo ya tenía diez años y había empezado a preguntar con insistencia por su madre. Cómo era, qué ropa se ponía, cómo llevaba el pelo, qué hacía para divertirse, por qué había muerto y, sobre todo, cuándo iba a volver a casa. Benito le aseguraba que estaba en el cielo y por eso, de momento, no podía volver a casa, pero que algún día se reuniría con ella.

—¿No dejan salir del cielo? ¿Está cerrado con llave?

—No dejan, porque Dios necesita allí a tu madre. San Pedro tiene las llaves.

—Para volver a verla, ¿me tengo que morir primero?

—Cuando seas muy viejecita.

–Pues entonces no quiero. No me da la gana.

Al final, enfadado, la mandaba a la cama, a hacer los deberes, a tender la ropa o a comprar una barra de pan. Sí, de acuerdo, tenía derecho a saberlo, como le decía todo el mundo, pero, en opinión de Benito, cuanto más tarde mejor. Mientras tanto, que Charito imaginara a una madre a la medida de sus deseos o de sus necesidades: tiempo tendría de hacer impacto contra la realidad, de golpe y porrazo. Puede que entonces se quedara huérfana por segunda vez. De momento, que fuera feliz en su inocencia, con la mejor madre disponible, una hecha a mano por ella misma, como la mayoría de sus juguetes, que se los fabricaba sola con cartones, cuerdas y trapos: lo ponía todo ella para que se convirtieran en muñecas, barcos o vestidos de princesa. Si con dos pinzas de tender podía jugar a las muñecas, el cariño de una madre inventada le serviría para sentirse querida.

Pensará el crédulo espectador de cine que, si fuera transportado en una máquina del tiempo a la vivienda de los Valverde, en el Pozo del Tío Raimundo, años sesenta, se le desprenderían las orejas del cráneo, desplegándose como soplillos, y cedería al invencible impulso de agarrar con las dos manos un enorme tazón de leche. Se figurará que todo lo veía en blanco y negro, y que sentiría la necesidad de hablar de forma concisa y enigmática, y quedarse luego callado, mirando a un interlocutor a su vez metido hasta las trancas en hondos y trágicos recuerdos. No dudará que, entre pregunta y respuesta, transcurriría siempre demasiado tiempo, ni que los personajes atravesarían la escena pisando huevos, como si sintieran a sus espaldas alguna opresiva, ominosa presencia latente.

No hay tal, yo estuve allí más de una vez: la niña tenía las orejas pequeñas y bien pegadas a la cabeza, y cogía con una sola mano una taza que tenía asa; vivían a todo color y las puertas estaban pintadas de verde, y había luz suficiente, sin sombras amenazadoras recorriendo las paredes. Por si fuera poco, en la radio sonaba una canción alegre.

María Cristina me quiere gobernar
y yo le sigo, le sigo la corriente,

porque no quiero que diga la gente
que María Cristina me quiere gobernar.

La niña se quedó pensativa, con los ojos cerrados, como si recordara algo o como si pidiera un deseo.

Cierra los ojos: pide un deseo.

Benito estaba convencido de que su hija sólo quería saber lo único que no se atrevía a preguntar: ¿Yo me parezco a ella? Dime la verdad, ¿soy igual que ella? ¿También me moriré en Barcelona?

Se terminó la leche, dejó el vaso en el fregadero y se sentó con el cuaderno y el lápiz para hacer los deberes.

–¿Verdad que nosotros nunca vamos a ir a Barcelona?

–Nunca. Te lo prometo.

Los días más tristes eran para Charo los viernes que su padre no podía ir a recogerla a la SaFa. Tenía que quedarse todo el fin de semana a solas con las monjas y las otras desdichadas que o no tenían padres o tampoco habían podido venir. Cuando dormía en el colegio, todavía a los diez años, se hacía pis en la cama.

Los segundos días más tristes eran esos domingos en los que su padre, después de la merienda y los deberes, la llevaba de vuelta a la SaFa.

No tenía ningún recuerdo de su madre, aunque una triste tarde de domingo Benito le enseñó dos fotos de ella. Las sacó de una maleta de cartón que guardaba debajo de la cama. Charito vio que había más cosas dentro: recortes de periódico, una medalla, muchos papeles y un pañuelo.

Una era un retrato de estudio y la otra era una foto de grupo en la que aparecía con las piernas cruzadas.

Era difícil decidir si se parecía o no a su madre, porque Manuela ni siquiera se parecía a sí misma en las dos fotos. Aunque tenía en ambas la misma edad, eran dos mujeres diferentes.

Al dorso de las dos fotos estaba escrita la misma fecha: 1957.

–El año que yo nací –decía Charo y le preguntó a su padre–: ¿Ya había nacido cuando le hicieron las fotos?

–Sí, tenías pocos meses.

En el retrato Manuela era una mujer de ojos oscuros que no se atrevía a sonreír del todo. Parecía indecisa, como si estuviera empezando a sonreír o como si acabara de dejar de hacerlo. Había una vibración en sus labios, que podía ser el resto o el comienzo de una sonrisa. Con una blusa de verano algo escotada, se le veían los hombros firmes, el cuello frágil y el hueco en sombra entre las dos clavículas. Era esa cavidad la que atraía la mirada, como una mano tendida sobre la que apoyar la frente.

La foto de grupo estaba algo borrosa. Había dos hombres en camisa, sin sombrero. Estaban sentados en sillas de tijera, en torno a una mesa con mantel de cuadros, vasos y una botella de anís. Manuela estaba de espaldas a la cámara y se había dado un poco la vuelta para salir en la foto. Tenía las piernas cruzadas y apoyaba un codo en el respaldo de la silla. Su perfil y su gesto eran de desafío, y se reía, mirando a uno de los hombres. Llamaba la atención su delgadez y el volumen excesivo de sus pechos. Sus clavículas daban ganas de llorar.

–¿Quiénes son esos señores?

–Parientes lejanos de tu madre.

–¿De Barcelona?

–Sí, de su familia catalana.

–¿Y ellos también están muertos?

–Todos están muertos en Barcelona. Coge la chaqueta, que nos tenemos que ir.

Charito obedeció sin ganas, pero con una sonrisa.

Era igual que su madre, pensó Benito. Sonreía como si estornudara: intentando evitarlo. Sonreía como Manuela, sin venir a cuento.

–Sólo dime una cosa, ¿cuántos años tenía mi madre en las fotos?

–Veintisiete. Y vámonos.

Atardecía sobre unos desmontes recortados como una dentadura incompleta, que hiciera muy difícil entender las palabras; el viento arrastraba hojas caídas, papeles y buenos propósitos; sólo quedaban los pájaros hambrientos atravesando el cielo oscuro y el padre y la hija, en la parada, cogidos de la mano, cada uno mirando a veces sus propios zapatos y a veces hacia la izquierda,

113

hacia la carretera desierta por donde nunca acababa de llegar el autobús.

Cuando llegaron a Fernández de los Ríos ya era noche cerrada.

Charo lloró al despedirse, como todos los domingos.

Benito se fue caminando hasta la glorieta de Quevedo, preocupado por lo que le podrían estar contando las monjas a la niña sobre su madre. No se fiaba de ellas.

Nada más entrar en el bar Santos, Benito me vio en la barra, donde le esperaba tomando una copa de Veterano. Debió de pensar que la vida no era como las películas: los policías que él conocía bebíamos todos, por mucho que estuviéramos «en acto de servicio».

Nos sentamos en una mesa apartada, donde nadie pudiera oírnos.

Esa noche Charo volvió a hacerse pis en la cama.

MENSAJE DEL CAUDILLO EN EL FIN DE AÑO DE 1955

Su Excelencia el Jefe del Estado dirigió anoche el siguiente mensaje de fin de año al pueblo español:

Españoles: Al entrar en el umbral del año 1956, en que se van a cumplir veinte de nuestro Glorioso Alzamiento, me dirijo, una vez más, a vosotros con la misma emotiva ilusión de los primeros días del Alzamiento, cuando con fe ciega en las virtudes de nuestro pueblo os pedía, en nombre de España, los mayores sacrificios [...] Si en sus grandes crisis el pueblo español siempre se encontró en su mejor forma, demuestra que las invasiones extrañas sólo alcanzaron a las clases directoras, permaneciendo el pueblo impermeable a sus influencias. Hoy, sin embargo, tengo que preveniros de un peligro: con la facilidad de los medios de comunicación, el poder de las ondas, el «cine» y la televisión se han dilatado las ventanas de nuestra fortaleza. El libertinaje de las ondas y de la letra impresa vuela por los espacios, y los aires de fuera penetran por nuestras ventanas, viciando la pureza de nuestro ambiente. El veneno del materialismo y de la insatisfacción quiere asomarse a los umbrales de nuestros hogares, precisamente cuando los peligros que al mundo acechan son mayores que nunca [...] Este año se unirán a las actividades intelectuales de la Universidad los nacidos bajo el signo de la Cruzada [...] No sería sincero con vosotros si no os diera esta voz de alarma [...] por ser todavía mayores en la paz que en la guerra los peligros que podrían acechar a nuestra nación por un exceso de confianza. [...]

Resulta ocioso el afirmar que hemos de seguir defendiendo y manteniendo el poder adquisitivo de los sueldos y salarios de las clases confiadas a nuestra tutela [...] A los empresarios y comerciantes hon-

115

rados se les ofrece, con el progreso general de la nación y la correspondiente elevación del consumo, un espléndido horizonte [...]

Pido a Dios, para terminar, en el umbral de este nuevo año, que siga teniendo bajo su mano y dispensando su protección a esta España nuestra, haciéndola digna de ser empleada en su servicio y en su gloria y que nos siga dando el ánimo y los medios para afrontar satisfactoriamente los trabajos necesarios para la paz, la grandeza y la prosperidad de España. ¡Arriba España!

Madrid, 1 de enero de 1956

No nos atrevíamos a nombrar lo que todos esperábamos, así que Jiménez de Parga tuvo que inventar el eufemismo del «hecho biológico», que ya iba pareciendo más bien geológico, como la tectónica de placas o el desplazamiento de un glaciar: irreversible, ineluctable, imparable, todo lo que tú quieras, pero con tal parsimonia que, visto a pie, desde la superficie del planeta, resultaba exasperante.

Para mí y para España, el «hecho biológico» se produjo por fin aquel noviembre de 1975. Tarde o temprano tenía que pasar. Lo habíamos esperado con miedo, con entusiasmo, con impaciencia, con resignación, asomados al borde del precipicio o del éxtasis, del mayor desastre concebible o de la única eternidad que estaba a nuestro alcance, la de la culpa.

Francisco Franco, Caudillo de España por la gracia de Dios, murió el 20 de noviembre; Laurita Gamazo y yo nos fuimos a la cama el 19.

«Qué duro es morir», dijo el César Visionario, cuando tuvo que luchar durante meses para cumplir el único deseo, ese que nos pasamos la vida remplazando por una cadena de fugaces deseos que no aplacan el ansia de un absoluto, siquiera sea el de la aniquilación.

El «hecho biológico», fatal, inaplazable, irreversible, no por esperado dejó de sobresaltar a España entera, aunque el país, a diferencia de mí, ya tuviera echadas sus cuentas para el día de mañana. Todo el mundo había ido tomando posiciones: los partidos (todavía clandestinos), los empresarios (aún proteccionistas), la banca (todavía pueblerina), los hombres del Régimen (aún orgánicos), los del PSOE (aún marxistas, al menos nominales), la Iglesia (todavía preconciliar) y hasta los boy-scouts y el orfeón donostiarra habían movido ficha, hecho cábalas, se habían cambiado de chaqueta para estar presentables y, en general, se habían dejado querer por los americanos, la CIA y el Departamento de Estado.

En cambio a mí me pilló in albis y con el pie cambiado: se me movió el suelo por debajo, dejado de la mano de Dios, como si el Señor hubiera apartado esa diestra con la que nos sostiene para impedir que nos precipitemos al vacío.

El domingo había comprado en la plaza Mayor una moneda antigua de bastante valor, una de las primeras pesetas, de 1869, la única serie en la que no figura la palabra España: sólo pone Gobierno Provisional. Con la Revolución de 1868, la Gloriosa, cuando la reina ya había escapado echando viruta (una arraigada tradición borbónica), se acuñó moneda aún antes de establecer la forma del Estado, que sería monarquía con Amadeo de Saboya y república en 1873 y otra vez, con la I Restauración, la de Cánovas, los Borbones en España (¡Jamás! ¡Jamás! ¡Jamás!, como había gritado el pobre Prim antes de morir a tiros en la calle del Turco). Reproducía el anverso la antigua Hispania de las monedas de Adriano: una tía en camisón (o acaso clámide) recostada, entre la lujuria y la indolencia, contra unos montes Pirineos que le sirven de almohada. Tiene un ramo de olivo en la mano y, a sus pies, aquellos próceres del 68 añadieron algo que no figuraba en el modelo de Adriano: ¡el Peñón de Gibraltar! Oé, oé, oé. Podemos, podemos.

No era barata, pero me encapriché.

Puede que supiera que Laura estaría sola, aunque el caso es que debí olvidarlo, porque pregunté por sus padres.

—Los señores están en Madrid con el señorito. Vendrán a cenar —me recordó Rosario, la chacha—. Estoy sola con la señorita Laura. Paco ha ido a Horche a por chuletas.

Paco era el guardés. Rosario tenía entonces dieciocho años y era una mujer de corta estatura, pero exuberante. Parecía italiana, no sé si me explico.

—Avise a la niña y tráigame algo de beber, una cerveza fría.

En casa de los Gamazo yo era como de la familia, uno más, el tío Antonio, tanto en la casa de Madrid como en Moratilla.

Laurita me besó y sentí más el roce de su melena, que me hacía cosquillas en la cara, que sus labios casi sobre los míos. Le gustaba coquetear conmigo a la mocosa y creo que no siempre con inocencia.

Tenía doce años y había crecido a tropezones desiguales. Ya tenía piernas de mujer, pero las rodillas seguían siendo de niña; no tenía tetas y en cambio el culo parecía de modelo de ropa interior. Por dentro, sus emociones también habían ido madurando a velocidades muy distintas. Su egoísmo era tan infantil como su entusiasmo, pero su rencor y el cálculo interesado eran ya los de la cuarentona que llegó a ser, acreedora inevitable con quien el mundo estaba siempre en deuda.

Se sentó a lo moro en un sofá, con los muslos de par en par, los codos clavados en las rodillas y la cara apoyada en las manos, y me preguntó si ya se había muerto Franco.

–Sigue igual.

–Cuando se muera ¿habrá una guerra?

–Ni hablar. Cuando se muera irá al cielo y a nosotros, aquí abajo, no nos pasará nada.

–Papá dice que vuelve la guerra.

–Antes todavía tenemos que ganar la paz. Tengo algo para ti.

–¿Un regalo?

–Una sorpresa.

Palmoteó y dijo con entusiasmo:

–¡Adoro las sorpresas!

Literal. Estos chicos de los sesenta veían demasiada tele. No sabíamos decirles que no a nada.

La primera vez que yo vi una televisión fue en casa de Perico Gamazo. No me sorprendí ni me asusté, ni se me ocurrió pensar que aquello fuera milagroso, qué bobada. Me pareció lo más normal del mundo: al fin y al cabo, ya estábamos más que hartos de ver películas de cine a todo color y la tele era en blanco y negro. Quizá por eso, comparado con el cine, la tele siempre me ha parecido de mentira. El cine era verdad, con personas reales que hablaban de sus cosas como si nosotros no estuviéramos escuchando. En la tele, en cambio, la mayor parte del tiempo nos hablaban a nosotros, mirándonos a la cara y con la misma afectación con la que acabaron hablando estos niños.

Fueron la primera generación española que creció con la televisión puesta. Vieron el Alunizaje, se sabían los anuncios de detergentes, las marcas de ropa, las sintonías de los programas. Confiaban en que les comprendiéramos. Esperaban eso de nosotros. Una justificación, quizá. A medida que fueran creciendo, llegarían a exigirlo: nos pedirían explicaciones. Mientras tanto, imitaban la voz de Alfonso Sánchez y la del doctor Félix Rodríguez de la Fuente, con nuestro amigo, el abejaruco, y aprendían en la pantalla a expresar con demasiados aspavientos emociones improvisadas. Había que intentar compadecerles. Al fin y al cabo, su idea de naturalidad estaba basada en actores de tercera y, para dar forma a su visión del mundo, tenían que echar mano de lo poco que estaba a su alcance: los argumentos previsibles de los telefilmes, los documentales de la segunda cadena y esos testimonios humanos siempre tan sobrecogedores.

Rosario trajo una bandeja con mi botellín de Mahou, un vaso, un platito con aceitunas y una servilleta. Preguntó si el señor se iba a quedar a comer.

–Había pensado llevarme a esta mocosa a comer al hotel de Tendilla y así la dejamos a usted en paz. ¿Qué dices tú? ¿Quieres que te invite a comer fuera?

Rosario protestó: el señor no molestaba nunca, era un placer y ella iba a preparar de todas formas huevos rellenos y chuletas. Como era previsible, sin perdonar el palmoteo, Laura afirmó con énfasis catódico:

–¡Adoro comer de restaurante! Los huevos con tomate son una asquerosidad.

–Pues no se hable más. Y usted y Paco se toman el día libre.

En fin, para abreviar, acabamos en la cama, a la hora de la siesta, y allí tuvo lugar por fin el inevitable y aplazado «hecho biológico».

Aún me pregunto por qué lo hice. Mentiría si dijera que fue una pasión irresistible. Tampoco Laura era una belleza irresistible. Era una niña normal y corriente, en pleno desarrollo, de manos pequeñas y pies muy grandes, con tendencia a engordar y convencida de que los adultos no eran capaces de comprenderla, sobre todo sus padres.

A veces pienso que la única razón fue que tenía doce años. Nació en 1963 y ese mismo año nacieron en España otras 322.295 mujeres, pero ninguna de ellas estaba a mi alcance, sólo Laura Gamazo.

Ese año dispararon sobre John Fitzgerald Kennedy, se abandonó la misa en latín y se instaló el Teléfono Rojo entre Washington y Moscú. El Primer Plan de Desarrollo sustituyó al Plan de Estabilización del 59, se creó el Tribunal de Orden Público y el Madrid ganó la Liga. En primavera se desbordaron el Guadalquivir y el Genil, y en otoño, el Ter y el Güell, con inundaciones en toda la provincia de Gerona.

En 1963 también se inauguró por fin la verdadera Ciudad Deportiva en la nueva avenida del Generalísimo, la patria que todos estábamos esperando.

Esa misma noche, como Dante, tuve otro sueño que quizá fuera una visión o un aviso.

Laurita dormía de medio lado. Aparecía un hombre severo que llevaba en la mano algo que estaba en llamas.

–*Vide cor tuum* –repetía: mira tu corazón.

Laura abrió los ojos y el hombre severo le hacía comer aquello que ardía en sus manos, como si ella fuera un pájaro. El hombre arrancaba pellizcos de la hoguera y se los iba metiendo en la boca. Al principio Laura se resistía y ponía caras de asco, pero luego empezó a tragar trozos cada vez más grandes. Ella no tocaba los bocados con las manos, masticaba muy despacio, con los ojos llenos de lágrimas. El hombre severo se reía. Cuando terminó de comerse mi corazón, la niña se tiró al suelo. La manta ensangrentada cayó y apareció desnuda. A cuatro patas se acercó al hombre severo y se abrazó a sus piernas con desesperación. Luego los dos rompieron a reír.

Aquel hombre severo que le daba a comer mi corazón a Laura era su propio padre, Perico Gamazo.

Me acosté con ella, es verdad, pero tengo que admitir que lo hice contra su padre, mi protector, mi amigo, mi semejante. Mordí la mano que me daba de comer y me fui a la cama con Laurita para humillar en secreto a su padre, para consolarme del agravio de comer de su mano.

La mancha no desaparecía. Allí seguía, en el empeine, la sangre de Laura Gamazo que le había salpicado al inspector Olmedo el zapato de charol en plena pérgola del Ritz.

La muerte se había producido el 14 de junio, el día que batimos a Suecia 2 a 1 y pasamos a cuartos de final. Ese día, el 22 de junio, íbamos a jugar el partido de cuartos, contra Italia, y más de una semana después la gota de sangre aún no se había borrado.

Aquella sangre tenaz, azulada e indeleble había venido en línea recta desde los godos hasta su pie derecho, a través de tres marqueses de Morcuera sucesivos y de la historia del envasado moderno en España. Por eso quizá no debería empeñarse tanto en borrar la huella, al fin y al cabo era testimonio de un glorioso capítulo de la memoria histórica y empresarial. Sin embargo, Alfonso Olmedo iba a encontrarse con la teniente Teresa Murillo, a la que en sólo una semana ya llamaba Tere, y habría preferido llevar su mejor calzado, el del uniforme de gala.

Olmedo era entusiasta y sentimental.

Tras el levantamiento del cadáver en el Ritz, ella le había confesado que estaba agotada:

–Necesito una copa, inspector.

–¿En un lugar público y de uniforme, teniente?

–Cierto, es incompatible con la dignidad del Cuerpo.

–Venga a mi propio domicilio, si le apetece.

Fue así de sencillo, según me contó Alfonso Olmedo: la dignidad del cuerpo hizo el resto.

Olmedo no pudo dejar de abrirle su corazón, algo esponjoso ya tras el segundo cubalibre de Larios. Le habló de la muerte de su mujer, de cómo había educado sólo a su hija y acabó admitiendo que ya no esperaba ninguna llamada: Carmina había abortado, nunca sería abuelo. Era mayor de edad y él no había podido impedirlo.

–Tiene usted que rehacer su vida, inspector, ha llegado el momento, si me permite decirlo –afirmó Teresa Murillo, que también debía de ver demasiada tele.

–Llámame Alfonso.

–Hola, Alfonso, soy Tere. Toc, toc... ¿se puede? ¿Hay alguien ahí?

Cuando se metieron en la cama, acababa de empezar el *cuarteto en do mayor K 465* de Mozart, el de las disonancias, ese mecanismo de relojería de apariencia diáfana, pero con un fondo turbio, atravesado por una corriente helada. Se desvistieron al ritmo de los lentísimos y enigmáticos veintidós compases iniciales, atravesaron abrazados el agua profunda del Andante cantabile en fa mayor y desembocaron felices en la turbulencia patética del último movimiento: Allegro molto, con los ojos cerrados.

Debían de necesitarlo tanto que, al día siguiente, llegaron a la conclusión de que estaban enamorados.

Total, que se querían, así de fácil. Se querían con jovialidad de enfermos desahuciados, con timidez de escolares y con la resignación de quienes han envejecido juntos casi sin darse cuenta.

Olmedo la nombró su asistente personal en el caso Gamazo y le contó todo lo que hasta el momento sabían de la muerte, a la que no se determinaban si calificar de magnicidio, de atentado indiscriminado o de daño colateral.

Ahora se dirigían de incógnito a la reunión de seguimiento, en el lugar elegido esta vez por Clot, el bar Muñiz, en la calle Miguel Ángel.

Sonó el teléfono móvil de Olmedo, que escuchó en posición de firmes.

–Era Jefatura: ha habido otra víctima –le confió a Teresa.

El destino manifiesto de los Gamazo eran los envases. Tras la guerra, el papá de Perico, don Gonzalo, al que todos llamaban Morcuera, hizo una mediana fortuna con la enlatadora de El Aaiun, el mayor puerto sardinero del mundo. También hizo dinero con la caja de limones Diamante, aunque sólo duró un año, hasta que se hizo evidente que la forma de rombo dificultaba tanto la estiba que en los puertos empezaron a rechazar los cargamentos. Más tarde fabricó toda clase de paquetes, en cartón, plástico, hojalata o acero: obtuvo el monopolio de la importación de la Tupperware y, ya en los sesenta, se convirtió en el Emperador del Tetra-Brik.

Sin embargo, en el universo del envasado, fue su hijo, Perico Gamazo, el que consiguió llegar a lo más alto.

La idea, la iluminación, se le apareció a Perico en su infancia, al ver a un sacerdote atravesar la plaza de Moratilla para ir a dar la extremaunción a un moribundo. En ese mismo instante, al contemplar el viático, supo que algún día su sueño se haría realidad.

Sólo tenía que saber esperar.

Mientras tanto, participó en los sucesos del 56, dio con sus huesos en la cárcel (durante unos días), le enviaron a Estados Unidos, se casó con Mariví Montovio, se hizo cargo de algunas empresas de su padre y siguió esperando su momento.

¿Quién le iba a decir a Perico Gamazo que su gran oportunidad se la ofrecería una gigantesca roca congelada?

El Nanga Parbat, en el extremo oeste del Himalaya, con 8125 metros, es el más legendario (y fatídico) de los catorce ochomiles del planeta.

En 1978 las circunstancias jugaron a favor de la ambición de Gamazo: el cónclave vaticano eligió Papa a un alpinista polaco, Karol Wojtyla.

El Santo Padre sólo tardo seis años en expresar su deseo en primera persona del plural.

–Nos tenemos una grande idea –afirmó, mayestático, en 1984–. Hay que tocar el cielo con las manos. En homenaje al Creador, hay que llegar al techo del mundo.

–¿Se refiere Su Santidad al Everest? –palideció Joaquín Navarro-Valls, el director de la Oficina de Prensa de la Santa Sede, que era español y del Opus Dei.

–¿Everest? –se asombró el Santo Padre enfurecido–. Eso es para turistas. ¡A quién le importa el Everest! Manca finezza, manca finezza. Nos queremos decir el Nanga Parbat.

–Claro, claro, Santidad –respondió Navarro-Valls, que debía de haber recordado el *Ananga Ranga*.

–La Montaña Desnuda: eso es lo que significa Nanga Parbat en sánscrito –el vicario de Cristo parecía confirmar las sospechas de Navarro-Valls: desnuda, faltaría más–. Il monstro Hitler trató de conquistarla, pero la molto formidabile roca resistió. Los nazistas la llamaban Schicksalberg: la Montaña del Destino.

Aquello era tan alemán, pensó Navarro-Valls, que había estudiado en la Deutsche Schule de Cartagena. La desnudez convertida en destino. Casi le parecía oír el estrépito de Wagner.

–Comprendo –afirmó–. Y Su Santidad se propone escalar eso, ¿verdad?

–¿Nos? No diga disparates. Será una muy católica cordada, en representación de la Iglesia peregrina en la tierra.

No hubo mucho más que hablar: a los seis meses la expedición «In Hoc Signo Vinces» estaba lista y en el campamento base. Cuatro sacerdotes y tres monjas-sherpa hicieron cima y se fotografiaron con la bandera papal clavada en el hielo.

La catástrofe se produjo en el descenso. No sé qué fue lo que pasó, un resbalón, un error de cálculo, una grieta o tal vez cierto designio inescrutable, uno de esos renglones torcidos con los que el Creador escribe muy derecho; pero el caso es que el padre O'Mulligan perdió pie y arrastró en su caída a toda la muy católica cordada. Debió de soltarse un mosquetón o una de las cuerdas cedería: tres reverendos padres y dos monjas porteadoras cayeron al abismo y se estamparon contra la roca. Se hicieron añicos y sus siluetas quedaron impresas en la pared como una calcomanía.

El padre O'Mulligan y la sor sherpa lograron aferrarse a un saliente y encontraron refugio en una minúscula plataforma en la que sólo cabían de pie, apretados el uno contra el otro.

La noticia interrumpió los telediarios en todo el planeta.

En Madrid, España, calle del Tambre, colonia de El Viso, Perico Gamazo comprendió en el acto que aquella catástrofe mística era la gran oportunidad empresarial que había estado esperando durante toda su vida.

Como todos los visionarios, Perico se adelantó al tiempo en el que le había tocado nacer. Había sufrido las burlas y la ira de sus contemporáneos. Ni siquiera los aires de *aggiornamento* del Concilio Vaticano II habían sido capaces de comprenderle: el cardenal Tarancón (¡Tarancón al paredón!) se negó a escucharle, y hasta los propios norteamericanos le habían rechazado con fórmulas de cortesía, a pesar de que Perico financió con generosidad la campaña a favor del Tratado de Adhesión, por patriotismo y para consolidar la democracia, como todo el mundo: por pura ética de la responsabilidad.

Esta vez sería distinto.

El espantoso accidente había ocurrido a casi 5800 metros, en el muro Kinshofer, una pared vertical de hielo de unos 150 metros de altura. El rescate era imposible, a menos que cambiara el tiempo. En la alta montaña, sin embargo, el auténtico recurso escaso es el buen tiempo. Por aire, un helicóptero no podía acercarse a menos de cien metros, y mucho menos detenerse sin que el viento lo aplastara contra la roca. Por tierra, ningún equipo podía ponerse en marcha en esas condiciones meteorológicas.

Desde el helicóptero, lo único que se podía hacer era captar fugaces, escalofriantes imágenes de la agonía de aquella desventurada pareja de náufragos de la fe: permanecían de pie y con las uñas enterradas en la roca para sujetarse. El viento lanzaba

127

por el aire a toda velocidad cristales de hielo que se clavaban en sus frentes como coronas de espinas.

Perico y yo nos trasladamos a Roma, donde obtuvimos audiencia con el Santo Padre, gracias a las gestiones de Valls Taberner, un banquero del Opus Dei.

En el Vaticano Perico le explicó al sucesor de san Pedro su gran idea. No podían salvar sus vidas, de acuerdo: pero ¿y sus almas? ¿Qué podían hacer por sus almas?

Le propuso lanzarles un recipiente con hostias consagradas, un proyectil-custodia, para que al menos aquellos infelices murieran comulgados.

Su Santidad era un hombre corpulento, con mandíbula rectilínea y ojos como canicas: rodaban sobre los demás, gélidos, inquietos, escrutadores, hasta que se colaban de golpe en el gua de sus corazones. Tenía la frente plana y las manos muy anchas y agropecuarias. En realidad, ese aspecto de cazurrería cracoviana protegía un cerebro con el filo y la velocidad de un escalpelo, y una inteligencia aguda, aunque entreverada, con más tocino que vetas de magro.

–Plus ultra, plus ultra... Nos li ascoltami, cavaliere –musitó con somnoliento cabeceo de animal de tiro.

En parecida mezcla de latín clerical e italiano macarrónico, Perico Gamazo le ofreció el suministro de envases para catapultar el Santísimo Sacramento a los expedicionarios. Hostias ya consagradas, porque el padre O'Mulligan, si soltaba las dos manos para bendecir, se precipitaría sin remedio al vacío.

–Gratis totale, Su Santidad –precisó.

–Mmmmm –diríase que el vicario de Cristo estuviera masticando pensamientos para regurgitarlos luego, como un rumiante–. Mmmmm... Ditto e fatto, caro amigo: avanti. Amén.

–Amén Jesús –agradeció Perico besándole el anillo.

En menos de cuatro horas consiguió los envases: dos obuses adaptados para funcionar como sagrario, con capacidad para media docena de obleas.

El propio Juan Pablo II las consagró y Estados Unidos ofreció (también gratis total) uno de los nuevos Black Hawks eléctricos para la misión.

Hubo que pintar el helicóptero de blanco pureza, para que evocara la paloma del Espíritu Santo, en lugar del siniestro halcón negro.

El lanzamiento fue un éxito. El primer proyectil rebotó en la roca, pero el segundo se incrustó en el hielo a escasos centímetros del páter O'Mulligan. A pesar del dispositivo «abre-fácil» patentado por Gamazo, O'Mulligan no consiguió quitar la tapa: fue la monja-sherpa, sor Marisol de la Adoración Nocturna, la que logró arrancarla con los dientes, a mordisco limpio.

Comulgaron in situ, a casi 6000 metros de altitud.

Entonces, con la naturalidad que sólo acompaña a las manifestaciones de lo sobrenatural, el padre O'Mulligan pareció revivir. Se remangó la sotana de escalada (una prenda isotérmica fabricada en Milán) y se encaramó a los hombros de sor Marisol. Desde allí consiguió alcanzar una cuerda abandonada por una expedición anterior. Que un hombre exhausto, con diez dedos congelados, sin suficiente oxígeno y al borde la muerte consiga revivir sólo prueba, una vez más, la «presencia real», indubitable, de la Divinidad en la hostia consagrada, que es la misma carne y la misma sangre de Dios Nuestro Señor.

–Mirácolo, mirácolo! –proclamó el Sumo Pontífice a gritos y ex cathedra.

O'Mulligan consiguió izar a pulso la masiva humanidad de sor Marisol (ochenta kilos) y ambos alcanzaron el glaciar. Desde allí consiguió evacuarlos un equipo de rescate.

Tanto a la monja porteadora como al páter tuvieron que amputarles las falanges de numerosos dedos, pero sobrevivieron para dar testimonio de Dios.

Perico aprovechó la euforia papal para trasladarle el resto de su idea. *Horribile dictu*, pero los templos cada día estaban más vacíos, Su Santidad tenía que ser consciente del hecho. Si el rebaño no iba al pastor, habría que hacerlo *a la viceversa*, como Mahoma y la montaña. Ponérselo fácil. En su propio domicilio. A cualquier hora. Incluso, ¿por qué no?, había que volver a instaurar la moda de la comunión diaria.

–Se lo digo en dos palabras, Santidad: envases eucarísticos –susurró, tentador, Perico Gamazo.

Ese era el futuro para la Iglesia, le aseguró, y también predijo que, valga la paradoja, así se volverían a llenar los templos: ¿o acaso el *prêt-à-porter* había acabado con la alta costura? ¡Todo lo contrario! No había más que ver la Pasarela Cibeles: no había incompatibilidad entre Madrid Fashion Week y Zara, se ayudaban uno a otro. Lo único que pretendía, aseguró Perico, era que el catolicismo fuera por fin universal, la Iglesia del siglo XXI: el Cuerpo de Cristo envasado al vacío, con todas las garantías teológicas y sanitarias, disponible en cualquier parte, urbi et orbe, para todos los públicos...

–Stop, stop. Capitto, Nos aviamo capitto –le interrumpió el Santo Padre acariciándose el cuadriculado mentón pastoril.

Gamazo presentó prototipos, hubo estudios de mercado, permisos sanitarios, reformas litúrgicas, y hubo que tomar decisiones difíciles, como la de poner la fecha de caducidad en el envase, tal y como exigía la Food and Drug Administration.

–Ma... impossibile... Dio é... eterno! Dio non caduca mai! –se indignó el Papa, aunque al final transigió con un sencillo y ortodoxo «Consumir preferentemente antes de».

Tanto el Vaticano como la Food and Drug Administration dieron luz verde y hasta el propio Juan Manuel de Prada bendijo el envasado eucarístico al vacío en uno de sus artículos de fondo de *L'Osservatore Romano*.

Lo demás es historia.

Hoy en día los packs de seis hostias están en todos los supermercados y las máquinas expendedoras ya forman parte de nuestro paisaje cotidiano. Perico Gamazo hizo realidad su sueño y, al despertar, se había convertido en uno de los hombres más ricos y poderosos del país.

Decidió consagrar el resto de su vida a una sola tarea: casar a alguno de sus hijos con algún gran apellido de los archipámpanos de la Inmaculada Transición, un Bustelo, un Sotelo, un Polanco, un Navarro.

Juntos podrían formar un núcleo de poder capaz de cualquier cosa.

Hay amores crecederos, como la ropa que se les compra a los niños para el día de mañana. Puede que hoy les sobre por todas partes, que arrastren el fondillo de los pantalones o que el faldón de la camisa les llegue a las rodillas, y que alguien les diga: parece que el difunto era mayor. Da igual, ya les quedará bien.

Hay amores muy ponibles, de todo tiempo y larga duración, que admiten arreglos, zurcidos, remiendos, coderas y rodilleras, y cuando se diría que ya no resisten más, aún se les puede dar la vuelta, como a los abrigos.

Por decisión inapelable de los dos compadres, Pepe Montovio y el marqués de Morcuera, así debían de ser los de «los chicos», María Victoria y Pedro, que estaban destinados el uno para el otro, así como a ser llamados siempre Perico y Mariví.

Tiempo tendrían de aprender a quererse, hasta de apasionarse (si es que les daba por ahí), de enamorarse como tórtolos y de casarse, aunque fuera para no abrasarse, y enlazar así la dinastía envasadora de los Gamazo con el imperio del transporte de los Montovio.

Por su parte, ninguno de los padres era muy partidario de que se apasionaran demasiado, como los pastores llorones de los poemas y sus mosquitas muertas, a las que llamaban Celalba, Clori, Filis o Belisa. Ellos lo tenían comprobado: el amor verdadero resulta bastante incómodo, interrumpe la vida cotidiana, dificulta los negocios y reclama tanta atención que, al final, se convierte en una forma aun más ardua de ensimismamiento.

En cambio un amor menos intenso sería también menos

intempestivo y más llevadero, capaz de convertirse en costumbre.

Como el roce hace el cariño, lo más importante era que, desde su más tierna infancia, se habituaran el uno al otro; así que les criaron casi como a hermanos. Pasaban juntos los fines de semana, en la casa de Moratilla, y las largas vacaciones de verano, en Ribadesella. Tanta familiaridad les empujó, cuando llegó el momento de los primeros amoríos juveniles, a codiciar la fruta en el huerto ajeno y dar la espalda a lo que tenían al alcance de la mano.

Mariví tuvo relaciones con un tal Josemari López-Dahlman, un muchacho con tan buena disposición y tantas ganas de complacer que acabó redactando editoriales en *El País*. Perico coqueteó con una Sotelo y Madariaga, le tiró los trastos a Elenita Arnedo (que luego se casó con Miguel Boyer, cuando este aún era prácticamente pro soviético) y hasta mantuvo con Menchu Priego un noviazgo formal, repleto de meriendas con milhojas y piononos, y amenizado por alivios manuales, de pie y con la ropa puesta, a través del bolsillo del pantalón y siempre bajo la amenaza de matrimonio inminente.

En el verano del 55 encontraron los chicos, a iniciativa propia, el carril que sus señores padres les habían destinado desde su nacimiento y se hicieron novios, tras las respectivas y reglamentarias rupturas solemnes con ceremonia de devolución de cartas y regalos. Mariví partió peras con aquel timorato Josemari López-Dahlman y Perico dejó más plantada que una maceta a esa impertinente de Menchu Priego, que años después, tras sucesivos divorcios, fue diputada del PSOE y dio sin reparos su voto a favor del aborto legal, como lo habría dado a favor del infanticidio, si se lo hubieran reclamado a cambio del escaño.

Por algún motivo, la pareja daba por hecho que sus familias no aprobarían la relación y esta creencia se convirtió en el acicate más poderoso.

Nada más lejos de la realidad, pero sus padres tuvieron la suficiente mano izquierda para no desilusionarles. Fingían vigilarles, cuando lo que hacían era multiplicar las oportunidades para que se vieran a solas. Les daban cuerda para que se ahorcaran (aunque, en vista del desenlace, esta sea una expresión muy desafortunada: Mariví se colgó en 1985 de la encina del jardín de Moratilla).

–Están predestinados –se felicitaban los dos compadres.

–Ojo avizor –advirtió Castresana, el aguafiestas, que espiaba sus idas y venidas–. Ayer se besaron a la sombra de la encina. A ver si van a pasar a mayores.

–No fastidies. Por un beso.

–Fueron tres. Uno con lengua.

–No será para tanto.

–Besos y abrazos no hacen niños, pero tocan a vísperas –sentenció el hijo del pueblo.

Para tranquilidad del amigo Castresana, hubo que forzar a los tortolitos a que se hicieran novios formales.

Hoy en día ya no hay novios, la propia palabra sólo la utilizan con sus hijos los divorciados para aludir a su nueva pareja, pero a finales de los cincuenta el noviazgo era una institución tan sólida y exigente como el matrimonio, y en ocasiones mucho más duradera.

Los novios venían obligados a salir a merendar uno o dos días por semana, al principio con carabina; tenían que guardarse ausencias, en caso de que una de las partes contratantes abandonara la sede; y se intercambiaban regalos con asiduidad. A la novia, el novio la respetaba, y ella tenía que hacerse valer: si cediera, el novio perdería de inmediato el interés en ella, porque a sus ojos quedaría convertida en una cualquiera y por consiguiente incapacitada para madre de sus hijos.

En Madrid, si querían salir en pareja de forma decente, sólo podían ir a cafeterías, a parques y paseos o los sábados a La Casuca, en Alfonso XII, donde había un pequeño jardín en el que se bailaba a una distancia decente: no sólo corría el aire, sino que, en caso necesario, entre los cuerpos podría circular sin dificultades una motocicleta de pequeña cilindrada. Si no era La Casuca, sólo quedaba la opción de La Galera, en la calle Villalar: allí había que mirarse a los ojos mientras Jorge Sepúlveda cantaba *Mirando al mar:*

133

Bajo el palio de la luz crepuscular,
cuando el cielo va perdiendo su color,
quedo a solas con las olas espumosas
que me mandan su rumor.

Puesto que lo tenía, sin su novio Mariví no podía ir sola a ninguna parte. Perico en cambio gozaba de más libertad y se atrevía a dejarse llevar de vez en cuando por Luis Solana, por Vicente Soler o por Laverón a La Cantina, un baile que estaba donde luego pusieron la Escuela Diplomática. Acudían criadas, dependientas y otras mujeres de vida inverosímil para aquellos estudiantes algo calaveras, pero de buenas familias. Allí la «cima de toda buena fortuna» era acompañar a una de ellas a la salida, a coger el tranvía a Reina Victoria, atravesando la avenida del Valle, oscura y llena de acogedoras esquinas, y en la que se tocaban por debajo de la ropa y, en ocasiones, ellas les hacían piadosas y apresuradas pajas a los muchachos, que apoyaban la espalda contra el tronco de un árbol y cerraban los ojos. Ellas luego se limpiaban la mano con una de aquellas grandes y ásperas hojas de morera.

Cuanto más iba a La Cantina, más le iban empujando entre Laverón y Vicente Soler, esas malas compañías, a un abismo en el que hacía aún menos pie que en el de los desahogos carnales: el de la subversión.

En esas estaba, pero no era comunista, qué iba a ser: no era tan fácil como se temía su mamá, doña Carlota. Para ser comunista uno tenía que insinuarse, como una buscona, había que dar pie, tirar el anzuelo y esperar a que apareciera esa figura legendaria, «el enlace del Partido», que era el único que podía proponer lo que no se podía ni plantear a ninguna persona decente sin arriesgarse a recibir, en el mejor de los casos, una bofetada; y en el peor, una denuncia. Era un ten con ten más enrevesado y peligroso que el necesario para llevarse a una mujer al huerto o a la propicia morera: si el *comunisturus* o nasciturus al comunismo se insinuaba demasiado ante la persona equivocada, adiós muy buenas, al día siguiente se presentaba en su casa un guardia; si «el enlace del Partido» le proponía lo inmencionable a una persona decente, ídem de lienzo. Para no hablar del riesgo de que el comunisturus fuera, en realidad, uno de la secreta; o que lo fuera el que se fingía «enlace del Partido».

Sin ser comunista ni cosa que lo valiera, detuvieron en enero del 56 a Perico Gamazo, que pasó tres días solo, desamparado y en cárcel tenebrosa.

Cuando lo soltaron, su padre lo envió a Estados Unidos y la pareja decidió apresurar la boda.

Hubo petición de mano, que apareció en el *Abc*, en la distinguida sección de «Ecos diversos de sociedad»:

Por los marqueses de Morcuera, señores de Gamazo Olavide (don Gonzalo) y para su hijo Pedro, ha sido pedido a los señores de Montovio Sastrón (don José) la mano de su hija María Victoria.

SALCEDO MUERTO CUANDO INTENTABA LLEGAR A BARCELONA

*Subió a un tren y obligó, pistola en mano, a los maquinistas
a que no detuvieran el convoy en ninguna estación*

*Con Salcedo desaparece la tristemente célebre «dinastía»
de bandoleros*

Barcelona, 23 de noviembre de 1958. La muerte de Juan Salcedo
Llopis, que había entrado clandestinamente en España procedente de
Francia, ha sido el final de la triste «dinastía» de los hermanos Salcedo, conocidos como «los Salcedos» y autores de numerosos crímenes en Cataluña. Como se recordará, Francisco Salcedo murió en la
calle Tuset al asesinar al inspector del Cuerpo de Policía señor Gómez
Espejo. Manuel Salcedo fue ejecutado en la prisión celular de Barcelona por hacer frente en el monte a la Guardia Civil, y hoy Juan Salcedo y dos de sus cómplices han encontrado la muerte después de
enfrentarse a la Benemérita, tras el atraco a un banco en la localidad
de Gerona. Salcedo sufrió dos balazos en la refriega sostenida con la
Guardia Civil donde murió su otro compinche.

Derrotado y considerando como única salvación llegar a Barcelona como fuese, se dirigió en compañía de su cómplice, Manuela Fuentes, a la estación de ferrocarril. En el momento de arrancar, ambos
malhechores tomaron por el lado opuesto del andén el tren 1.104, con
salida a las 11 horas. Ya el convoy en marcha, los forajidos amenaza-
ron con una metralleta al maquinista Pedro García Marcos y al fogo-
nero Joaquín Poblet, ordenándoles que les diesen la comida que lle-
vasen, comida que ingirieron sin perder de vista a los ferroviarios.
Luego les ordenaron que se dirigiesen directamente a Barcelona, sin

136

parada ninguna, cosa que dijeron aquellos era imposible, porque podían chocar con otros trenes. Al comprender la imposibilidad, el bandido cambió de plan y les ordenó que poco antes de San Celoni aminoraran la velocidad en una curva, para bajar. Así lo hicieron y los dos criminales descendieron. Al llegar los maquinistas a San Celoni dieron la voz de alarma.

Las fuerzas de aquel puesto de la Guardia Civil solicitaron la ayuda del somatén armado de la villa, y se intentó dar una batida por la zona en que se habían apeado los malhechores. Pero estos se habían dirigido al centro urbano, donde habían localizado el domicilio de un antiguo conocido, que había militado en la CNT. Al encontrarlo en la puerta de la casa, le pidieron que los escondiese, pero este se negó a hacerlo diciendo que no quería saber nada de lo pasado. Mientras tanto, un miembro del somatén de la villa, apercibido de la presencia de los perseguidos en aquel lugar, se dirigió allí, encontrando a Salcedo que forcejeaba con el citado ex cenetista, quien trataba de impedirle la entrada en su casa, cuya puerta ya había cerrado desde el exterior.

Salcedo, al ver que se acercaba un paisano con una metralleta, sacó la pistola y le disparó, hiriéndole en una pierna. El somatenista vació su cargador sobre Salcedo, que cayó herido de muerte. A continuación le disparó un segundo cargador a Manuela Fuentes, que se desplomó sobre su cómplice. A poco aparecieron los guardias civiles, que intercambiaron disparos con la bandolera abatida y se hicieron finalmente cargo de los cadáveres de los dos criminales.

LAS TRISTES BIOGRAFÍAS DE DOS CRIMINALES

Juan Salcedo Llopis (a) «el Nito» tenía en la actualidad cuarenta y ocho años. Su profesión originaria fue la de lampista y había nacido en Hospitalet de Llobregat (Barcelona). Fanático anarquista y casi analfabeto, destacó durante la guerra en el ejército rojo. Cuando triunfó el Alzamiento Nacional, se encontraba en Francia, donde, unas veces a las órdenes del Comité de la FAI, radicado en Toulouse, y otras por cuenta propia, realizó viajes a España al frente de grupos terroristas. Su primera estancia en nuestra Patria se hace notar en octubre de 1945, en que, con pocas semanas de intervalo, realizó cinco atracos y varios sabotajes. En 1950 se produjo la muerte de su hermano Francisco y, dos semanas después, la captura y ejecución de su hermano Manuel. Estas muertes exasperaron a Salcedo, quien prometió vengarse con «hechos de resonancia».

Manuela Fuentes Armero (a) «la Manola» tenía en la actualidad veintisiete años, estaba casada y era madre de una niña casi recién nacida, llamada María del Rosario. Imbuida de la misma demencia fanática que Salcedo, hacía sólo unos meses que se había unido a la banda, tras abandonar a su esposo y su hija, la pequeña Charo, aún de pocos meses.

En diciembre de 1957, Salcedo volvió una vez más a España al frente de un grupo de tres individuos y se reunió en Bañolas con Manuela Fuentes, alojándose en una fonda con todo su material de sabotaje. Al parecerles sospechosos a la Guardia Civil, les pidieron la documentación cuando se encontraban pescando. El forajido acometió la huida, pero la terrible mujer sacó la pistola y mató a un guardia de tres disparos a la cabeza.

En marzo de este año se acusa de nuevo la presencia de la sanguinaria pareja en España, capitaneando una banda de cinco sujetos que atracan un banco de San Feliú de Llobregat, llevándose 350.000 pesetas. En abril asesinan al agente de Policía don Osvaldo Martínez y se apoderan de su pistola y placa. Los facinerosos cometieron dos atracos más en distintas localidades catalanas y, a campo traviesa, emprendieron el regreso a Francia. En una de las masías que utilizaban como base de su trayecto la Guardia Civil les tendió una emboscada. Pero Salcedo y su compinche se dieron cuenta y, tras un tiroteo, consiguieron huir a Francia.

Por aquellos días, las pesquisas de la Policía permitieron descubrir una de sus guaridas, donde se encontraron efectos personales, así como una fotografía en la que se ve al propio Salcedo en compañía de Manuela Fuentes y un sujeto no identificado, todos tres en actitud relajada y desafiante, sentados a la mesa de un aguaducho.

EL ÚLTIMO CRIMEN

El pasado 20 de noviembre cruzaron clandestinamente la frontera con otros dos malhechores. Iban provistos de metralletas y pernoctaron en una casa cerca de Belda. El 25 de noviembre se dirigieron a perpetrar el atraco al banco de la avenida José Antonio, en Gerona, del que huyeron con un botín de 28.000 pesetas en billetes. La Guardia Civil acorraló a los forajidos y se entabló un fuerte tiroteo, a consecuencia del cual murieron dos bandoleros, aunque Salcedo, herido, y Manuela Fuentes, ilesa, consiguieron escapar y abordar el citado tren 1.104 con destino Barcelona, hasta que finalmente fueron abatidos en San Celoni.

La Guardia Civil pagó, una vez más, tributo a su heroísmo con la muerte del teniente don Francisco Fernández. También resultó herido un joven guardia de la Comandancia de Barcelona, don Antonio Menéndez Vigil. Por carecer de documentación, se ignoran los datos del otro malhechor fallecido.

–¿Qué es lo que más le gustaba hacer a mi madre? ¿Le gustaba cocinar? ¿Cantaba bien? ¿Sabía dibujar?

–Lo que más le gustaba era leer. Leía demasiado.

–¿Demasiado?

–Sin parar.

–¿Por eso tuvo que irse a Barcelona?

–Pues a lo mejor sí –se sorprendió Benito, como si acabara de dar con la solución a un enigma–. Si no hubiera leído tanto, quién sabe. Ahora tienes que irte a la cama corriendo, no son horas.

Charo dijo que sí, pero hizo una última pregunta:

–¿Qué libros leía?

–Ya te lo diré. A la cama. Mañana será otro día.

Era sábado, en casa con su padre: el día más alegre de la semana para Charito.

Al día siguiente Benito sacó de un armario una caja grande. Estaba llena de libros.

–Eran de tu madre. Son para ti, para cuando seas mayor.

–Yo ya sé leer.

–Pero no son cuentos de niños, son de mayores.

–¿Mamá leía estos libros enteros?

–Leer, en sí, no es tan malo. Hay que tener medida, como en todo. Nunca hay que leer más de la cuenta, entonces te puede hacer mucho daño.

Charito puso la caja junto a la cabecera de su cama. Había catorce libros y la niña los fue sujetando en la mano uno por uno, como si fuera una colección de muñecas. En todos aparecía, en la primera página, con letra redonda y cuidadosa, el nombre de su madre, Manuela Fuentes Armero, y una fecha.

Eligió uno de ellos para llevárselo a la cama y dormir abrazada a él. El libro se llamaba Vicente, y tenía de apellidos Blasco Ibáñez. También ponía *La barraca*, así que Charito pensó que debía de tratar de una casa hecha con paja, como las de los indios del Oeste.

Por la mañana devolvió a Vicente a la caja y decidió que el próximo sábado le tocaría dormir con ella a otro que se llamaba como su padre, Benito, y trataba de una chica que se quedaba sin su herencia: *La desheredada*.

Las monjas, con su característica buena fe, le habían facilitado a Rosario más información de la que necesitaba. Le habían dicho que tenía que luchar para no parecerse a su madre, querían que se convirtiera en otra desheredada. Su madre había sido una mujer mala y Rosario tenía que rezar por ella, para que Dios la perdonara; y tenía que esforzarse mucho, porque la cabra tira al monte y lo que se hereda no se roba.

Así se forman esos umbríos neveros en el corazón, esa cavidad con frío perdurable, la esquirla de hielo de la infancia que nunca se deshace en ningún adulto, que ni siquiera el amor derrite.

Cada noche se llevaba Charo su libro a la cama y se quedaba dormida leyendo, hasta que su padre cerraba el libro, la tapaba y le daba un beso en la mejilla.

Cuando avanza la noche y la sombra cubre el Pozo del Tío Raimundo, un viento se levanta y empuja las nubes hacia Atocha, y aparta la tormenta para proteger el sueño del padre y la hija.

Dormida, parecía de más edad, casi una mujer, pero era difícil imaginar cuántos años tendría ella dentro de sus sueños.

Y así pasa el tiempo y se suceden las semanas. Al principio, como hojas que caen sin esfuerzo de los árboles, más adelante como peldaños de una escalera sin barandilla, por fin como un tobogán por el que se deslizan los dos y su existencia transparente y trabajosa.

A los catorce años, en 1971, Charo comenzó a servir.

Ya había leído catorce libros completos.

Permaneció en casa de los Gamazo hasta 1977, primero por horas, en Raimundo Lulio, y luego, tras la muerte de la abuela, doña Carlota, como interna en el chalet de El Viso, en la calle Tambre.

Soy un superviviente, estuve en el 64 en Chamartín, como he estado en tantos sitios, desde el Vaticano a las cloacas del Estado de Derecho. Casi sin proponérmelo he sido testigo de nuestra Historia y también de las pequeñas historias de las criaturas de esta crónica. Más de medio siglo he contemplado, ya que no en primera fila, al menos entre bambalinas, donde pude observar el revés de la trama. Sin duda por eso ya no leía los periódicos, aunque sí seguía la actualidad deportiva: soy patriota, no lo puedo evitar, como no podría evitar ser zurdo. En la prensa, en realidad, no sucede nada; en el terreno de juego, en cambio, siempre tiene lugar un acontecimiento, hay una «presencia real».

De joven fui un jugador notable, tanto en el centro del campo como de extremo izquierda. En realidad, veía mejor que jugaba, distinguía siempre al compañero desmarcado. Tenía más pupila que pie. Lo mío era repartir juego. De niño adoré al Real Madrid de los cincuenta, con aquella delantera de los Kopa, Di Stéfano, Joseíto, Rial, Puskas, Gento. Fui capaz de admirar la pasión del fútbol racial, el de la furia española; también la precisión del fútbol de seda de Puskas y Gento. Lo que no tragué nunca fue el fútbol técnico, burocrático, el fútbol sin brillo de las posiciones teóricas. Tampoco me entusiasma el fútbol espectacular y galáctico de los grandes fichajes. A pesar de lo cual fui, soy y seguiré siendo siempre raulista, porque un equipo materializa la voluntad del capitán, de un hombre superior, de un supremo arquitecto del juego.

Jugamos contra Eire el 11 de marzo de 1964, el primer partido, en el Sánchez Pizjuán, con lluvia, barro y luz eléctrica de las

143

torres exteriores en los cuatro ángulos del campo. Fue la primera vez que vi a los jugadores así de espectrales, cada uno acompañado de cuatro sombras simultáneas, disparadas como flechas a los puntos cardinales. Al regatear, avanzaban como molinos de viento, con cuatro cuerpos y ocho brazos girando como aspas.

Les metimos cinco goles como cinco casas a los irlandeses. Encajamos uno, pero a Iríbar casi no le dieron trabajo. Con Amancio, Villa y Lapetra éramos invencibles. Cinco goles: sonaban palmas por sevillanas. Los aplausos debieron de oírse hasta en Getafe.

El 9 de abril jugamos el partido de vuelta en Dublín. Ganamos 2-0, incluso con Amancio lesionado. Dos goles idénticos: Marcelino pasa a Lapetra, que avanza en línea recta, imparable, centra y remata Zaballa de cabeza: ¡Goooool! ¡Gol de España, señores!

Así pasamos de cuartos entonces, aquel año en que celebrábamos los veinticinco de paz, y nos metimos en semifinales por la puerta grande.

Ahora, en cambio, cuarenta y cuatro años después, íbamos a pasar sin honor, por penaltis, pero pasamos igual, qué más da.

Pachín Micawber, el obeso pneumatólogo, era un intelectual, con esa soberbia que el Caudillo les atribuía; yo, en cambio, soy un hombre al servicio de un orden en el que no creo: a mí sólo me interesa el resultado práctico, sin teorías. El fútbol son goles. Como recordó Felipe González: gato negro o gato blanco, lo importante es que cace ratones.

Casimiro Bayón, histórico militante comunista asturiano y protagonista de la huelga de 1957 en La Camocha, ha fallecido hoy en Campillo (Alicante), donde vivía desde hace más de 25 años, según informa el Partido Comunista de Asturias.

En enero de 1957 tuvo lugar la huelga de nueve días en el pozo minero de La Camocha, en Gijón, que supuso un desafío al franquismo de la época, «se considera el hito fundacional del sindicato Comisiones Obreras» y en la que Casimiro Bayón fue uno de los protagonistas.

Bayón, nacido en 1925 en La Foyaca (Langreo), era trabajador de la mina y, desde 1950, militante comunista.

En 1956 el Partido Comunista de España (PCE) le hizo responsable de canalizar la lucha antifranquista en La Camocha, en un momento en el que no existía en la región una oposición sindical y política que plantase cara al régimen del general Franco [...] Las demandas de los enfermos de silicosis, las quejas por el trabajo en las galerías anegadas por el agua y el desacuerdo con el precio de los destajos dio lugar a un conflicto con la dirección de Solvay, la compañía propietaria de la explotación gijonesa, en el que los trabajadores contaron con el apoyo y solidaridad de los vecinos del barrio.

En este contexto, la dirección del PCE apostó por la creación de comisiones de trabajadores que sirviesen de mecanismo de interlocución en los conflictos laborales y que supusiesen una alternativa al sindicalismo vertical franquista.

Bayón trabajó en la mina de La Camocha hasta que en el año 1958 fue encarcelado y desterrado, desde entonces entró y salió en varias ocasiones del país, y pasó temporadas de su vida en Francia, la Unión

Soviética y Bélgica hasta que en 1976 regresó a España, desde hace más de veinte años había fijado su residencia en Campillo (Alicante), donde ha fallecido hoy.

La Nueva España, 20 de julio de 2009

A los veinte años nadie se conforma con la vida que lleva. Los jóvenes se sienten desterrados de un mundo mejor al que están convencidos de que pertenecen por derecho propio. Los demás, a partir de cierta edad, vivimos en el suelo que pisamos, quizá sin entusiasmo, pero al menos sin la tentación de creernos mejores de lo que somos.

Seamos sinceros: a nadie le importaban un pimiento los estudiantes. Ya se les pasaría a esos universitarios revoltosos de 1956, aquellos hijos de los vencedores que al parecer tanto simpatizaban con los vencidos.

Aquellos sucesos del 56 provocaron el cese de dos ministros y poco más. De tanta bulliciosa trapatiesta salió más humo que fuego. Tienen los estudiantes muy corta la mecha, como la dinamita. Explotan enseguida, hacen ¡pam!, pero sin mayores consecuencias. De hecho, nada pasó. No habían hecho tambalearse al Régimen, aunque así les complaciera pensarlo.

–España está en bancarrota, Excelencia –le repetía sin cesar Navarro Rubio a Franco, que en 1957 contestó por fin:

–Pues proceda.

El Régimen comenzó a virar con firmeza de velero, de la autarquía al desarrollismo. El Plan de Estabilización, la visita de Eisenhower y las bases americanas, los Planes de Desarrollo en manos del Opus Dei, es decir: lo que ya veía venir Pepe Montovio. Había que estudiar inglés sin pérdida de tiempo.

No hubo un caso igual en Europa. Industrialización y urbanización, aunque por supuesto con una dependencia cada vez mayor de la ayuda norteamericana, de los casi dos millones de emigrantes y del turismo masivo. En la década de los sesenta fuimos el segundo país mundial en aumento de los índices de producción industrial.

Ese era el camino y por eso los alborotos del 56 no quitaron el sueño a nadie. Aquellos chicos, en el peor de los casos, pasaron un breve y didáctico periodo en la cárcel. Allí estuvieron bastante entretenidos, con posibilidad de hacer por fin gimnasia, y organizaron grupos de lectura y hasta un concurso de poesía (que ganó Fernando Sánchez Dragó). Ramón Tamames se dedicó a pintar cuadros y la máquina Ridruejo se puso a hacer sonetos como un pistón, un tornillo sin fin o una bobina imparable y giratoria.

Salieron todos enseguida a la calle, el primero Elorriaga.

La mayoría se fue al extranjero, como Perico Gamazo. Salían convencidos de que se iban para «respirar oxígeno», pero a lo que iban era a coger aire con el que poder cumplir con su tarea: ganar la paz y garantizar la victoria tras la muerte de Franco. No sólo tenían que aprender inglés, sino también economía y marketing. La política ya no iba a ser una cuestión ideológica: a partir de ese momento, quedaría en manos de profesionales, los célebres tecnócratas.

Ahora, vista desde aquí, la decisión de Montovio de mandar al chaval a Chicago parece un acierto visionario: supo anticiparse a su tiempo y a la evolución de la voluntad popular, tal y como confirmaron las urnas.

Enviando a esos chicos al peligroso, al democrático extranjero, Montovio y sus amigos no hacían más que preparar a los soldados del futuro, los que pilotarían la II Restauración borbónica.

El problema había que verlo así: si los comunistas casi habían logrado envenenar a muchachos de familias decentes y educados en los más sanos principios, ¿qué no conseguirían con auténticos obreros, esos egoístas capaces de detener la cadena de producción sólo por sus dichosas 500 pesetas?

En Barcelona, aquel mismo año, hubo paros en Fabra Coats, en La Seda, en Batlló y otras empresas. Con decir que ni siquiera aceptaron la generosa oferta del Gobierno: una subida del 16 por ciento. Ahí queda eso.

Pronto comenzaron las huelgas en las fábricas más grandes: Enasa, Seat, Hispano Olivetti, Lámparas Z. En Bilbao, las metalúrgicas; en Pamplona, las de calzado; en Asturias, la minería.

Si los actos de los alborotadores de buena familia del 56 no tuvieron más consecuencia, no ocurrió lo mismo con los de los mineros al año siguiente.

La Camocha es la única mina de litoral, con galerías por debajo del nivel del mar. Según la tradición, los mineros, a oscuras, oyen el oleaje; y los marineros, desde sus barcos, oyen las explosiones de grisú.

Sienten compasión unos de otros, o quizá solidaridad, y cantan. Los marineros, conmovidos por los mineros, que mueren solos, en la oscuridad. Los mineros, conmovidos por los marineros, que mueren solos, en la inmensidad.

La mina de La Camocha,
dicen que va baxo'l mar,
y que a veces los mineros,
sienten les oles bramar.

Por eso en el tayu,
se oye esti cantar.

Probe del marineru,
nel su barcu veleru,
frente a la tempestad.

Probe del marineru,
que muere siempre solu,
en la inmensidad.

La mina de La Camocha,
dicen que va baxo'l mar,
y que a veces los marineros,
sienten el grisú explotar.

Por eso en la proa,
se oye esti cantar.

Probe de aquel mineru,
que trabaya en sin mieo,
a la quiebra y el gas.

Probe de aquel mineru,
que muere siempre solu,
en la oscuridad.

Así ye la mina,
y el mar.

La Camocha definió la estrategia de la lucha obrera: el «entrismo» de Comisiones Obreras. Apoyada por nueve días de huelga, se creó una comisión para negociar con la empresa y el Gobierno Civil. El hombre del PCE fue Casimiro Bayón, pero la comisión incluía a tipos de las JOC (Juventud Obrera Cristiana) y la HOAC (Hermandad Obrera de Acción Católica) y a un falangista gallego, combatiente en la División Azul: Gerardo Tenreiro.

Cuando en una reunión les acusaron de comunistas, Tenreiro montó en cólera y se desabrochó la camisa para enseñar las heridas en el pecho. ¿Comunista él? ¿Él, que había luchado en el ejército nazi contra la Unión Soviética?

Para no encender la mecha del polvorín minero, la empresa cedió y aquella huelga de La Camocha fue el acta de nacimiento de las Comisiones Obreras.

A su muerte, pocos recordaban a Casimiro Bayón, retirado en Alicante y que, a diferencia de los revoltosos del 56, nunca ocupó los puestos más destacados de esa democracia que contribuyó a traer. Sin embargo, entonces Santiago Carrillo le llamó a París para que se lo explicara bien clarito y se convenció: en lugar de luchar frontalmente contra el sindicalismo vertical, lo más efectivo era infiltrarlo, entrar en él y conseguir los objetivos comunistas con el blindaje protector de católicos y franquistas.

Así fue creciendo la lucha obrera y ese era el verdadero peligro, enseguida lo comprobamos en Asturias en 1962, con *la huelgona*.

Cuando se acercaba 1964 y la celebración de los veinticinco

años de paz, ya había dos ciudades. Una ciudad visible, que se podía tocar con las manos; y otra ciudad secreta, clandestina, escondida en el corazón de la ciudad real, otro mapa oculto bajo las mismas calles, glorietas y avenidas.

Dos amores dieron origen a las dos ciudades: el amor a sí mismo hasta el desprecio de la humanidad, a la ciudad terrenal y deportiva; y el amor de la humanidad hasta el desprecio de sí mismo, a la celestial.

La Ciudad Deportiva, cuya capital se inauguró por fin en el Bernabéu en 1963, estaba a plena luz, formada por los españoles de bien que habían superado la lucha de clases y sólo querían vivir y trabajar en paz, como en Inglaterra o en Suecia, pero con sol, gazpacho y goles.

En sus gradas y palcos brincaban, como puñados de sal echados a la hoguera, los ministros, subsecretarios, azotadespachos y correveidiles de todos los tamaños, hermanados con aquellos que los días laborables eran «productores» y los fines de semana se convertían en «hinchas».

Los de arriba, la cúpula de la Ciudad Deportiva, eran tipos como Montovio o el marqués de Morcuera, incansables centauros con la cabeza inflamada de nobles ideales y poderosas pezuñas que hincaban en el barro, con la inapreciable ayuda de sujetos como el célebre Castresana. Conseguían licencias de importación, edificaban viviendas protegidas y construían saltos de agua; eran titanes sin reposo que intercambiaban favores, recomendaciones y esas queridas pechugonas; eran atlantes cuyos hombros soportaban a pulso el peso de los Planes de Desarrollo; eran capitanes intrépidos con el corazón de piedra pómez y un revestimiento de corcho que les permitía salir siempre a flote, por encima de la vieja guardia de falangistas y su revolución pendiente o de los tecnócratas con cilicio del Opus Dei, aliados con la nobleza propietaria y tendiendo la mano al antiguo patriciado institucionista y republicano; eran los herederos legítimos de esas «doscientas familias que mandan en España», como dejó dicho y hecho Cánovas.

Para eso habían ganado una guerra, como solían repetir. Y no estaban dispuestos a que sus hijos fueran derrotados en la paz.

Los domingos por la tarde se lucían en el palco de honor, hermanados con la hinchada subalterna de los que viven por sus manos, convertidos todos en esa gran familia de la Ciudad Deportiva.

Los hinchas o forofos también se habían resignado a vivir a ras de suelo y ahorrando para el utilitario. Llevaban una bufanda con los colores del equipo, zapatos remendados con medias suelas y esas miradas febriles, huidizas, implorantes: se daban por satisfechos con un simple gol de cabeza.

Oculta en la Ciudad Deportiva, invisible, imprevisible, la Ciudad Subversiva iba cambiando de forma y de ubicación. En ella vivían en el exilio los desterrados del paraíso proletario, la iglesia peregrina del resentimiento social. Abarcaba desde los obreros descontentos a los señoritos con mala conciencia. Empleaban su tiempo en cuchicheos, organizando asambleas, redactando manifiestos, convocando huelgas generales pacíficas y analizando las contradicciones internas que impepinablemente acabarían destruyendo la Ciudad Deportiva.

Sin brújula ni mapa, sin señales ni carteles, para entrar en la Ciudad Subversiva no había más remedio que esperar la aparición del «enlace del Partido», el tipo que por fin iba a «captarles».

Muchos eran universitarios de la burguesía, hijos de los centauros que ocupaban los palcos del Bernabéu, y convencidos de que, una vez en la ciudad oculta, «el contacto de la organización con las masas» les redimiría de todos sus pecados. La historia les absolvería, como a los barbudos de Sierra Maestra. La clase trabajadora indicaba el sentido de la historia, por más que todo su conocimiento de dicha clase protagonista procediera del contacto con el sector servicios: camareras, chachas, taxistas y hasta aquellas entretenidas de insoslayables pechugas.

A Perico Gamazo le contactaron después de los tres días que pasó detenido en Puerta del Sol.

Un par de meses debió de durarle aquello al infeliz, aunque le hicieron elegir un nombre de guerra (Rafael Ruiz) y tuvo que aprenderse las normas, contraseñas y claves indispensables para la clandestinidad. También tuvo que tragarse *El acorazado Potemkin,* en el Colegio Mayor César Carlos, y escuchar atónito a

Enrique Múgica recitando su *Oda a Stalin* en plena glorieta de Bilbao, donde el vasco se puso a tiritar por las estepas a mitad de Fuencarral y, al llegar a Quevedo, ya celebraba con lágrimas en los ojos las formidables cosechas de trigo de los planes quinquenales.

La cosa no pasó a mayores porque en abril se nos fue el chico a Chicago, donde le debió de resultar complicada la obediencia a Moscú y mantener su domicilio en la Ciudad Subversiva.

En aquellos pocos meses lo que no vio Perico por ninguna parte, salvo en los poemas de Múgica, fue a las tan traídas y llevadas masas de obreros y campesinos.

¿Dónde andaban las masas?

Pues dónde iban a estar. En la Ciudad Deportiva. Viendo el partido cada domingo, como un solo hombre. O siguiendo la jornada con un transistor en una mano y la quiniela sellada en la otra.

Como es característico de la Iglesia católica, desde los tiempos de san Pedro y san Pablo, los curas se apuntaron a todo: juegan sobre seguro, compran todas las papeletas del sorteo, apuestan al rojo y al negro, y siempre encienden una vela a Dios y otra al diablo.

En la Ciudad Deportiva, el Opus Dei y sus lópeces tecnócratas se incrustaron como una astilla en la carne y se enredaron en negocios como hiedra a un muro.

En la Ciudad Subversiva, las Comisiones Obreras se llenaron de curas, incluso de curas obreros, y hasta el padre Llanos, al que el propio Franco había escogido para sus ejercicios espirituales, se volvió de la cáscara amarga y se trasladó a un barrizal de chabolas a hacer penitencia.

Los de una ciudad pedían justicia social, derechos y aumentos de salario; celebraban eucaristías con pan de molde y usaban la parroquia para asambleas con voto a mano alzada.

Desde la otra ciudad real, terrenal y balompédica respondieron con el Seiscientos, la minifalda y las Copas de Europa del Real Madrid.

Entre ciertos amigos que se reunían a comer en el restaurante José Luis, calle Serrano, y luego, de sobremesa, a beber sus buenas etiquetas negras intercambiando observaciones y donaires, ora ingeniosos, ora cínicos, tuvo mucho éxito la propuesta de reforma del matrimonio de Clemente Auger, juez togado. Según él, a los contrayentes, junto con el Libro de Familia, debería proporcionárseles un arma de fuego. Una a cada uno, porque, si bien podían compartir el Libro de Familia, era indispensable que cada uno tuviera su propio revólver o pistola con la correspondiente munición. La Ley establecería, además, la inocencia de cualquiera de ellos en caso de que disparara su arma contra el cónyuge: libre absolución sin necesidad de dar explicaciones.

Eran tiempos de Guerra Fría y la propuesta de Auger no era más que una adaptación de la doctrina MAD de John von Neumann. La destrucción asegurada de ambos en caso de conflicto *(Mutually Assured Destruction)*, sobre la que se basó la estrategia de disuasión nuclear. Si cada uno sabe que el otro dispone de un arma cargada y garantía de impunidad, ¿acaso se tocarían tanto las narices tan en vano? ¿Se buscarían las cosquillas por gusto? ¿Se harían siempre daño donde más duele?

Antes de cualquier mezquindad, antes de cualquier inútil refriega, antes de cualquier reproche innecesario, ¿no se lo pensarían dos veces, puesto que el cónyuge va armado y puede responder a tiros sin mayores consecuencias?

El matrimonio a mano armada sería, por consiguiente, la garantía de la paz conyugal, como la disuasión nuclear consiguió mantener la paz entre los dos bloques.

—Eso sería un infierno —le comenté una vez a Juan Benet.
—¿Pero qué te has creído tú que es el matrimonio? —me dijo, quizá como advertencia.

La imagen de un grupo de jóvenes conspirando y contando chistes con el conmovedor designio de apoderarse del «mundillo cultural» sólo puede provocar una sonrisa benévola, sobre todo a quien considere que, unas pocas mesas más allá, otra parecida camarilla confabulaba para hacerse con el control del poder económico y político, y acabaría, años después, poniendo a su servicio y dándole de comer a ese «mundillo cultural» repleto de condescendencia y ambición inocultable.

Para mí, sin embargo, la estampa de aquellos conjurados a pan y manteles siempre evoca la inquietante sensación de «paz armada» que envolvió al matrimonio de Perico y Mariví.

Mientras hacían por correo planes para la boda, Perico Gamazo llegó a Chicago y encontró una amante, una hispanista cuarentona, Jeena Juggs, especialista en la tan abundante como superflua obra de Cansinos-Asséns.

Por eso las cartas de Mariví le sonaban, como es natural, a chino mandarín, a un universo lejano, artificioso y repulsivo, y del que ya no deseaba volver a formar parte.

Mi queridísimo Perico:

Qué poco me escribes. Yo pienso en ti sin parar un momento y te quiero. Te quiero tanto que me duele, como si me apretaran los zapatos y no pudiera andar a gusto, porque no disfruto de nada sin ti. Ya lo sabes.

Por aquí no pasa nada, sólo faltas tú. ¿Por qué cada día escribes menos? Mamá está pesadísima, pero es una gran ayuda, hay que reconocerlo. Vemos pisos y más pisos y me aburriría mucho, pero como va a ser nuestra casa, me entusiasmo, cariño. Tiene que ser Chamberí, ya se lo he dicho a mamá. No queremos vivir en Doctor Esquerdo ni en esos descampados por Generalísimo, aunque sea más barato.

Espero que se te haya curado el catarro. Ya sé que estás haciendo un esfuerzo enorme por nuestro futuro, ya sé que los estudios no son fáciles ¡y menos en inglés!, lo sé, pero podrías en-

155

contrar dos minutos para escribir aunque fuera una postal. Yo también me sacrifico por el futuro al no tenerte aquí.

Tu papá, pesadísimo con las tarteras de plástico que le mandaste: dice que son el futuro. Está fuera de sí y dice que ni papel de plata ni tarros de cristal, se pone de pie en la mesa y anuncia: ¡Entramos en la era tuper-bare! (no sé cómo se escribe). A mi papá en cambio le ha dado por los barcos mercantes. Como el 70 por ciento de la tierra es agua, según dice papá, el transporte tiene que ser marítimo. No hay otra, dice. Tú lo empaquetas y yo lo llevo: ese es el futuro, le dice mi papá al tuyo. Yo le digo que eso depende de dónde quieras ir, porque hay muchos sitios sin agua, claro. Pero ni por esas. Y le digo que si no ha visto los aviones. Dice que los aviones no tienen ningún futuro, por el combustible. Yo nada, voy al cine con mamá o a veces con Menchu y la pandilla. Si quedan con chicos no voy, te lo juro. Ya me conoces, mi amor: sólo existes tú. Todas mis amigas preguntan por ti. Eres la sensación, están impresionadas con que seas medio americano y hables todo el santo día en inglés.

Por casa sin parar el amigo Castresana, como siempre, pero que se ha echado novia. Parece que esta vez va en serio, ya va teniendo edad. Que Dios me perdone, pero parece una tía. Tú ya me entiendes, una pilingui o algo. Da lo mismo porque Castresana es tan formal que a su lado hasta la Rita Haywort (¿se escribe así?) se vuelve decente. Esta se llama Amparo, pero le dicen Parry, y lo que sí es muy cariñosa, no hace que darte abrazos y besos en la cara. A mi papá no le gusta mucho, procura no verla, y ella también parece que le tiene ojeriza.

Escríbeme, no seas así. Escríbeme mucho. Te idolatro y te mando besos y más besos.

Siempre tuya,

Mariví

P.S. Igual te doy una sorpresa, porque le he dicho a papá de apuntarme a una academia de inglés.

El primer verano, Perico canceló el regreso a España: los cursos eran muy exigentes, según explicó.

156

Antes de volver a Madrid en navidades le envió una larga carta a su prometida.

Querida Mariví:

No voy a andarme con rodeos: he llegado a la conclusión de que lo mejor para los dos es que cancelemos nuestro compromiso.

Sé que es una bofetada lo que te digo. Por eso mismo lo más leal y sincero es ser muy directo. Incluso brutal, si quieres.

Querría habértelo dicho a la cara, en lugar de usar un medio tan frío como es la carta. Lo he pensado bien y estoy seguro de que es mejor así. No tenemos por qué discutir ni enfadarnos. No hay por qué recriminarse nada ni montar escenas. Es mejor que te escriba con claridad y lo leas fríamente, reflexionando, sin esa presión del cara a cara.

Te quiero, por supuesto que te quiero, esa no es la cuestión. No quiero casarme por ahora ni contigo ni con nadie. Por mucho que te quiera, te quiero de otra forma.

He meditado mucho y me ha costado sangre tomar esta decisión que considero la más honesta y en el fondo la más respetuosa contigo.

A ti y a mí nos han empujado desde niños nuestros padres a estar juntos y siempre han dado por hecho que nos casaríamos. Nosotros les hemos seguido la corriente, pero nunca nos hemos parado a pensar si es de verdad lo que nosotros mismos queremos. Yo lo he hecho ahora, con la ayuda de la distancia, y me he dado cuenta de que no es eso lo que de verdad quiero.

Mi afecto por ti es enorme, incalculable, y siempre estarás en el centro de mi corazón: como amiga, casi como hermana y como confidente en la vida. Pero la verdad es que me he dado cuenta de que no estoy hecho para el matrimonio. Y si lo estuviera, no sería ahora. No puedo querer a nadie ni casarme con nadie en estos momentos. Lo que de verdad necesito es encontrar mi propio camino.

Sé el daño que te hago, pero tienes que ser consciente de que lo más cruel por mi parte sería continuar con algo en lo que ya no creo: eso sería lo peor que te podría hacer, casarme contigo por obligación, por compromiso o por cualquier motivo que no fuera el amor.

De todo esto el único culpable soy yo. Tú eres la misma de siempre, una mujer excepcional y digna de alguien mucho mejor que yo. Soy yo el que estoy cambiando y sigo buscando mi propio sentido.

A finales de mes volveré a Madrid. Un día, cuando ya hayas asimilado todo esto, me gustaría verte. Como amigos. Con la amistad y el cariño sincero que sigo sintiendo por ti. Quizá entonces logremos entender los dos que esta ruptura, aunque sea muy dolorosa, es lo mejor que nos podía pasar. A los dos. Tú no te mereces a alguien como yo y yo no me siento a la altura de tu afecto.

Mariví querida, espero que algún día me puedas perdonar. Hasta que llegue ese momento lo único que puedo hacer es pedir perdón. Perdón. Perdóname, es lo único que te pido.

Sé que esta carta es una despedida, pero me gustaría que con el tiempo la convirtiéramos en un «hasta pronto». Confío en que volveremos a encontrarnos en otra vuelta de la vida y entonces tú serás capaz de entenderme y de concederme tu perdón.

Te envío un fuerte abrazo de amigo.

Perico

La leyó por última vez. La carta estaba escrita a máquina. Añadió de su puño y letra: «Espero que puedas perdonarme». La metió en un sobre de avión y puso la dirección a mano:

Srta. María Victoria Montovio von Kleitt
C/ Gral. García Morato, 66
Madrid 10

Se metió el sobre en el bolsillo de la chaqueta y salió. De camino a casa de Jeena Juggs, al pasar por la esquina de Elm y la Once detuvo el coche y se acercó al buzón azul, levantó la tapa y dejó caer el sobre.

Ya no había lugar para el arrepentimiento y, por eso mismo, se sintió aliviado, casi feliz.

Le dio por pensar que echar una carta en un buzón era una de las pocas cosas irreversibles que uno podía hacer en esta vida. Casi todo lo demás, la Historia, la realidad, el universo entero, podía ser corregido, borrado, desfigurado. La muerte y el servicio postal, en cambio, eran una fatalidad de toda confianza.

Eso pensaba Perico, aunque no contaba con la intervención de Cupido, que impidió que la carta llegara a su destino.

Cuando Perico aterrizó en Barajas, Mariví estaba esperándole con el resto de la familia.

–Cariño, llevo semanas sin recibir carta tuya –se quejó de inmediato.

–¿No te ha llegado ninguna? Te he escrito.

–Nada de nada.

–Se habrá perdido.

En ese momento Perico decidió rendirse o tal vez se dio cuenta de que tenía la oportunidad de corregir un error.

Nunca mencionó la carta perdida y siguieron adelante con los planes de boda.

Perico y Mariví se casaron como quien salta al terreno de juego con la única ambición de empatar.

Ecos diversos de sociedad

ENLACE GAMAZO CARRIEDO-MONTOVIO VON KLEITT

En la iglesia de los Jerónimos se ha celebrado la boda de la señorita María Victoria Montovio von Kleitt con don Pedro Gamazo Carriedo.

Apadrinaron el enlace don José Montovio Sastrón, padre de la novia, y doña Carlota Carriedo Eguíbar, madre del novio. Portaba las arras la niña Conchita Castresana Ceballos.

Firmaron como testigos, por parte de ella, don Clemente Castresana Conrado, Mr. Frank Lovelace, segundo secretario de la Embajada de los Estados Unidos, don Javier Azpeitia Muñoz-Grandes, don Bruno Vilas Herrero y don Antonio Orejudo Utrilla. Por parte del novio, don Martín Casariego y Rivera de la Cruz, don Eduardo Becerra Grande, don Constantino Bértolo y Ruiz de Gopegui y don Gonzalo Gamazo Olavide, marqués de Morcuera, padre del contrayente.

Durante la ceremonia fue leído un telegrama de Su Santidad el papa Pío XII, con especial bendición apostólica para los nuevos esposos.

Los invitados fueron obsequiados con un *cocktail* en el Real Aero Club de España, en el transcurso del cual se sirvió salpicón *frappé* de marisco transportado para la ocasión desde Groenlandia por buques de la flota de la familia Montovio y conservado en los populares envases herméticos de las industrias Gamazo.

Los nuevos esposos salieron en viaje de novios para diversas capitales de Andalucía y Norte de África, antes de reintegrarse a los Estados Unidos, donde el señor Gamazo prepara su tesis doctoral.

Al día siguiente era el decisivo partido de cuartos de final contra Italia: España podía redimirse o condenarse.

A la puerta del Hand-To-Mouth había la clase más peligrosa de portero de club: un tipo de metro y medio, con calvicie prematura y unas gafas que debían de tener la misma graduación que el alcohol que servían dentro.

A Carlos Clot que le dieran armarios de tres cuerpos repletos de esteroides: esos sólo querían pavonearse delante de las periquitas y amortizar las cuotas del gimnasio con una mamada en los lavabos. El auténtico peligro eran los bajitos: todos llevan pistola. Si además son cuatro-ojos, la utilizan sin pestañear. Y los calvos nunca sienten remordimientos, es un hecho conocido: consideran que ellos ya han sufrido demasiado en esta vida. Un tipo así, por tanto, no discute, dispara. Sin palabrería ni puñetazos aprendidos en películas; sin previo aviso ni acrobacias y patadas de kung-fu.

–Club privado, dominus.

–Hágame socio por esta noche. –Clot le enseñó cien pavos.

–¿Cargas? –preguntó el calvorota sin aceptar la pasta.

–Una veintidós automática.

–Ya no quedan muchas como esa –dijo el medio-metro, que no disimulaba su codicia–. Deja el hierro en consigna y vuelve, veremos qué se puede hacer.

Clot llevó su arma al guardarropa y le dieron a cambio una ficha con el número ocho. Se la entregó al cuatro-ojos.

–Eso está mucho mejor. Te tramitaré una solicitud de admisión, pero no te prometo nada. Por hoy puedes entrar.

Volvió a ofrecerle los cien pavos.

–No hace falta, avunculus. Satis superque: es un buen calibre.

–Demasiado preciso. A mi edad uno nunca sabe cuándo preferiría no dar en el blanco.

El cuatro-ojos le miró como si, por un momento, se hubiera compadecido.

–Ten cuidado ahí dentro.

–Oído, jefe. –Clot se llevó dos dedos a la visera de su gorra.

El HTM era el garito de referencia de los bucalistas más radicales, los que hablaban en jerga neolatina y sostenían que quien abriera los ojos al comulgar se condenaba al infierno. Estaba en Puerto Atocha, en los andenes de la antigua estación, donde había media docena de vagones aparcados en vías muertas y convertidos en barras de bar.

Sonaba Tender Scum y en la pista central los jóvenes fingían electrocuciones.

Clot se preguntó qué les empujaría a ponerse, por su propia voluntad, en una situación tan ingrata. Para qué bailaban durante toda la noche, con las convulsiones provocadas por el Topaz. Por qué se unían a tribus urbanas, con su disciplina, sus uniformes, su jerarquía, sus saludos y esos sistemas de creencias que eran una macedonia de supersticiones confusas y amenazadoras, un gazpacho de prohibiciones arbitrarias y promesas sombrías, pasado por la minipímer de algún chiflado con voz profunda y mirada penetrante.

¿Era tan poderosa la necesidad de ser queridos, de ser parte de algo, de someterse a cualquier autoridad incuestionable y protectora?

Debía de serlo.

Es la única necesidad, la que nunca se satisface y hunde sus raíces en la profundidad de la infancia, ese abismo en el que no hacemos pie. Como no se puede satisfacer del todo, se sustituye. Necesidad de ser compadecido, por ejemplo. ¿Quién no exagera un dolor? El de una gripe o el de una ruptura sentimental. ¿Quién no ha hecho un poco de teatro? O ser respetado. O ser temido. A veces llega a transformarse en la necesidad de ser odiado. A veces basta sólo con ser escuchado, con ser admitido en una de esas tribus urbanas.

Estás viejo, Carlitos, se dijo: a ti qué más te da. Déjalos, si aún no se han rendido. Déjalos que se pongan Topaz y recen. Que bailen y obedezcan. Que reciban de cualquiera ese amor que no son capaces de sentir hacia sí mismos.

No le costó trabajo encontrar la barra número cinco, instalada en el vagón de la entrevista Franco-Hitler en Hendaya. En homenaje al partido del día siguiente, sobre la barra había muñecos de las repelentes mascotas de la Eurocopa, Trix y Flix. Su contacto ya le habría identificado, pero sin duda prefería observarle antes de darse a conocer. Esperó.

–¿Míster Clot?

–Soy Clot. ¿Cindy Cupps?

–Vale, Clot, avunculus. Vámonos de aquí, vamos a un currusdormitorius.

Dejó veinte pavos sobre el mostrador y siguió a la chica hacia el coche-cama.

No tendría ni dieciocho, pero debía llevar más de dos años aplicándose Topaz; en el cuello y la cintura vio las estrías rojizas características de los adictos a la pomada. Cualquier día la interceptaban y acababa en un Precinto, al otro lado de las alambradas. La falda era la tunícula mínima propia de las bucalistas y lucía el ribete marrón de las prostitutas registradas. Las piernas parecían un compás cojo, descoyuntado de tanto abrirse, y llevaba medias de rejilla. Vestía el chaleco reglamentario, sin nada debajo, moño con las horquillas rituales, el rosario fabricado con rodamientos y el crucifijo XXL sobre unos pechos apartados el uno del otro, escasos y mortecinos, que parecían algo que se hubiera desprendido de una rama y luego alguien hubiera recogido del suelo, sólo por compasión o por curiosidad. Sus clavículas, tan frágiles, harían llorar a un veterano de guerra o a un inspector de Hacienda: sobresalían como hambrientas raíces de una tierra baldía. De su infancia, tan cercana, sólo parecía conservar las uñas mordidas, el miedo, la mirada suplicante y una pulsera trenzada con cuatro cordones de plástico de distintos colores. Tenía un buen culo, a pesar de todo, y Clot no le quitaba ojo mientras se dejaba guiar a uno de los wagon-lits.

–La cama es aparte –informó Cindy, en presencia de la Madame, que iba vestida de revisora y con una gorra de plato.

–Treinta minutos, treinta machacantes. Una hora, cincuenta. Dos horas, cien. Trae cuenta las dos horas. Hay servicio de bar –detalló la Madame.

–Media hora. No necesito más.

–¡Vivan los mozos crudos y de arrestos! Diga usted que sí: esto son hombres cumplidores.

–No me le maree, doña Sonsoles –medió Cindy.

–Allá tú, cariño: media hora. Compartimento ocho. A los veinticinco minutos soplo el silbato: ¡las visitas al andén! Si no está fuera en cinco minutos, entro con la Caballería.

–Pierda cuidado, señora. –Clot le entregó los treinta convenidos y añadió veinte pavos–. Es para el bote.

–Olé el rumboso –palmoteó la rubicunda revisora repicando la campana.

Cindy Cupps se sentó al borde la cama y le recordó el acuerdo al que había llegado con ella Pachín Micawber: cinco preguntas, quinientos pavos.

–Pero no valen preguntas con abstracciones, sólo tangibles, ¿estamos, truncus?

–A mí me vale –dijo Clot y encendió un Lucky.

–Stop-stop! ¡Aquí no se fuma, avunculus! ¿Te has vuelto vesanus? ¿No te importa mi salud? Extingue ese tabacum, celeriter!

–¿Es que tú no haces Saigon-Cigarre?

–Pero a tarifa. Son treinta pavos. Y para que lo sepas, el fumus no entra en los pulmones: los fluidos vaginales neutralizan la nicotina.

–De acuerdo. –Le entregó cincuenta–. Quiero un Saigon-Cigarre, pero me lo fumo yo, ¿te va bien?

–Hecho, hic et nunc. Cada uno con sus manías. Yo no juzgo a nadie: nolite iudicare et non iudicabimini, yo sólo soy una Mademoiselle Omnibus.

–Una chica omnibus, para todos –tradujo Clot con las ruinas de su bachillerato–. ¿Empezamos?

–Tienes que dejar mi *petit cadeau* en la mesita de noche.

Así lo hizo Clot y se sentó en el taburete frente a ella.

–Dispara –le autorizó Cindy Cupps.

–He visto expendedoras por aquí. ¿No estáis en contra de las máquinas?

–No tenemos nada contra el progreso, qué te has creído. Mira, avunculus, yo siempre llevo envases encima, Corpus Christi mecum porto –abrió el bolso delante de Clot.

Era verdad: distinguió dos envases, un tubo de pomada lisérgica Topaz, un fajo de billetes, el carnet de terapeuta sexual, una novela de Knut Hamsun y un muñeco de peluche, muy gastado, que parecía un osito.

La contemplación del bolso dejó a Clot tan abatido como si Cindy Cupps le hubiera entregado su propio corazón, abierto de par en par, con su latido lento y débil y su contenido inconsolable.

–¿Os comulgáis vosotros mismos?

–Jamás nunca. Anatema. No digas eso. Absit! Absit! –se levantó enfurecida.

–Tranquila, ha sido sin querer.

–Sólo tienes que enviar CURA al 3927, es un SMS gratuito y no tarda ni cinco minutos en llegar tu sacerdote. O llamas *toll-free* al 900-VATICAN. Sólo te quedan cuatro preguntas, estas dos te las contabilizo como una sola.

–De acuerdo. ¿Cómo se llaman tus padres?

–Si tengo padres, ya me he olvidado de ellos, avunculus.

–Sus nombres, Cindy: esa es la pregunta.

–¿Tú qué eres? ¿Un pervertido? ¿Es eso? Tú pagas para poder tocar las narices a una trabajadora, ¿verdad que sí?

–Como tú quieras. –Clot retiró cien pavos del dinero que había dejado sobre la mesita de noche.

–Que te den, cabrón, pedicabo ego vos. Mi padre se llama Raimundo Peñafiel. Mi madre se llama Ana Guzmán. Deben de estar ya cadáveres. Ceniza fría. Y si no lo están, entonces soy yo la que estoy muerta, ¿comprendes? Cinis sum. Ellos y yo no vivimos a la vez, es imposible, ni en el mismo tiempo ni en el mismo lugar, no podemos ser simultáneos. ¿Lo entiendes, cinaedus?

–Era curiosidad. –Clot devolvió los cien pavos a la mesita de noche.

–Tres preguntas y ¡aire!

–¿Con quién hace negocios vuestro jefe y en qué invierte?

–Esa es una quaestio decente. Así nos vamos a entender. –Cindy apoyó el codo en el muslo y el mentón en el puño cerrado, como si se esforzara por escuchar una voz lejana–. El jefe, Walter Munárriz, no toca un céntimo. Eso lo lleva todo el CFO, el Chief Financial Officer, don Teodoro Cologan. He hecho los deberes, ya lo ves. Casi todo va a parar a Surface, Inc. No sé más, no soy financiera, sólo me acuesto con el CFO de vez en cuando. Por muy amplissimus vir que sea, Cologan tiene debilidades: es un verdadero cerdo, un cinaedus, pero el juicio sólo pertenece a Dios Nuestro Señor. Y te digo una cosa, amen dico vobis: Él no ha venido a traer la paz, sino la espada.

–¿Quién es el contacto de Cologan en Surface, Inc.? ¿Conoces algún nombre?

–Laura Gamazo. Para mí sólo es un nomine, no te puedo decir nada más. Te quedan dos preguntas.

–Me sobra una.

–Un trato es un trato –protestó Cindy.

–Te pago igual quinientos, pero sólo tengo otra pregunta.

–Pues chuta a puerta.

–¿Tú quieres cambiar de vida?

–No te columpies, canto rodado: ¡abstracción triple! Un abstracto: ¿querer? Qué sé yo lo que quiero. ¿Cambiar? Como si fuera posible. Abstracto número dos. Y el tercer abstracto, en la frente: ¿vida? Qué será eso, qué será vida. No vale preguntar tres abstractos seguidos, avunculus, sólo tangibles –desde sus pupilas despiadadas imploraba una niña con miedo.

–Tú ganas. No hay más preguntas.

–Satis?

–Superque. Toma el dinero.

–Perdona, pero yo soy decente: me gano lo que cobro. A mí nadie me regala nada. ¿Quieres que te chupe un poco el peniculus? ¿Te paso la lengua por la bellota? ¿Coitus a tergo? ¿Aurea pluvia? O me haces tú un facial: no cierro los ojos. Ni pestañeo.

Clot miró los pezones de areola amarillenta, como pétalos desprendidos.

–Otro día, Cindy.

–¿Es que no te gusto?

La niña que sentía miedo de los demás volvió a asomarse a los ojos de la mujer que tenía miedo de sí misma.

–No es eso, soy impotente.

–Ya sabes el refrán: no hay hombre impotente, sólo mujeres torpes –torció los labios con un gesto lascivo y trabajoso.

Debía de ser una sonrisa.

Clot dejó al salir la puerta entornada y a la chica en silencio, absorta, sentada al borde de la cama, con los puños apretados contra el colchón, como si estuviera pensando en tomar impulso y dar un salto desde ese bajío a la eternidad.

–¿Cuál es el problema? –se alarmó doña Sonsoles.

–Cero problemas. He terminado ya.

–Ni siquiera ha sonado el silbato. Tómate tu tiempo, campeón.

–Adiós, señora.

–Oiga, oiga, un momento. La chica está bien, ¿verdad? ¿No le habrá hecho daño?

–Está bien. Mañana es el gran día. Podemos, podemos.

–Oé, oé, oé.

Clot abandonó el vagón mientras doña Sonsoles se abalanzaba hacia el compartimento ocho.

Le sobraba poco tiempo. Siempre iba andando a buen paso. Cuando terminaba, a las nueve, de limpiar la oficina de la compañía de seguros, cruzaba la Castellana, subía la cuesta de Génova y torcía por García Morato hasta llegar a Raimundo Lulio. Mientras recogía el desayuno de los niños podía tomarse un café con galletas María. Lo primero que tenía que hacer era bajar a la compra, porque la señora sabía que, cuanto más temprano, mejor era el género. La señora tenía algo de la columna y se le desencajaba el rostro cada vez que cambiaba de postura. Rosario se ponía una chaqueta de punto sobre la bata de cuadros azules y blancos y salía a la calle con el carrito y sus zapatillas Wamba. Nunca se entretenía. Al volver hacía los baños, las habitaciones y un pasavolante por el salón, con el que se metía a fondo dos veces por semana. Unos días tocaba la plata, otros los cristales, las cortinas, el parquet o la terraza. Luego preparaba la comida, con la señora detrás, enseñándola y corrigiendo errores, ponía la mesa y se cambiaba. Allí se servía la mesa de uniforme y con cofia. Ella comía en la cocina, cuando habían terminado los señores. Luego hacía la cocina, ponía o tendía la lavadora, planchaba y preparaba la merienda de los niños: la ruta del cole llegaba a las seis. A veces tenía que volver a la plaza por la tarde y se llevaba a la pequeña, para que doña Mariví pudiera tener por fin «un minuto de tranquilidad».

A los ocho años, a punto de hacer la Primera Comunión, Laura estaba poseída por las inquietudes religiosas y los escrúpulos de conciencia, todo le daba miedo, desde pecar en sueños a la posibilidad de morder sin darse cuenta el cuerpo de Cristo.

Interrogaba a Rosario sobre el más allá, los mandamientos, el poder de los arcángeles, los tronos, potestades y dominaciones, y los más oscuros episodios de la Historia Sagrada.

–¿Ir enseñando las rodillas es pecado mortal o venial?

Rosario no pudo evitar comprobar que la bata se las cubría.

–¿Por la calle, te refieres? –preguntó para ganar tiempo.

–Sí. O en casa, si hay extraños o visita.

–Eso depende de la intención. Puede ser pecado o no, según.

–Sin darse una cuenta, por ejemplo.

–Entonces no es pecado. Sin mala intención nunca hay pecado –le aseguró Rosario.

Era una de sus más firmes convicciones: no era posible pecar sin querer.

–¿Es imposible seguro? –La niña era muy testaruda y desconfiada.

–Con las rodillas es imposible –especificó Rosario, por si acaso.

Por muy convencida que estuviera de que el pecado exigía mala voluntad, Rosario no se atrevía a comentarlo con ningún adulto. Una vez sor Pilar, en la SaFa, ya le había advertido que eso era herejía, porque era muy elástico, y que se podía pecar también por omisión, por no hacer nada y mirar para otro lado, por ejemplo. Así que había aprendido a callarse, pero aún creía que sólo era posible pecar aposta. Si una no tenía la intención de hacer daño, entonces sólo podía equivocarse. Por dentro, no había ningún pecado. Por fuera sí lo había y por eso tenía que confesarse de todas formas. Lo que pensaba Charo era que podía haber pecados sin pecador, como si dijéramos, pecados que nadie había cometido, que era como si se hubieran cometido solos, pero que ahí quedaban: seguían siendo pecados, aunque nadie tuviera la culpa. Si había sido sin querer, si no había pecador, se preguntaba, ¿a quién había que perdonar?

A ella que la registraran.

Llevaba el carrito en la mano izquierda y a Laura cogida de la derecha. El mercado de Olavide era el universo más acogedor que tenía a su alcance, redondo como un corazón pintado por un niño. Nada más entrar, vibraba el aire con la voz atiplada de

Antonia, que la saludaba desde su parapeto, con pollos colgando como guirnaldas sobre su cabeza; Martín le preguntaba a diario si ya tenía novio y cada tarde le sonreía y le decía, tentador, casi en un susurro: Si tú quisieras, Charito, ¡ay si tú quisieras!; Conchi alzaba el cuchillo de desescamar y le daba consejos: Equivócate, hija, pero en la dirección correcta; es mejor que acertar en la dirección equivocada, ¿tú me entiendes?

Charo la entendía, allí era una más de la familia.

A la vuelta doña Mariví le repasó las cuentas.

Dejó preparada la cena de los niños y poco después de las ocho ya iba andando por la calle Luchana hacia el metro de Bilbao, con su falda escocesa tableada, un jersey blanco de cuello de cisne, la rebeca azul y unos zapatos de la señora, de medio tacón y en perfecto uso. Llevaba el bolso en bandolera y una bolsa de plástico con dos blusas y una falda que le había regalado la señora.

Viajaba sola en metro desde los siete años y siempre se situaba cerca de alguna mujer de cierta edad, evitaba la proximidad de los hombres solos y mantenía el bolso apretado contra su cuerpo, la mirada baja, dirigida a los tobillos inflamados de los que habían pasado todo el día de pie, igual que ella. A veces levantaba de pronto la cabeza y descubría fija en ella la mirada tenaz de un hombre sombrío, que no apartaba los ojos hasta que la obligaba a bajar de nuevo la cabeza. Se sentía en peligro, pero también disfrutaba de una intensa sensación de poder. A veces, cuando levantaba la cabeza, le sorprendía su propio reflejo en el cristal oscuro de la ventanilla. Parecía otra. Se veía cabizbaja y aun así desafiante, vestida con ropa de hacía dos temporadas y con una tirita en el talón, porque ni siquiera los zapatos eran de su número. Se veía con las pupilas diminutas, reconcentrada, como si hubiera tenido una idea o más bien como si hubiera sido víctima de una idea tan insólita y tan desconocida que a ella misma la asustara. Miraba su reflejo en el cristal opaco y le parecía que su pensamiento debía de tener algún punto de fuga, como en un cuadro, ese lugar invisible, al otro lado de la ventanilla, en el que, si fueran posible prolongarlas hasta el horizonte, convergerían todas sus ideas y sus sentimientos fragmentarios. Se preguntaba cuál sería: ¿un recuerdo? ¿Un rencor? ¿Una ambición? ¿Una esperanza?

Ella se veía sin gracia, con demasiado pecho y las manos muy grandes, como si fueran de hombre.

Los demás la veían atractiva, casi amenazadora, como una niña que hubiera crecido demasiado deprisa, una mujer recién hecha y repentina.

Se bajó en Atocha y esperó el 24 frente al Ministerio de Agricultura. Anochecía. Sola, mirando hacia el Scalextric, parecía una solemne cariátide desprendida de la fachada del ministerio. Un celaje plomizo le cubría la cabeza como si fuera un yelmo, con su penacho de nubes harapientas y estrellas sin brillo, parecidas a chinchetas.

Luego, desde la avenida de Entrevías a su casa sólo tenía que andar diez minutos. Era una vivienda de una sola planta, cuadrada, con un salón pequeño, una cocina diminuta, una habitación y un baño que tenía un plato de ducha.

Se probó las blusas, que le valían, aunque las mangas no le llegaban a la muñeca y le costó abrocharse los botones. La señora tenía menos pecho, aunque tuviera dos hijos y aunque Rosario sólo acabara de cumplir catorce. Le daba mucha vergüenza tener las tetas tan grandes, todo el mundo se las miraba, hasta que al final era ella la que se sentía indecente. Además, las tetas grandes resultaban pueblerinas: eso le habían enseñado las monjas, dando a entender que era ella la única responsable de su tamaño indecoroso.

La falda era de entretiempo, tendría que esperar varios meses para ponérsela.

Mientras preparaba la cena puso la radio. Dedicaban canciones. Para María José, de su cuñado José María, con todo su afecto y por lo que ella sabe. Para mi Antonio, que está en Alemania, de su Luisa que le adora. Para Miguel, de Casas Ibáñez, Albacete, de parte de su buena amiga de Segovia: Mercedes.

Rosario era novelera, imaginaba la historia que podría haber detrás de esas dedicatorias, y mientras pelaba patatas, hablaba en voz alta y a veces se reía ella sola de las películas que se le ocurrían. Durante el día, solía callar y recibir órdenes de los adultos, y sólo mantenía conversaciones con los niños: quizá por eso hablaba sola en voz alta. Anda, que ya te vale, José María, mira que trajinarte a tu cuñada María José. Como si no tuvieras bastante con la hermana. Déjate de adoraciones, Luisa, que nos conocemos: ojos que no ven. Mientras esté en Alemania, a ti plin, ¿verdad? Pues no te creas que tu adorado Antonio te echa tanto de menos. Menudo santo... ¡de peana! Merceditas, Merceditas, ¡que le llevas quince años al chaval de Casas Ibáñez! ¿Te parece bonito? Ya te vale, Mercedes, ya te vale.

El niño ya tenía once, pero hasta la pequeña Laura a veces le daba lecciones.

–La fe es un don –le había explicado la niña.

–Si no la tienes, qué le vas a hacer, ¿verdad?

–Rezar para que te llegue –afirmó Laurita–. Pero lo peor es si la tienes y la rechazas. Para eso no hay perdón.

–Dios lo perdona todo.

–Todo menos el pecado que no se perdona: el pecado contra el Espíritu. Me lo ha explicado el padre Gerardo. Rechazar la salvación no se perdona.

Rosario no se sentía avergonzada de su ignorancia. Al contrario. Como David Copperfield, que salía en uno de los libros de su madre, Rosario sentía vergüenza de lo que sabía. Sabía cosas que esos chicos no podían ni imaginar, cosas que tal vez una niña de su edad no debería saber. Ella había visto a su padre llorar a escondidas, sabía masturbar a un hombre, había metido la mano hasta el codo para frotar la taza del váter de otros con un estropajo, sabía pedirle al carnicero que le regalara los huesos para la sopa y sabía que su padre organizaba las huelgas porque no había justicia.

Sabía demasiadas cosas que le daba vergüenza saber.

Cuando terminó de hacer la tortilla de patata la tapó con otro plato encima y se sentó a leer hasta que llegara su padre. Además de los catorce libros de su madre, ya había empezado a leer por su cuenta. Estaba a la mitad de *Fortunata y Jacinta*. En lugar de subrayar o anotar con un lápiz, cuando leía también tenía la costumbre de hacer comentarios en voz alta, incluso les dirigía preguntas a los protagonistas. A algunos, como a Juanito

Santa Cruz, los insultaba, y se reconocía en la desdichada Fortunata y, a veces, no sin un escalofrío, en Mauricia la Dura.

Le estaba entrando sueño. Su padre trabajaba en la Perkins, pero le había dicho que a la salida tenían una asamblea. Tenían que decidir si iban a la huelga.

Cenó, dejó la cena de su padre en la cocina y se acostó.

Soñó que se le caían varios dientes de golpe, sin ningún dolor y sin que le saliera sangre, bastaba con empujarlos con la lengua para que saltaran desprendidos. Ella intentaba cogerlos al vuelo, pero siempre caían a los pies de la cama haciendo un sonido metálico. No sentía ni dolor ni miedo, sólo quería que nadie se diera cuenta, pero iba a resultar imposible porque rebotaban en el suelo, clonk, clonk, clonk, y el ruido iba a despertar a su padre.

Soñó después otro sueño que tenía con frecuencia: algo que había perdido hacía mucho tiempo aparecía de pronto. Una pulsera, una medallita, un sacacorchos, siempre objetos sin importancia. Metió la mano en el bolsillo de la bata de trabajo y la tocó de pronto con los dedos. Sin mirarla, sabía lo que era: una moneda que había metido hacía años en un cajón y había desaparecido. La buscó durante mucho tiempo hasta que la dio por perdida. Entonces empezó a encontrarla a menudo en sueños.

Soñó por fin con tormentas imprevistas, que estallaban sin venir a cuento, aunque a ella siempre le pillaban a cubierto: bajo el alero de un tejado, en un portal, dentro de un autobús al que se había montado sin saber adónde iba. Dormida, podía sentir el olor a tierra mojada. Antes de despertar, oyó aletear a los pájaros: ya había escampado.

–Sigue durmiendo, corazón.

Su padre se acercó a darle un beso. Estaba cenando en la cocina, sin hacer ruido, para no despertarla.

–Me he quedado frita, ¿qué hora es?

–Son las once. Vete a la cama.

–¿Hacéis huelga?

–Hay que luchar por nuestros derechos.

–¿Tú tienes miedo?

–Sí.

Ya no lloraba nunca, salvo que se hiciera sangre. Era mayor, tenía once años, algo de vello en el pubis y un álbum de *Animales del Mundo.*

–Nacho, la abuela está muy enferma.

–Vale. Redruello tiene anginas. Le van a operar. ¿Nocilla otra vez? No es justo, mamá, no es justo. Quiero Tulipán.

Sí, ella está satisfecha con Tulipán, como todas las amas de casa que cuidan de su familia; porque sabe que Tulipán conviene a todos; es sano, nutritivo, de calidad constante, muy puro y natural. Haga como ella: dé a los suyos tostadas o galletas con Tulipán y... ¡qué rico desayuno! ¡Qué sana merienda!

–Eso lo quieres sólo porque sale en los anuncios. José Ignacio. Esto es importante, escúchame.

Cuando su madre utilizaba el nombre completo, la cosa iba en serio, él ya la conocía de sobra: la tenía calada.

Su madre dejó sobre la mesa la bandeja con el vaso de leche y la tostada con Nocilla.

–Vale. Te escucho. Pero no quiero todos los días Nocilla. ¿Qué le pasa a la abuela? ¿Se va a morir ahora?

–No, qué tontería. No digas nunca eso. Ya es muy mayor y está malita, así que se va a venir a vivir con nosotros, para que podamos cuidarla. ¿Me has entendido?

–¿Y el abuelo Gonzalo?

–El abuelo no puede cuidarla, también es muy mayor y viaja demasiado.

–Vale. ¿Dónde va a dormir?

–En el cuartito de la cocina. Antes hay que prepararlo todo.

–Por mí vale, pero ¿cuánto tiempo se va a quedar?

–Todo lo que haga falta. El tiempo que necesite.

–Pues vale.

–José Ignacio, escucha: con la abuela en casa, algunas cosas van a cambiar un poco. Todos vamos a tener que ayudar mucho. Hay que hacer un esfuerzo. Sobre todo tú, que para eso eres el mayor.

–Vale, vale y vale.

Sus hijos crecerán fuertes y sanos si usted les ayuda. Tienen un gran desgaste de energías. Deles vitaminas y calorías de repuesto. Puede hacerlo satisfaciendo su instinto goloso, aun en los casos de inapetencia. Porque el sabor de Tulipán es simplemente riquísimo. El valor calórico de Tulipán es más de 5 veces el de la carne. Contiene 10.000 unidades de Vitamina D por kilo. Esta vitamina une la cal y el fósforo en la estructuración de los huesos. Tulipán es una substancia margarínica refinadísima. Según la moderna ciencia de la alimentación, esta condición es uno de sus mejores elogios. De cada 100 gramos ingeridos de Tulipán, 98 se convierten en energía.

La abuela aún tardó dos semanas en instalarse, pero luego se quedó dos años, hasta el 73. Aunque a menos velocidad, subió al cielo casi al mismo tiempo que se produjo la levitación del almirante Carrero Blanco, sólo seis días antes.

Nacho se acabó la merienda, abrió el sobre de cromos y comprobó que le había vuelto a salir el lémur. Qué porra de animal. Lo tenía repetido cinco veces, los lémures salían sin parar. En total, le habían tocado tres nuevos y dos repetidos: el lémur, *Lemur variegatus,* y el cocodrilo, *Crocodylus niloticus.* Se los sabía de memorieta:

Cuando cae la noche en las cálidas selvas de Madagascar, millares de lémures comienzan a gritar. A medida que se cierra la oscuridad, su chillido se transforma en un murmullo incesante. Viven en los árboles, tienen 36 dientes y hocico cónico, y su sabrosa carne es el manjar predilecto de los nativos.

El dichoso lémur salía en una foto de noche, deslumbrado, con los ojos enrojecidos y cara de disimulo, como si la luz del flash le hubiera sorprendido haciendo algo muy feo y de lo que el propio lémur se sentía profundamente avergonzado.

Cachón afirmaba que en realidad los lémures murmuran tanto a oscuras porque se matan a pajas, ocultos en la espesura, en cuanto cae la noche sobre las cálidas selvas de Madagascar.

El cocodrilo en cambio parecía incapaz de hacer algo a escondidas. Él no tenía nada que reprocharse. Noble bruto sin doblez ni trastienda. Nacho los conocía bien. El álbum decía que asestan fieras dentelladas, pero él sabía que basta un palo bien colocado en vertical, separando las mandíbulas, para que no puedan volver a cerrar la boca. Sienten un apetito insaciable por la carne humana y a veces se hacen pasar por troncos flotantes. Cuando comen personas, se ponen a girar sobre sí mismos para masticarlas más a gusto. Ni el león ni el búfalo se atreven a atacarle: al cocodrilo nadie le puede. Y lo más importante: el jugo digestivo del estómago del cocodrilo es tan ácido que puede corroer hasta una barra de hierro. A Nacho le valía el cocodrilo.

Además, los cocodrilos eran sagrados. Los egipcios adoraban a los cocodrilos, pero el álbum no decía por qué hacían esa tontería. Al fin y al cabo, también adoraban a los escarabajos.

Los lémures también eran sagrados para los etruscos y los romanos: eran los fantasmas de los muertos.

En la fiesta de las Lemuria, el padre de familia salía de noche descalzo de la casa, se lavaba las manos en el agua de una fuente y, volviendo la cabeza, arrojaba a la oscuridad alubias, diciendo: «Por estas habas me rescato yo y los míos». Pronunciaba esta fórmula nueve veces sin mirar atrás, mientras los lémures recogían los granos con la boca. Luego el padre se purificaba las manos golpeando un caldero de bronce y gritaba: «¡Sombras de mis antepasados, marchaos!». Entonces ya podía volver la cabeza: los lémures estaban ocultos en las copas de los árboles.

Nacho cogió el bote de goma arábiga y pegó en su sitio los tres cromos nuevos: el colibrí, el guepardo y la anaconda.

El colibrí le dio ganas de vomitar. Cuando, alegre, revolotea, su brillante plumaje refulge al sol. Puaj. El colibrí o picaflor (irequetepuaj!), además, era enano, el más pequeño de los pájaros y el de alas más veloces: las batía noventa veces por segundo. Ni que fuera un helicóptero: la única ave capaz de suspenderse en el aire o de volar en cualquier dirección. Incluso marcha atrás.

¿Colibríes? ¿Minúsculos pájaros que vuelan marcha atrás? A él que le dieran grandes depredadores, esos despiadados carnívoros que, cada vez que abren las fauces, desprenden su insoportable y característico olor a sangre fresca y carne cruda, medio podrida entre sus colmillos.

El guepardo sí que le valía.

A pesar de la longitud de sus piernas, el guepardo casi se arrastra al aproximarse a la manada de gacelas. El cuerpo roza la hierba, los pasos son cautelosos; a cada movimiento le sigue un instante de inmovilidad. El felino cazador camina contra el viento, para evitar que su olor le delate. Puede alcanzar los 110 km/h. En pocos segundos alcanza a la gacela, la aferra por una pata y los dos animales quedan envueltos en una polvareda. Antes de que el polvo se asiente, el combate ya ha terminado.

Corría como una moto. Más que un 850 coupé. Ningún ser vivo le ganaba al guepardo.

–Mucho ojo –le había advertido Francisco Javier Cachón–. Ningún ser vivo terrestre, sólo te-rres-tre.

Nacho se preguntaba por qué Cachón siempre tenía que decir la última palabra.

La hiena también le valía: *Hyena striata*. Sobre todo la hiena.

Popularmente se cree que las hienas poseen los dos sexos y que un año son machos y al siguiente hembras, y que procrean sin macho. El cuello y la crin se prolongan continuando la espina dorsal y el animal no puede volverse si no gira todo el cuerpo. Imita la voz humana en medio de los establos de los pastores y aprende el nombre de alguno, para, haciéndole salir con su llamada, despedazarlo; también se dice que imita el vómito humano para atraer a los perros y atacarlos, y que es el único animal que cava en los sepulcros en busca de cadáveres. También que al contacto con su sombra los perros enmudecen y que, por medio de ciertas artes mágicas, todo animal alrededor del cual ella ha dado tres vueltas se queda paralizado en el sitio. Las hienas son el terror de las panteras, de forma que éstas ni siquiera intentan resistirse, y jamás atacan al que tiene algún pedazo de piel de hiena.

Sacó del cajón la hoja cuadriculada en la que había apuntado la lista de números del 1 al 152. Tachó los tres nuevos y contó: todavía le faltaban veintiséis cromos.

Nunca había logrado terminar ninguna colección.

Siempre había cuatro o cinco cromos que no salían ni a la de tres y otros, como el león en *Animales del Mundo* o el de Pirri en los álbumes de la Liga, que aparecían en todos los sobres.

Al día siguiente cambiaría los repes en el patio del colegio. A Jabardo le faltaban sólo seis y ya estaba seguro: el de la hiena no salía nunca. Jabardo tenía pruebas.

Cachón le había dicho que lo hacían aposta, para que así tuvieran que comprar muchos más sobres, sin parar.

–Qué tíos más cerdos los albuneros.

–Ellos tienen que vender sobres, Nacho. Así ganan más.

–Vale, pero eso no es justo.

–Están en su perfecto derecho.

A Francisco Javier Cachón le encantaba repetir esa frase. Debía de parecerle definitiva, incontestable: si alguien estaba en su perfecto derecho, entonces ya no había nada más que hablar.

–Vale, pero siguen siendo unos cerdos.

–Los albuneros sólo quieren que compremos más cromos. No es que no haya ninguna hiena, eso sería ilegal, pero hacen menos que del resto de los animales. Y están en su perfecto derecho.

–Vale, pero a ti los cromos ¿no te los paga tu padre?

–Qué tendrá que ver. Ese no es el fondo del problema. En absoluto –afirmó Cachón con esa rotundidad que acabó por convertirle en ministro de Medio Ambiente del Gobierno de Zapatero.

Antes de dormirse, leyó un poco de *Animales del Mundo:*

Las hienas emiten su siniestra risa con la boca cerrada. Las patas delanteras son más largas que las traseras y su andar es desacompasado: mueven primero los miembros de un lado y después los del otro. Sus mandíbulas pueden ejercer una fuerza de 800 kilogramos por centímetro cuadrado: pulverizan sin dificultad los huesos de sus víctimas para aprovechar la médula.

Las hienas sí que le valían.

Se tapó la cara con el embozo de la sábana y luego se dio la vuelta, para rezar boca abajo la oración que dirigía cada noche a su propio Dios dietético y desconocido:

> Señor de Tulipán que sobrevuelas
> los patios de recreo de todos los colegios,
> apiádate de mí:
> ven y cámbiame.
> Aterriza en mi cole con todo el poder
> de tu helicóptero
> y tu divina energía.
> Ven y cámbiame.
> Cambia mi bocadillo por otro
> untado con tu santa margarina.
> Cambia mi corazón por otro.
> Mi esqueleto por otro.
> Cambia mi vida entera
> por otra cualquiera,
> poderoso señor, nutritivo Dios,
> ven y cámbiame.

Se quedó dormido, acunado por el ruido de la hélice giratoria, ese molino de mareas que aprovecha la fuerza del oleaje de la esperanza.

Soñó que alguien le arrancaba uno a uno los dientes, como si destapara un botellín de cerveza: caían como chapas y salía un chorro de sangre espesa y caliente, pssst. Intentaba escupir, pero se estaba ahogando. No sentía ningún dolor. En la oscuridad, los miserables albuneros se reían con carcajadas estridentes. Como auténticas hienas: con la boca cerrada. Cachón le recordaba que estaban en su perfecto derecho, así que, avergonzado, Nacho recogía uno a uno los dientes y los iba metiendo en un sobre de cromos. Cuando se sentó en la mesa a contarlos, como si fueran monedas de plata, notó que faltaba uno: un colmillo. Él había estudiado en el cole que tenía 32 piezas dentales. Buscaba por toda la casa, en el hueco debajo de los cojines del sofá, entre las sábanas, en el cubo de la basura y hasta en los bolsillos de la ropa colgada en el armario. Nada. Faltaba un solo colmillo y se despertó con un dedo metido en la boca, como si todavía fuera un niño pequeño.

Tuvo que venir un albañil y ensanchar el marco de las puertas para que pudiera pasar la silla. Pusieron agarraderas de metal en el baño de servicio y compraron una cama articulada, como las de los hospitales.

Lo que llamaban el cuartito era la habitación de la chacha, con su baño adyacente. Mariví Montovio se había negado a tener una interna: ella prefería sacrificar su propia comodidad para que la familia no tuviera que aguantar a una extraña metida en casa día y noche, escuchándolo todo, sin ninguna intimidad, como si estuvieran obligados a vivir a la vista de cualquiera. Por otra parte, eran lo bastante ricos como para permitirse una criada, pero todavía no lo suficiente para conseguir tratarla como a un mueble.

Eso llegaría muy pronto, tras la mudanza al chalet de El Viso.

Rosario venía todos los días a primera hora y se iba por la tarde, ya comida. Cuando ellos salían o si había invitados, venía las horas que hicieran falta para echar una mano. Era casi una niña, Mariví tenía que enseñárselo todo, pero tenía madera y era bien mandada. Estaba demasiado desarrollada, como solía suceder entre las clases populares. Era huérfana y vivía con su padre, un obrero que apretaba tornillos en alguna fábrica.

Desde que apareció su suegra, Mariví cambió de opinión: ahora sí habría querido tener una interna, pero entonces ¿dónde iba a dormir Rosario, con la abuela inválida en casa? Y no sólo eso: ¿qué baño usaría? No iba a compartir el del pasillo con sus hijos.

Al poco tiempo tuvieron que contratar a un celador de la Clínica Cisne para que viniera a lavar a doña Carlota con una esponja, a llevarla al baño y a ayudarla a vestirse.

Mariví le recordaba a su marido que el dinero era lo de menos: Carlota era su suegra y, para ella, como si fuera su propia madre.

Tan a menudo se lo repitió que Perico acabó por sentirse culpable. Además, ese año ni siquiera pudieron irse de vacaciones a Ribadesella y tuvieron que dejar de traer invitados a casa.

La abuela era entrometida, despótica y de una crueldad enciclopédica y pormenorizada. Nunca permitía que se encendiera la tele ni que Perico cenara sin corbata. Si Mariví llevaba una falda un poco más corta de lo habitual, la señora torcía el gesto y murmuraba jaculatorias sobre la disolución de la patria y la pérdida de los valores. A Rosario, la chica, la hacía llorar cada vez que se lo proponía: devolvía platos con gesto altivo y sin probarlos, deslizaba el dedo índice sobre cualquier superficie y levantaba la yema manchada de polvo o comprobaba a diario que, tal y como ella se temía, en aquella casa ni siquiera se cambiaba el agua de los jarrones.

En cuanto se quedaba sola en una habitación, la señora registraba a conciencia todos los cajones y armarios al alcance de su silla de ruedas.

Para doña Carlota, los niños eran unos malcriados que tenían todos los caprichos y demasiada libertad; Mariví, una mujer débil, contaminada por el libertinaje de los Estados Unidos (donde pasó un tiempo recién casada), que no sabía respetar a su marido ni educar a sus hijos. Su propio hijo Perico era un hombre bueno, pero sin carácter; no era capaz de imponerse ni de pegar a tiempo un puñetazo sobre la mesa. Rosario tenía aspecto de aprendiz de buscona, y era cochina y perezosa, como todas las chachas, barría debajo de la alfombra y, con tal de no agacharse, desenchufaba las lámparas tirando del cable. Y el peor de todos: su marido, el marqués, al que hasta ella se había acostumbrado a llamar Morcuera. Un cobarde que se había librado de ella sin contemplaciones.

Entre Mariví, que estaba echada a perder por los americanos, y Perico, que era un pusilánime, pronto se adueñaría Rosario de aquella casa en la que faltaba mano dura y sobraban buenas palabras. Cualquier día empezarían a echar de menos dinero, joyas, incluso libros, aunque a la chica no le hicieran ninguna falta, porque debía de estorbarle lo negro para leer: sería por puro vicio. Ese era el vaticinio de la abuela y, según decía, por eso se encargaba ella de revisar todos los cajones.

La única persona a la que no se atrevía a censurar era a Benjamín, el celador, un muchachote de cien kilos y muy pocos gramos de sal en la mollera, que hasta la tuteaba y se dirigía a doña Carlota con diminutivos y ese insufrible plural sanitario aprendido en la Clínica: vamos a peinarnos muy bien, ahora vamos a sentarnos al lado de la ventana, que nos dé un ratito el solete, tenemos que comérnoslo todo, hoy nos vamos a poner un vestidito precioso.

A Perico no hacía falta que nadie le dijera lo difícil que era la señora. ¡Pero si seguía regañándole, a sus cuarenta años! Y lo que más le dolía: delante de su mujer y sus hijos.

Un día, al volver a casa, Mariví se encontró con un panorama desolador. Los dos niños, de pie, en fila, esperando turno delante de la silla de ruedas, cada uno con un globo en cada mano. La primera fue Laura, la pequeña. Le entregó los globos a la abuela, que los explotó uno detrás de otro con una de las agujas de su moño. Para pincharlos, los metía bajo un doblez de la manta, como si fueran cabezas y no quisiera verles los ojos. La niña ni siquiera protestaba: lloraba en silencio.

–¿Qué ha pasado? ¡Rosario! ¿Dónde se ha metido Rosario?

–Ha pasado que esa chica es una acémila. O vete tú a saber si no será mala intención. Y tus hijos, unos inconscientes.

Estalló el primero de los globos de Nacho.

–Carlota, ¿qué han hecho ahora? –preguntó Mariví, todavía de pie, con el abrigo puesto y el bolso en la mano.

–La chacha, que se ha puesto a hincharles globos –denunció la abuela.

–Mujer, no es para tanto.

–Ah, te parece poco. Les llena los globos con aire de sus propios pulmones. Para que luego les revienten a las criaturas en toda la cara. Y si los niños se contagian cualquier cosa, a ti te da lo mismo, ¿verdad? No es para tanto, claro.

–Habrá sido sin querer –intentó terciar Mariví.

–Ya. Sin querer –pinchó el segundo globo de Nacho–. Sin querer mató un hombre a una mujer. Un litro de aire ya respirado, que ha salido de dentro del cuerpo de esa mujer, y en plena cara de tus hijos. Mínimo, la tuberculosis. Eso si tienen suerte.

Nacho no había derramado ni una sola lágrima. Había entregado sus dos globos como el galo cautivo rindió sus armas ante el César: vencido, pero con el orgullo intacto (al menos en los tebeos de Astérix).

–Tranquilos, no pasa nada –les dijo Mariví a los niños.

–Si es que ya no es sólo por el asco, Mariví, compréndelo: se trata de la salud de mis nietos.

Doña Carlota levantó el pliegue de la manta y recogió la cosecha de cadáveres de colores, que le entregó a Mariví como si fueran peces en una red o una camada de gatitos que hubieran nacido muertos.

En la cocina, Rosario lloraba con las manos al borde del fregadero.

–No le hagas caso, Rosario, hija: está demasiado mayor –la consoló, mientras tiraba el cuerpo del delito al cubo de la basura.

–No, señora, si es culpa mía. Es que soy muy bruta.

–Pero esas no son formas. Tienes que disculparla, Rosario, es la edad.

Rosario ahogó un repentino acceso de hipo, de tos o de tristeza; apoyó los codos en la pila; la cabeza, en las manos; y rompió a llorar de nuevo, con un sonido angustioso de cisterna rota, mientras repetía:

–No pienso las cosas. Soy muy bruta.

–Anda, ya pasó todo, Rosario. No llores más, que no vale la pena.

–No voy a volver a llorar nunca –dijo con inesperada firmeza y abrió el grifo.

–Ya está, eso es. Lávate un poco y vete por hoy, que ya me apaño yo.

Se lavó la cara en el fregadero. Desde que estaba la abuela en la casa, Rosario tenía que cambiarse detrás de la puerta de la cocina.

Cuando estuvo preparada, vestida de calle, Mariví le entregó una bolsa.

–Toma, Rosario, aquí tienes un chaquetón con cuello de astracán y una blusita. Está con dos puestas. En perfecto uso. Para ti, mujer, por el disgusto que te has llevado. Y ojo con la blusa: siempre a mano.

–A mano –repitió Rosario, aunque en su casa no había lavadora automática–. Gracias, señora.

Mariví sonrió satisfecha. Era lo que ella decía: allí se la trataba como a una más de la familia. Y, además, comida y calzada.

Cuando llegó Perico, mientras la abuela rezaba en voz muy alta, hablaron con los niños.

–La abuela está muy mayor. A veces hace cosas que no quiere hacer, hay que comprenderla. Tenemos que perdonárselo todo, ¿lo entendéis? Ella no tiene ninguna culpa, es que no puede evitarlo –les explicó Mariví.

–Tenemos que ayudarla y tener paciencia –confirmó Perico–. Sobre todo tú, Nacho, que eres el que tiene más conocimiento.

–Si os dice algo, no le llevéis la contraria. Le decís que sí y luego habláis conmigo o con vuestro padre.

–Hay que perdonarla, porque a veces no sabe lo que hace, ¿comprendido?

Cuando ya estaban acostados, si iban al baño, los niños oían por el pasillo el rezo incesante, como una corriente de agua:

–¡Oh misericordioso Señor! Por vuestra agonía y sudor de sangre, por vuestra muerte, libradme, os suplico, de la muerte subitánea y repentina.

Que la abuela, con mil años que tendría, tuviera miedo de morir «de repente», a Nacho le parecía asombroso o quizá revelador de que somos como somos: la naturaleza humana.

Nacho rezaba en la cama y, en lugar de arrodillarse, se ponía boca abajo y el aliento de su oración le iba calentando la cara como una hoguera ardiendo en la almohada.

Señor de Tulipán, tú que vives y vuelas
sobre los patios de todos los colegios,
detén tu helicóptero
como un colibrí:
aterriza sobre mí.
Ven y cámbiame,
pero fulmina con tu rayo
a todos los demás:
la primera, la abuela.

Los regalos que Rosario les hacía desconcertaban a los niños. A Nacho le compró su primer Madelman. A Laura, el maquillaje de la «Srta. Pepis».

Sabían que era pobre, que comía en un taburete en la cocina lo que sobraba y que, cada cierto tiempo, su madre le entregaba ropa que todavía estaba «en buen uso» y zapatos casi nuevos, pero que habían pasado de moda. ¿Cómo había podido conseguir entonces el Madelman hombre-rana con su lancha y sus bombonas de oxígeno?

Su madre decía que les quería tanto porque en casa se la trataba como si fuera de la familia: comía lo mismo que hubiera en la mesa.

–El día que hay besugo, Rosario también prueba el besugo.

–Y vestida y calzada –no dejaba de añadir la abuela.

Aun así, ¿de dónde sacaba el dinero?

–Los pobres siempre hacen lo que les da la gana –les abrió por fin los ojos la abuela–. No son como nosotros, no sienten ninguna necesidad de gastar dinero en educación, en colegios o en ropa de buen gusto. A ellos les da lo mismo vivir de cualquier manera. Lo poco que tienen se lo gastan todo en caprichos. Nosotros somos más sensibles, no podemos comer con los dedos. La gente bien necesitamos vivir con decencia: tenemos una responsabilidad. A ellos en cambio les da lo mismo. Por eso siempre les sobra el dinero para sus vicios.

Les informó también de que, a la puerta de las chabolas, había cochazos aparcados, hasta Mercedes-Benz. Y aquellas chapas de uralita todas tenían su antena de televisión.

–Como les da igual poner visillos que no, al final lo dilapidan en caprichos.

Había pobres y ricos, los niños ya lo sabían. Ellos eran de clase media, a la que pertenecía casi todo el mundo. Fuera de la clase media, en las tinieblas exteriores, sólo había palacios y chabolas, y en ambos lugares había un Mercedes-Benz aparcado a la puerta. La clase media era inmensa, acogedora y abrigada. Cabían todos: los trabajadores decentes, los ingenieros, los médicos, los empresarios, las viudas, los pensionistas y el Consejo de Ministros en pleno. Con decir que hasta el Caudillo cenaba sopa y empanadillas, como el resto de la clase media. Y las sentencias de muerte las firmaba en una mesa camilla, nada de escritorios Segundo Imperio. Había pequeñas diferencias, cómo no, pero era más lo que les mantenía unidos formando una gran familia. Como en las ventanillas de los trenes, resultaba peligroso asomarse al exterior. Fuera, más allá de la inmensa clase media, sólo había aristocracia decadente y obreros resentidos, príncipes y mendigos, visones y harapos. Ahí fuera no compartían los valores del conjunto de la sociedad, que era la clase media: su sentido de la decencia, su espíritu emprendedor, su fe en el trabajo honrado, su capacidad de esfuerzo y su arraigada costumbre de apagar la luz al salir de una habitación. Ese era el tejido que mantenía unido al país: la sufrida clase media, «cuanto queda de amor y de unidad».

Así los niños crecieron convencidos de que formaban parte, como la mayoría de la población, de la bendita clase media, en cuyo interior uno podía desplazarse siempre un poco más hacia arriba por medio del esfuerzo personal.

Con el tiempo, esta creencia dio distintos resultados y condujo a cada uno de los hermanos a una forma diferente de infelicidad. Nacho se sintió estafado al descubrir que eran muy ricos y se volvió con amargura contra su propia familia. Laura, con ingenuidad acomodaticia, se dejó convencer de que sus privilegios no eran tales, sino el fruto de su propio esfuerzo, y comprendió muy pronto la utilidad de imponer los valores de una supuesta clase media al conjunto de la sociedad.

Mariví intentaba explicar la diferencia entre sus hijos por medio de su «teoría del filete con patatas».

A los dos les gustaban más las patatas fritas que la carne, pero cada uno de ellos comía el plato de una manera distinta. Nacho se zampaba lo primero todas las patatas, disfrutaba de inmediato y dejaba lo peor para el final, y luego se comía la carne de mala gana, haciendo bola, quizá con el recuerdo del atracón de patatas. Laura empezaba por el filete y se lo comía fortalecida por la esperanza de que, en cuanto lo terminara, le esperaban las patatas. Entre varios hermanos siempre hay uno que es de mejor familia que los demás. Esa era Laurita. Ella se vestía de otra forma, comía como si no tuviera ganas y jamás dudaba de que todos iban a callarse cuando ella hablara. Laura tenía ambiciones.

–Es curioso que sean tan distintos los dos, ¿verdad? –le comentaba Mariví a su marido.

–No veo la diferencia. A los dos les encantan las patatas y se comen la carne de mala gana. Qué tontería. Son idénticos –le respondía Perico.

–No lo comprendes. Lo hacen al contrario, cada uno de una manera: la suya.

–Pero es lo mismo.

EN ESPAÑA SE PODRÁ DISTRIBUIR LA COMUNIÓN EN LA MANO

Madrid, 18. La secretaría del Episcopado español ha distribuido para su publicación la siguiente nota:

«La Santa Sede ha concedido a España la práctica de distribuir la comunión en la mano por decreto de la Sagrada Congregación para los Sacramentos y el Culto Divino, fechado el 12 de febrero de 1976».

La autorización se ha dado a instancia del Emmo. Señor cardenal Vicente Enrique y Tarancón, arzobispo de Madrid y presidente de la Conferencia Episcopal Española.

La concesión no suplanta la costumbre de recibir la Sagrada Forma en la boca, sino que introduce, además de la existente, un nuevo modo. En lo sucesivo, los fieles que se acercan a comulgar podrán optar libremente por recibir la comunión en la boca, como hasta ahora, o en la mano. Por ello el modo de distribuir la comunión consistirá en mostrar el sacerdote el pan consagrado de tal manera que al fiel le sea posible comportarse según su deseo, extendiendo la mano o abriendo la boca, para que en ella sea depositada la Sagrada Forma. El fiel que desea comulgar conforme a esta concesión no puede tomar por sí mismo la Sagrada Forma del copón o patena, sino que la recibirá del ministro en la mano y habrá de consumirla antes de retirarse del lugar donde la reciba.

Abc, 19 de marzo de 1976

Carlos Clot se acercó a una máquina expendedora y sacó un envase individual.

—¿Se la administro, hijo?

Era verdad, debían de estar al acecho, ojo avizor, a la caza y captura de feligreses. Escuadrillas de sacerdotes con sotanas recorrían el HTM como peripatéticas omnibus disponibles, esperando ocuparse con alguno de aquellos jóvenes que sintiera la imperiosa necesidad de comulgar sin que la hostia consagrada entrara en contacto con sus impuras manos.

—Gracias, páter, no en este momento.

—Si es por reconciliar, le confieso ipso facto detrás de aquel vagón. Es visto y no visto.

—No es eso, es que acabo de merendar.

—No sabemos el día ni la hora, hijo mío —levantó el índice dogmático—. Morir recién comulgado es el mayor premio en esta vida. Cuanto más a menudo, más papeletas tiene para que le toque el Gordo.

—Lo tendré en cuenta. 900-VATICAN, ¿verdad?

—Exacto. Llamada sin cargo, gratis total. O envíe CURA al 3927. Siempre a su servicio, noche y día, 7 por 24.

—Vaya usted con Dios, páter.

—Con Él quede, filius.

Contempló en la pista las contorsiones de la juventud piadosa, los que esperaban con impaciencia esa resurrección de la carne que a Clot le daba tanto miedo como a mí. Si no quise ver el cuerpo muerto de Laura, ¿cómo voy a querer verla resucitada?

Costaba creerlo, pero aquellos muchachos con el torso untado de Topaz eran una de las tribus urbanas más peligrosas.

Los bucalistas funcionan como todas las sectas, con complicados ritos de iniciación y una jerarquía inflexible. Aunque confusa, su posición teológica es dogmática y la defienden con el arma que les caracteriza: el destornillador. Sus enemigos doctrinales más encarnizados son los Latin Kings (que propugnan la comunión bajo las dos especies) y los neognósticos. Los bucalistas han tomado parte en las últimas tres grandes guerras tribales de Madrid: la batalla campal del Polígono Urtinsa, con 33 muertos; la de los sótanos de Argüelles, que dejó casi cien cadáveres; y la legendaria masacre del bulevar de Ibiza, que desencadenó la naumaquia del estanque del Retiro, en la que colisionaron, entre otros, bucalistas, Latin Kings, neognósticos, rockers monofisitas, after-punks arrianos y decenas de aturdidos budistas de Lavapiés. Hubo más de doscientos muertos, aunque nunca llegaron a darse cifras oficiales, a pesar del dragado del estanque, el recuento de cenizas y la nómina de huesos.

Con todo, una sola cosa estaba clara: los bucalistas no eran contrarios a los envases eucarísticos. Ahora sólo le faltaba saber en qué invertían el dinero y qué tenía que ver la recién difunta Laura Gamazo con todo aquello.

Clot volvió a la barra número cinco y pidió un Cutty Sark.

–Buenas noches, caballero –doña Sonsoles acababa de entrar en el vagón.

–A sus pies, señora. ¿Puedo ofrecerle algo?

–Gracias, campeón, ahora no: tengo que comulgar –le enseñó un envase individual.

–Cuantos más décimos, más probabilidades de que toque el Gordo, ¿verdad?

–Equilicuá. Disculpe, ahí viene mi servicio.

–Su envase ¿es de la máquina?

–Ni hablar, campeón: yo siempre los compro en una boutique de la calle Serrano.

El telesacerdote y doña Sonsoles se apartaron a una esquina del vagón. Los bucalistas comulgan de rodillas y con los ojos cerrados: sólo admiten que la hostia entre en contacto con su lengua. Como ya estaba consagrada, el tipo se limitó a alzarla murmurando:

–Corpus Christi.

–Amén.

La mujer permaneció un largo cuarto de hora con la cabeza derribada sobre el pecho, que era generoso rozando la prodigalidad.

Cuando se levantó, tenía los ojos en blanco y no consiguió hablar: la mandíbula se le había quedado rígida.

Clot pagó y salió en silencio del HTM.

Había tosido y tenía el pañuelo empapado en sangre oscura como una nube de tormenta.

En la entrada el calvorota le guiñó un ojo, por detrás del cristal de culo de vaso de las gafas, y Clot distinguió en su cintura la culata de aquella 22 que había cambiado de dueño. Tendría que utilizar su arma de repuesto, una vieja 45, más grande y efectiva, pero mucho menos manejable.

Laura no conseguía comprenderlo. Le parecía demasiado injusto.

Si tenías cáncer, te morías. De acuerdo, para eso era una enfermedad mortal. Era ley de vida. Si te hacías un rasponazo, dolía mucho, pero no te morías. También de acuerdo. El problema era, ¿por qué dolía el cáncer, si de todas formas te morías? Además de mortal, dolía: ¿no era totalmente injusto? ¿Había derecho a eso?

–El cáncer está en su perfecto derecho a doler todo lo que quiera –le había dicho su hermano Nacho, muerto de risa.

La abuela aullaba por las noches. No llamaba a nadie ni pedía auxilio: no esperaba respuesta, sólo aullaba durante toda la noche, como si fuera un animal. La verdad era que ellos ya se habían acostumbrado; era como vivir junto a las vías del tren.

–Le duele mucho –se asombraba Laura.

–Vale, pero le dan morfina –le explicaba Nacho–. Es una droga, te duerme el cuerpo, como la anestesia, así no sientes el dolor.

–Pues le duele, ¿no la oyes?

–Vale, pero imagínate si no le dieran morfina.

–¿El cáncer duele tanto?

–Es lo que más duele –confirmó Nacho con satisfacción–. Son como mordiscos por dentro de tu cuerpo. Es como un cangrejo, por eso en el horóscopo Cáncer es un cangrejo. Te devora, te aprieta con las pinzas, son como tenazas que te arrancan la carne...

–Déjame en paz, idiota. No me hagas rabiar. Vas a ir a papá.

—Mira cómo tiemblo.

—Yo voy a rezar para que se cure la abuela.

—Vale, pues yo rezo para que se muera.

—Eso es pecado, te va a castigar Dios.

—Mira cómo tiemblo. ¿Qué Dios? Yo creo en otro Dios que es sólo mío y que les puede a todos los otros dioses.

—Pero tu Dios no le puede al cáncer.

—¡No poco! Él envía el cáncer cuando le da la gana, Él es el cáncer, por eso lo puede todo. Si ahora mismo pronunciara su nombre, caeríamos muertos en el acto, figúrate.

—Te la vas a cargar.

—Tú eres tonta. ¿Cuál fue el castigo de Caín, el primer asesino de la tierra? ¡La inmortalidad! Le pusieron una señal en la frente para que nadie le matara. Lo mismo me va a pasar a mí.

—Mira que eres idiota —dijo Laura, y se fue a su habitación.

Su hermano le daba miedo y también le daba miedo saber que el cáncer dolía.

Si el cáncer, además de morirte, te dolía, nada tenía sentido. No era justo. Y si nada era justo, entonces valía todo.

—¿No podías haber elegido un lugar más... mmm... más arrastrado?

Carlos Clot simuló que meditaba la respuesta.

El bar Muñiz era un antiguo gimnasio en la calle Miguel Ángel y estaba especializado en dominó, tragaperras y encuentros mercenarios. Había cigarreras de la Fábrica de Tabacos de Zurbano y cuadrillas de estibadores contemplativos y disciplinados; jefes de sección de Telefónica y esbeltos chaperos de gesto insolente; varias mesas de tarjetas-doradas jugando al dominó y gavillas de amas de casa ludópatas que bajaban con batas de flores, varices de color escarlata, monederos en la mano y esos carritos de los que siempre asoma el pico de una barra de pan.

—Sí que podía —respondió por fin y encendió un Lucky.

—No lo dudo —admitió Fernando Garvía, el Martillo—. Es un escándalo que aquí permitan fumar.

—Tranquilo, Fernando, está prohibido.

—¿Entonces?

—Bajo tolerancia, como si dijéramos.

—Menuda tropa.

Una mano apartó la cortina y apareció a contraluz, con falda corta y una blusa sin mangas. No podía ser cigarrera: tenía los muslos demasiado cortos para enrollar tabaco. Tampoco parecía una maruja ludópata, porque sus pupilas aún eran capaces de enfocar a más de un metro de distancia. Se mantuvo en el quicio, sujetando la cortina con la mano para abrir paso al enamoradizo inspector Alfonso Olmedo, también de incógnito,

196

con un traje azul marino almidonado, el propio de pariente pobre de una boda en los Jerónimos.

Al menos no se había puesto los zapatos de charol del uniforme de gala.

–Les presento a la teniente Teresa Murillo.

Con la entrada de los policías de paisano, hubo un revuelo momentáneo, un aleteo fugaz, como si una piedra hubiera caído al agua, plof, pero la curiosidad fue vencida por la inercia o por la fuerza de la gravedad, las aguas volvieron a su cauce, las amas de casa a sus tragaperras, los tarjetas-doradas a cerrar con pito cinco, los telefónicos a mirar en diagonal a los displicentes chaperos, y los estibadores a atisbar sumisos bajo la falda, por encima de las rodillas de las cigarreras.

Clot pidió otro whisky doble; yo, un coñac; los demás, refrescos: estaban de servicio.

–¿Qué tenéis sobre Surface, Inc.? –preguntó Clot.

–¡Un momento! Hay otra víctima, y van seis –interrumpió Olmedo.

–No he sido informado –se indignó el Martillo.

–Acaba de confirmarse. –Olmedo hizo un gesto a la teniente, que comenzó a hablar consultando un bloc de notas sobre sus piernas cruzadas.

–La muerte tuvo lugar en la sala de fiestas y actividades litúrgicas Hand-To-Mouth. Anoche, a las 03:43. Según los testigos, el arma del crimen procedía de una máquina expendedora instalada en el propio local. La víctima es Sonsoles Avellaneda, de cincuenta y ocho años, viuda. Toda la información sobre el caso ha sido clasificada de TOP SECRET por motivos de seguridad nacional.

Aunque tal vez no tuvieran la anchura ni longitud necesaria para liar un cigarro puro, en los muslos de Teresa Murillo sobraba espacio para que la mirada de Alfonso Olmedo se extraviara, perpleja, furtiva, casi sobresaltada.

–Gracias, es suficiente –ordenó el comisario Garvía–. Clot, tú no sabías nada de esto, ¿verdad?

–Primera noticia.

El comisario inhaló muy despacio, como quien se carga de

paciencia y respira hondo para mantener a raya la ira, la legítima y más que justificada, su santa ira.

—Mira, Clot, no seas crío. Tú estuviste anoche en ese garito. Qué casualidad. Pongamos las cartas sobre la mesa. Tú a mí me caes gordo, para decirlo con suavidad. Yo tampoco debo de ser el hombre de tus sueños, ¿verdad? Muy bien, perfectamente bien. Pero ahora somos equipo, Clot, nos guste o no. E-qui-po, ¿capiscas? Esa es la consigna: ¡equipo! Así que seamos razonables. Tú nunca me ocultes información. Ni lo sueñes. Y yo compartiré contigo lo que sepa. ¿Trato hecho?

—Conforme.

—Pues entonces desembucha, socio.

—No te oculto nada, Fernando, pero ¿se vigila a los socios? Y dile a tu gente que disimule un poco, apestan a polizonte a veinte millas. Estuve allí, eso ya lo sabes. Hice preguntas, pero no vi morir a nadie. Y sólo he averiguado una cosa: los bucalistas no son sospechosos, al menos desde un punto de vista teológico. Con decir que allí tienen expendedoras está todo dicho. Para descartarlos del todo sólo falta repasar sus finanzas, pero ese es vuestro departamento.

—Nada por ese lado, Charlie —intervino Olmedo—. Walter Munárriz, S.J., su guía espiritual, está limpio: él no toca cash. Cologan es el Chief Financial Officer. No es ningún santo, de acuerdo, pero ¿conoces a un solo CFO que lo sea? A todos se les queda siempre algo pegado a las uñas, en torno al diez por ciento, nada del ótro mundo. Casi todo lo que obtienen los bucalistas está invertido en Surface, Inc.

—Dígale quién es Surface, inspector. Yo le autorizo: ahora somos socios. E-qui-po.

—Correcto. Surface es Perico Gamazo, Charlie. No aparece de forma muy visible, los que dan la cara son hombres de paja, mariachis, testaferros..., a veces también su hija, la difunta Laura. Surface gestiona una gran parte del patrimonio sumergido de Gamazo y le permite moverlo sin dejar huellas. Inversiones en la industria farmacéutica, compra de armas, la llamada ayuda al Tercer Mundo...

—¡Perico Gamazo! —fingió sorprenderse Clot—. Acabáramos.

Una tapadera para financiar golpes de Estado o maquilas clandestinas –concluyó Clot.

–Ahí te voy –confirmó Olmedo.

–Hasta aquí hemos llegado –el Martillo pegó un puñetazo sobre la mesa–. Ni una palabra más. Las inversiones del señor Gamazo no son objeto de investigación, ¿estamos?

Olmedo asintió. Clot miró para otro lado.

–Mira, Clot, tú ves demasiadas películas –volvió a la carga Garvía–. Te has columpiado, admítelo. Esos tipos, tus bucalistas, son cero patatero. Resígnate y sigue buscando por otro lado.

–¿Qué has encontrado tú por ese otro lado, Fernando?

–Yo no creo en teologías, ya lo sabes. Nosotros –señaló a Olmedo y a la teniente Murillo– estamos convencidos de que hay un móvil empresarial. La verdadera víctima no son esos tipos que caen redondos, sino la viabilidad corporativa de Industrias Gamazo. No se trata de conspiraciones ocultas, es mucho más sencillo. El principal sospechoso es el sindicato.

–¿Qué sindicato?

–Las Comisiones Obreras, ¡los comunistas!

–Ah, claro, los comunistas.

El comisario Garvía no tenía duda: era un sabotaje. Gamazo estaba a punto de lanzar un ERE que afectaría a más de cuatrocientos trabajadores. Como de costumbre, los comunistas querían chantajear a la empresa, le estaban echando un pulso.

–Les da todo lo mismo, Clot. Es su lema: cuanto peor, mejor –explicó Garvía–. Prefieren que cierre y se vayan más de tres mil trabajadores a la calle, en lugar de aceptar recortes indispensables. ¡Tres mil familias al paro con tal de no dar su brazo a torcer!

–O jugamos todos o se rompe la baraja –sugirió Alfonso Olmedo, al parecer con inocencia.

–Exacto, inspector. Es la lógica del resentimiento.

–Conseguiremos las pruebas, comisario.

Para obtenerlas, los cabecillas sindicales estaban bajo vigilancia y habían introducido numerosos infiltrados en la fábrica.

–Disculpen que no pueda seguir disfrutando de su compañía, pero el ministro me espera para ver juntos el partido –anunció el Martillo golpeando con el dedo la esfera del reloj–. Clot, ya sabes que no comparto tu línea de investigación. Nada de teologías. Pero somos equipo y te respeto. E-qui-po.

Cuando Fernando Garvía abandonó el local, Clot le hizo una seña al camarero. Ni Olmedo ni Teresa querían nada: también parecían tener prisa. El España-Italia de cuartos de final estaba a punto de empezar.

–Charlie, ya sé que ahora somos un gran equipo. –Olmedo parecía intimidado, pero travieso–. Tere y yo nos vamos.

–¿Tere?

–La teniente Murillo, quiero decir. ¿Cuál es tu plan de investigación, amigo?

–El de siempre, mi «método nasal». Ir por ahí tocando mucho las narices, a ver quién se da por aludido y reacciona.

Le pareció ver que, al salir, Teresa Murillo y Alfonso Olmedo se cogían de la mano y entonces fue cuando se dio cuenta de aquel noviazgo policiaco que a mí ya me había confesado Alfonso Olmedo.

¡El impresionable Olmedo y aquella mujer de manos diminutas y ojos dóciles!

Dios Nuestro Señor se complace en escoger los instrumentos más humildes, viles inclusive, para llevar a cabo su santa voluntad. De esa forma salta a la vista que lo pone todo Él. Pastorcillos analfabetos en despoblados. Asesinos múltiples que reciben mensajes en su celda. Purpurados pederastas al borde de la apoplejía. Quizá el amor, me confió Clot, actúe de modo semejante, para hacer así más patente su poder. Mirad estas criaturas que se aman tanto: he sido yo, el amor, quién si no, no hay otra explicación. Si no fuera por el amor, si él nos dejara por nuestra cuenta, seríamos incapaces de querernos: es el amor quien lo pone todo.

Sólo cuando la abuela terminaba de rezar en voz alta había un poco de tranquilidad en la casa. Mariví y Perico les explicaban a los niños que la abuela no era responsable de sus actos y que había que perdonárselo todo.

Por las noches, los niños oían el ruido del somier y voces apagadas. Siempre era Nacho el que se acercaba de puntillas por el pasillo para escuchar, como un animal al acecho, un silencioso guepardo o la terrorífica anaconda que avanza bajo el agua.

–Lo único que no le perdono es lo de Rosario. La pobre chica no tiene la culpa de nada –oyó decir a su madre.

Si lo que le hiciera a Rosario no había que perdonarlo, porque Rosario no era culpable, y en cambio ellos tenían que perdonar todo lo que la abuela les hiciera, ¿qué estaba insinuando su madre? ¿Acaso que ellos sí eran culpables? Pero entonces ¿de qué tenían la culpa?

–No podemos seguir así –confirmó su padre.

–No lo digo por mí, Perico, eso ya lo sabes. Yo aguanto lo que me echen. Lo digo por los niños.

–Déjame pensar qué hacemos. Hay residencias.

No tuvieron que hacer nada: Dios aprieta, pero no ahoga.

Nacho se tumbó en la cama, boca abajo, para pedirle al Señor de Tulipán que descendiera con su helicóptero sobre la abuela Carlota y le pusiera su implacable mano encima con todo el peso del divino castigo.

Al día siguiente la abuela empeoró de pronto.

Por primera vez en la vida, Nacho se sintió invencible y poderoso: su Dios era el que era.

Lo más llamativo fueron los olores inventados. Doña Carlota afirmaba de pronto que alguien estaba pelando una naranja o que olía a vainilla. A veces olía el perfume de la flor del castaño y entonces le pedía en voz baja perdón a su marido y le daba las gracias a Pepe Montovio, que le había enseñado a hacer lo único que inspira gratitud a un hombre, según decía doña Carlota.

Muy a menudo afirmaba que, a su espalda, había alguien quemando rastrojo. Lo estaba oliendo. Volvía la cabeza, le daba la vuelta a la silla de ruedas, pero era inútil. Aquel tipo que encendía fuego debía de girar al mismo tiempo que ella, porque el olor siempre seguía estando detrás, cada vez más cerca: casi quemaba.

–Vamos a salir todos ardiendo –era su pronóstico, después de lanzar hacia atrás, por encima del hombro, un vaso de agua.

A medianoche se despertaba aterrorizada y gritando. El fuego la rodeaba: olía a carne quemada. Bajo la cama tenía que haber una hoguera.

El neurólogo diagnosticó un cáncer de páncreas que ya había alcanzado el cerebro y que le producía alucinaciones olfativas. A medida que el tumor se fuera extendiendo, podía suceder cualquier cosa: que oyera voces, que viera a personas inexistentes o ya muertas hace tiempo, que creyera ser otra persona o ella misma con otra edad. Todo era posible. Así eran los cánceres, cangrejos que iban marcha atrás, hacia el pasado sumergido.

–No hay nada que hacer, es cuestión de pocos meses –advirtió el médico.

Cada día daba más trabajo. Tuvieron que contratar a un segundo celador para que se quedara por las noches y, sobre todo, para mantenerla alejada de los niños. Se había vuelto procaz, deslenguada y mucho más divertida que antes. A Perico le llamaba botarate, menguado y zascandil. A Mariví, pelandusca, puticlista y zorrimpla. A su marido, el viejo marqués de Morcuera, cuando iba a verla, unas veces le pedía perdón y otras le recibía a carcajadas:

–Montovio me lo enseñó todo. Lo que más te gusta lo aprendí de él. ¡Pepe Montovio, qué hombre! –le decía.

A los niños les colocaba escapularios, crucifijos y detentebalas.

–Alférez provisional, muerte segura –les advertía–. Confía en el Sagrado Corazón: *in hoc signo vinces.*

Se tomó la enfermedad como una guerra sin cuartel: ella iba con el cáncer, estaba de su parte.

Desde el primer día se sumó al Alzamiento celular que se había sublevado en el páncreas africano, al otro lado del Estrecho.

Su cuerpo, que al parecer identificaba con la patria, necesitaba una regeneración, un cirujano de hierro que restableciera el orden y los principios, un Caudillo tumoral, un Generalísimo oncológico, un César canceroso con plenos poderes.

No se podía aguantar más aquel estado de cosas. A la gente decente la asesinaban por la calle. Ardían templos. Los esfínteres estaban fuera de control. Los campesinos invadían tierras. La piel supuraba, hinchada como una vejiga.

Tras el pronunciamiento tumoral, los carcinomas legionarios cruzaron el Estrecho y se desplegaron en una rápida metástasis hacia el cuerpo de la patria en peligro: tomaron Badajoz, con una auténtica carnicería en el pulmón; tomaron Sevilla y Salamanca, inutilizando uno de los riñones y el bazo.

Allí donde entraban los nacionales restauraban el orden con mano de hierro y destrucción masiva de tejidos.

–Esto es imparable –sentenció el médico.

–Esto es la redención de la patria –insistía la abuela–. La continuación de la Historia de España.

Los niños percibían el mal olor del cuerpo enfermo, cada vez más intenso.

–Son cadáveres sin sepultura –decía la abuela–. Huele a los muertos que fusilan los rojos. Se quedan boca arriba, en las cunetas. Se les llena la boca de hormigas. Se les manchan las manos de arena. Se les encharcan de lluvia los ojos abiertos.

Los nacionales ya habían entrado en el estómago de Oviedo y en las dos Castillas, con tumores que destruían el intestino delgado y el grueso. El César canceroso había liberado el Alcázar y la abuela comenzó a sufrir espasmos, hasta que perdió la visión de un ojo, y el lado izquierdo del rostro se le quedó contraído en un ademán legionario y aterrador que hacía imposible entender lo que decía. Daba la impresión de que el avance no quería acelerar la victoria, sino destruir con encarnizamiento al enemigo; era una guerra de atrición, con una represión metódica que iba a garantizar el orden funeral de la posguerra. Los carcinomas nacionales se apoderaron de la columna vertebral y del sistema linfático, pero no se decidían a atacar los centros vitales y a tomar Madrid o Barcelona, y el corazón de la abuela seguía latiendo, y la cabeza funcionaba: ni siquiera había perdido la conciencia.

La batalla del Ebro, la última ofensiva republicana, tuvo lugar en el cuerpo de la abuela después de Todos los Santos, con las tropas tiritando y todo el lado derecho completamente paralizado, con indicios de gangrena en las extremidades. Tenía la cara como la cera de un cirio y la piel translúcida. Nacho le decía a Laura que había visto cómo se le transparentaban en la espalda los pulmones azulados, como si fuera con rayos X.

Hubo fusilamientos, expectoraciones, fiebre alta, hemorragias, batallones de castigo y la visita de un sacerdote que le administró la extremaunción.

Lo que le quedaba de vida lo pasó ciega, aunque no perdió la voz ni el mal genio. Había que cambiarle los pañales cada pocas horas y, en los últimos días, comenzó a hincharse como el cuerpo de un ahogado que hubiera salido a flote en un lugar imprevisto, en la otra orilla.

La abuela, sin embargo, no paraba de tararear un estribillo casi irreconocible debido a su ronquera:

> Ya hemos pasao, decimos los facciosos.
> Ya hemos pasao, gritamos los rebeldes.
> Ya hemos pasao y estamos en el Prado
> mirando frente a frente a la señá Cibeles.

El 14 de diciembre nada hacía temer un desenlace inmediato. Por la mañana tomó las pastillas y les advirtió a los niños que, sobre todo, no se significaran. Se negó a recibir a su marido, el viejo marqués. Cuando Mariví entró en la habitación, la llamó hurgamandera y miliciana. Luego fue Perico a verla y la abuela hizo un esfuerzo para volver la cara hacia la pared y darle la espalda. Pronunciaba entre dientes:

–Qué poco vales, hijo.

A medianoche la oyeron gritar, pero nadie le dio importancia. Así de frecuentes eran los alaridos nocturnos.

Por la mañana estaba muerta, con todo el colchón empapado en sangre.

En el día de hoy, cautivo y desarmado el ejército rojo, han alcanzado las tropas tumorales sus últimos objetivos militares. La vida ha terminado. Madrid, 14 de diciembre de 1973. Año de la Victoria.

Doña Carlota por fin podía descansar en paz. La guerra había terminado y la habían ganado los suyos: los buenos, el canceroso cangrejo del yugo y las flechas.

Esa misma noche, Nacho se lo confesó a su hermana:

–He sido yo. He matado a la abuela.

–Y voy yo y me lo creo –se rió Laura.

–Ha sido culpa mía. Por la mañana, mezclé todas las pastillas. Las cambié de frasco. Por eso se ha muerto.

Por la noche, Nacho apretaba la cara contra la almohada y rezaba en silencio:

Señor de Tulipán, tú que vuelas y reinas
en el cielo de los patios,
tú has oído mis súplicas
y me has permitido
desatar tu ira con mi mano.
Concédeme tu perdón
o dame valor para ser culpable.

El lunes 17 de diciembre volvieron a clase. Desde el autobús escolar vieron que la ciudad estaba tomada por la policía: Nacho estaba seguro de que iban a detenerle de un momento a otro, acusado de asesinato o abuelicidio. No se movía una mosca y, en las inmediaciones de la embajada estadounidense, nadie habría podido robarle la cartera a un japonés sin ser visto (y mucho menos excavar un túnel).

La verdad es que el formidable despliegue de hombres armados no tenía por objetivo la captura del confeso asesino José

Ignacio Gamazo, sino la protección del secretario de Estado norteamericano, el doctor Henry A. Kissinger, que aterrizó en Barajas el martes 18 de diciembre. A la cinco y cinco de la tarde, procedente de Lisboa, tomó tierra española el Boeing 707 con el ilustre visitante y su séquito de treinta y cinco personas. A pie de escalerilla le recibió el piadoso ministro de Asuntos Exteriores, López Rodó (con un cilicio bajo la camisa de seda, para mortificar su carne albicante y trémula).

Recién aterrizado, el señor Henry A. Kissinger se trasladó a El Pardo, donde disfrutó de una audiencia privada con el Caudillo. Desde allí se desplazó al palacio de la Zarzuela para cumplimentar a Su Alteza Real el príncipe Juan Carlos.

El profesor Kissinger tuvo tiempo durante su estancia para reunirse con casi todo el mundo, desde el presidente del Gobierno español, almirante Carrero Blanco, hasta el señor Cheng Chao Yuang. La reunión con el embajador de la República Popular China en Madrid tuvo lugar en el hotel Palace, donde se alojaba Mister Kissinger y donde tenía su sede provisional la representación diplomática de la China comunista en nuestro país. En el aeropuerto, ya de pie y a punto de abordar el avión, el señor Kissinger anunció que ese mismo día, después de saludar al presidente Pompidou, iba a cenar con Gromyko, y que al día siguiente se reuniría con Le Duc Tho, consejero del Gobierno de Hanoi. A modo de despedida, como quien deja deberes puestos a los más pequeños, nos advirtió: «Si no sabemos distinguir entre naciones con futuro y naciones en decadencia, no podremos cimentar el orden internacional sobre sólidas bases».

Parece ser que los aplausos se oyeron desde Getafe al Generalife.

Durante los dos días que permaneció Kissinger, Madrid parecía un cuartel patrullado día y noche por la policía y el ejército, en especial la zona del Palace y los alrededores de la embajada estadounidense en la calle Serrano.

El miércoles 19 de diciembre se subió a su Boeing 707 con destino París, bajo una intensa lluvia.

Nacho volvió a rezar esa misma noche.

Mamá había llorado. Papá la había abrazado. Cuando llegaron a casa, después del entierro, papá colgó la chaqueta del respaldo de la silla del comedor y encendió la tele. Nacho se quedó sorprendido: durante los últimos dos años, para poner la tele, había que pedirle permiso a la abuela, que casi nunca lo concedía. Mamá volvió de la cocina con dos botellines de cerveza y un plato de aceitunas en una bandeja. Se sentó al lado de papá. Papá le puso una mano en el muslo. Nacho nunca había visto que sus padres se tocaran, salvo en las manos y casi siempre para entregarse objetos el uno al otro.

–Si os apetece, esta noche cenamos sándwiches. No hay nada preparado.

Lo que había propuesto su madre era extraordinario. A Nacho lo que más ilusión le hacía del mundo era cenar sándwiches, montar en metro, acostarse tarde y que le dejaran contestar al teléfono. Eran cosas tan sencillas que costaba creer que llevaran dos años prohibidas en aquella casa.

–¿Se puede, papá, se puede? Di que sí, por favor.

–De acuerdo. Mejor en bandejas y así vemos todos el *Un, dos, tres* –concedió su padre.

–A ver si queda bastante pan Bimbo –dijo su madre.

¿Era así de fácil? ¿En bandejas y viendo la tele? ¿Como si tal cosa? Por otra parte, acababan de enterrar a la abuela y ya estaban desobedeciendo sus órdenes. Peor todavía: se sentían felices. Sin remordimientos.

A Laura no le entraba en la cabeza, estaba asustada. Su hermano Nacho la miraba con sonrisa burlona.

¿Sería verdad?

Era una de sus bromas estúpidas, seguro. Y sin embargo, lo había dicho muy serio: «La he matado».

–¿Por qué? –le había preguntado ella.

–Era necesario, nos hacía la vida imposible. Para vivir nosotros, tenía que morir ella. Qué más da, ya estaba muriéndose igual. Ahora ya soy inmortal.

Viendo lo fácil que resultaba todo, Laura empezaba a dudar. ¿Y si no se lo había inventado? ¿Y si encima tenía razón? Quizá era indispensable que la abuela muriera para que ellos pudieran vivir y, en ese caso: ¿era Nacho un héroe? ¿Un mártir? ¿El salvador de la familia?

–Si te chivas a alguien, te mato a ti también –la había amenazado–. No se lo puedes contar a nadie nunca. Si hablas, yo acabaría en la silla eléctrica.

–Aquí no hay silla eléctrica.

–Peor aún. El garrote vil. Serías responsable de mi muerte. Pesaría sobre tu conciencia.

Tuvo que jurar varias veces que guardaría silencio y al final le afirmó que no se lo creía:

–De todas formas da igual, es mentira. No me lo creo –repitió, para alejar el terror de que fuera cierto y de que, como consecuencia, a ella no le permitieran volver a comulgar.

Nacho levantó los ojos hacia el cielo raso de la habitación y respondió con voz quebrada:

–Ojalá. Qué más quisiera yo. Ojalá no fuera verdad. Que no hubiera sucedido nunca. Ojalá yo tuviera perdón.

Después, con la luz ya apagada, se dio media vuelta, boca abajo en la cama, y se puso a recitar algo que no se entendía, como si estuviera rezando.

Ante el equipo de la URSS, cuya bandera roja estaba izada en lo alto del estadio, ante seiscientos periodistas de todo el mundo y ante los millones de televidentes de la Eurovisión y la Intervisión, una masa heterogénea de 120.000 españoles de todas las edades y clases tributó el domingo al Jefe del Estado una de las más sostenidas, fervientes y clamorosas ovaciones que registra su larga vida política. Fue un testimonio espontáneo y cordial que el pueblo español brindó al mundo y muy singularmente a la Unión Soviética. Al cabo de veinticinco años de paz, detrás de cada aplauso sonaba un auténtico y elocuente respaldo al espíritu del 18 de julio. En este cuarto de siglo, diríase que nunca había rayado más alto la intencionada y entusiasta adhesión popular al Estado nacido de la victoria sobre el comunismo y sus compañeros de viaje, de dentro y de fuera.

Fue una afirmación estremecida, pero correcta y sin la estridencia más insignificante. Los espectadores oyeron con cortesía el himno soviético; el equipo ruso fue bien acogido y sus jugadas brillantes merecieron aplausos. Por encima de sus espléndidos y evidentes valores deportivos, esta final de la Copa de Europa de Naciones tiene una extensa significación cívica y política que sólo los miopes empecinados pueden ignorar. España es un pueblo cada día más ordenado, maduro y coherente, que marcha solidario por los caminos reales del desarrollo económico, social e institucional. A esta luz clara y rotunda, la hostilidad de quienes desde el exterior continúan con el reloj de la Historia parado cobra un tinte grisáceo y grotesco. España avanza unida en la labor y en el propósito. Es una ventura nacional.

Abc, 23 de junio de 1964

Allí estaba yo, con otros 119.999 españoles, y todos tuvimos una conducta ejemplar. Era la segunda Eurocopa, más conocida entonces como Copa Europea de Naciones. La primera la había ganado la URSS. Allí estaba y, con mis prismáticos (los mismos Zeiss que aún conservo), distinguí en el palco al Caudillo y a doña Carmen Polo, escoltados, entre otras personalidades, por el capitán general Muñoz Grandes, el teniente general Alonso Vega y el señor Solís, ministro secretario general del Movimiento. Antes de empezar el partido, los equipos formaron en línea, a derecha e izquierda de los árbitros, frente al palco presidencial, y tuvimos que escuchar, dando muestras de respeto, el himno soviético, que por fortuna ya no era, desde el 44, la *Internacional*. Eso hubiera sido una provocación intolerable.

El que lo vio lo recuerda y no soy quién para evocar aquí de nuevo la heroicidad de nuestra selección o para cantar las armas y al hombre, Marcelino, que dio el triunfo a España *(arma virumque cano)*. No sé qué podría decir que no se haya dicho de la velocidad y la capacidad de multiplicación que exhibió el lateral Rivilla, presente al mismo tiempo en cada centímetro del campo, la flexibilidad de Olivella, la fortaleza inexpugnable del muro de Zoco y la temeridad de los regates vertiginosos de Calleja.

Marcelino, como don Juan Belmonte, encarnó la hombría española.

Belmonte demostró en la plaza que no había terrenos del toro y del torero: todos los hizo suyos. Marcelino repitió la hazaña en el rectángulo de hierba. Situado en una posición tan escorada que hacía en teoría imposible el gol, lo metió en la práctica, sorprendiendo indefenso a Yashin, la araña negra, que estaba convencido de que de ahí, precisamente de ahí, no podía venir un gol, igual que el resto de los matadores le aseguraban a Belmonte que por ahí no pasaba, y que en ese terreno, o te quitas tú o te quita el toro. Pero don Juan Belmonte consiguió, a pie firme, sin moverse ni quitarse, que el toro pasara; y Marcelino logró, de cabeza, que el balón se estrellara contra la red de la portería soviética.

Los chicos se habían concentrado en La Berzosa, una finca a la que Franco iba a cazar. Estaban asustados, no sólo por enfrentarse al campeón europeo, sino por la responsabilidad política del partido.

De aquella no había psicólogos ni pamplinas, así que el seleccionador, Villalonga, dibujó bajo un olivo, sobre la tierra, un campo de fútbol. En un lado puso una piña; en el otro, varias piedras.

–Éstas somos nosotros. Piedras. Pedruscos. Guijarros. Ellos son esto: una piña. Son comunistas, así que son un equipo como una piña. Ahora os pregunto yo: ¿qué es más fuerte: una piña o una piedra? ¿Qué puede más? ¡La piedra, que no se rompe y da más duro! Pues eso es lo que hace falta: ganar. Aunque sea a pedradas, muchachos.

El partido comenzó enseguida: a los seis minutos Pereda marcó el primer gol. Fue una jugada por la derecha de Luisito Suárez, la pelota quedó muerta entre Shesternev y Shustikov, y Pereda se lanzó. Según confesó más tarde, no tuvo miedo a Yashin, del que se decía que desviaba el balón con la mirada, y sólo pensó: «¿La vas a agarrar? ¡De los cuernos la vas a agarrar!». Y se lanzó con tanta fuerza que se cayó hacia delante. ¡Gol de España, señores!

Sin embargo, no habíamos terminado de aplaudir cuando Jusainov, el extremo izquierda, tiró. El balón le hizo un extraño a Iríbar, rebotó y le pasó por debajo.

La tensión se disparó, luchamos a muerte, pero nos fuimos al vestuario en el descanso con un empate.

Por fin, ya casi al final del partido, Rivilla interceptó un pase de Ivanov a Jusainov, centró a Pereda, que envió el balón a Marcelino, a media altura, con mucho efecto. La tele le atribuyó la asistencia a Amancio, pero fue Pereda: yo estuve allí.

Sobre el terreno de juego, el presidente de la UEFA le entregó a Olivella, el capitán de nuestro equipo, la Copa de Europa que estaba en posesión de los soviéticos.

Volvió a sonar el himno nacional.

Lo demás es Historia, pero yo estuve en Chamartín, bajo la lluvia menuda y constante, un orbayu que parecía caer de la niebla que cubre las montañas asturianas, un agua fina que acariciaba como si fuera rocío, ese orbayu *pa nun* llevar paraguas.

No es lo mismo en cambio ganar en última instancia, por penaltis, como acababa de ocurrirnos en cuartos contra Italia. Cuando acabó la triste tanda de penaltis y por fin pasamos a semifinales, le ofrecí otra copa a Carlos Clot

Luego salimos juntos y echamos a andar a la orilla del agua. A la altura de Rubén Darío nos detuvimos ante un nuevo centro comercial.

¿Qué había antes ahí? Esa es la única pregunta que nos hacemos al ver una nueva sucursal bancaria, un edificio de oficinas o un restaurante chino. Sabemos que no estaba ahí, pero somos incapaces de recordar qué era lo que había en esa esquina. Lo mismo debe de habernos sucedido a nosotros. Creíamos que sin petróleo, sin automóviles, con la Castellana navegable, con bicicletas y coches de caballos, todo iba a ser diferente. Qué va. Somos los mismos y ni siquiera nos acordamos ya de qué había antes en el mismo sitio.

–Qué vida esta –le resumí a Clot.

–Porque no hay otra, que si no.

¿Habría sido muy distinto? Quizá viviríamos ahora en una república federal, como proponían todos cuando acababa de morir Franco y la OPEP comenzó a subir los precios del crudo. Quizá se hubiera transformado la realidad, a través del «socialismo democrático», sin hacer uso de la violencia. ¿Por qué no? Quizá habría bastado con convencer a los de arriba para que renunciaran a sus privilegios, como en la guardería, cuando la señorita afirma: ¡Hay que compartir! Y el dueño de las galletas de chocolate las reparte con una sonrisa. Quizá nos habríamos convertido por fin en aquella Suecia con sol.

O tal vez todo sería igual y tendríamos un monarca deportista y campechano, y una soberana aficionada a Rostropóvich, quizá el partido socialista también hubiera renunciado al marxismo y Javier Solana hubiera ordenado bombardear Yugoslavia y se habría emocionado igual al recibir el Toisón de Oro. Tal vez, con automóviles y sin navegación fluvial, hubiéramos llegado al mismo sitio. Qué más da. Quizá tampoco habríamos sido felices. Aunque la Cibeles hubiera permanecido en tierra firme, puede que aquella Inmaculada Transición hubiera acabado igual: anegada bajo la corriente de otro canal como el de la Castellana, inalcanzable pero inalterada, cubierta de agua cenagosa, amputada, pero intacta en nuestros sueños, como los dos dedos de aquel albañil manchego, aunque tampoco hubiéramos llegado a verla nunca, como Parry no conoció los dedos cercenados que la acariciaban en sueños.

–¿Y si la hubiera? Otra vida, Charlie, quiero decir.

–Da lo mismo. La reduciríamos a nuestro tamaño. Es como ponerse la ropa de otro, acabas deformándola.

Me despedí de Clot en la acera y eché a andar hacia los muelles.

Por dentro del bolsillo apreté la invitación a esa boda que ya nunca tendría lugar.

Nunca volvería a ver a Laura Gamazo y recordé que la última vez que la vi fue en el 85, cuando murió su madre. Parecía la misma, pero como si estuviera disfrazada. Para entonces ya había vuelto a adelgazar, pero tenía el cuerpo dado de sí, como un jersey cómodo o la cintura de un pantalón de pijama. Desbocado el cuello, de tanto sacar y meter la cabeza, descosidas las mejillas, floja la goma elástica, desplomados los pechos: todo en ella era ya un cuerpo de andar por casa.

Había envejecido igual que sus emociones, también dadas de sí. Su entusiasmo estaba tan caído como sus tristes tetas y su egoísmo tenía la misma inflamación que sus tobillos, el mismo color violáceo. Puede que tuviera más celulitis en el alma que en los muslos, más michelines en el corazón que en la cintura, más estrías en la memoria que en el vientre. Ese día me saludó con frialdad y se fue del brazo de Francisco Javier Cachón. Mi Laura, nuestra Laura, aquella Laura, la niña a la que nunca le conté un cuento inventado por mí, como me había pedido de pequeña. Ni siquiera el de la niña perdida y el hombre de ceniza.

Dejé atrás el Muñiz y me alejé del Canal, para intentar llegar a Puerto Atocha dando un rodeo, sin cruzarme con la euforia nacional, oé, oé, oé. Tampoco podría volver a darle la moneda que ella me devolvió. Sólo estuvo en su poder unas semanas.

Fue también en Moratilla, Laura aún tenía doce años y estaba furiosa, con los ojos empapados de lágrimas.

Me insultó, me acusó de haber destruido su vida, me juró que nunca se casaría.

Tiró la moneda al suelo y dio media vuelta. La vi alejarse y vi la huella de sus grandes pies sobre la arena. Iba descalza por el camino de tierra, entre arbustos con flores amarillas, en línea recta hacia el río, donde latía el horizonte rojizo del atardecer.

Entonces me pareció que olía a tomillo temprano. Una luz nebulosa y húmeda la envolvía cuando se acercó a la ribera y se lavó las manos en el agua fría del Tajuña.

Tuve que agacharme a recoger la moneda del suelo y vi de cerca las huellas de sus pisadas, grandes y cóncavas como tumbas vacías.

Que Dios me perdone, pero mi única preocupación entonces fue que no dijera nada, que no le revelara a su padre, mi amigo Perico, nuestro secreto.

Acababa de decirle que no quería volver a verla y que lo que había pasado entre nosotros había sido un error, un producto de su fantasía.

Tenía que cortar en seco. ¿Qué iba a hacer? Entre ella y yo no había ninguna «presencia real», sólo un vacío, la repentina ausencia de suelo bajo los cuerpos desnudos y el rencor hacia su padre, que era en realidad lo único que compartíamos.

–Olvidemos todo, aunque la verdad es que no ha ocurrido nada.

–Mientes –me dijo.

Tenía doce años, pero no era imbécil.

–Te equivocas. No sigas por ese camino, Laura. Nadie te creerá y al final te meterán en un manicomio. Te inventas cosas para llamar la atención, tienes problemas.

Era una amenaza y así lo entendió ella. No, no era imbécil. Nunca dijo una sola palabra a nadie. Me había reservado un castigo peor: se maltrató a sí misma. Dejó de comer y, más tarde, lo contrario: se puso a engordar de forma desesperada. La niña alegre y delgada se convirtió en una joven solitaria, taciturna y obesa, aunque en el 85 ya había vuelto a adelgazar y caminaba del brazo de Francisco Javier Cachón.

No había querido ver el cuerpo muerto de Laura, pero no podía apartar los ojos de la mujer inmóvil en la proa del galeón, maltratada por el oleaje, de pechos desnudos y pupilas de piedra negra. El *Questio*, escorado a babor, se balanceaba como un péndulo. Vibraban las jarcias y el viento hacía chirriar los obenques con gritos rebeldes, aullidos sumisos, sollozos resignados. A menudo creía oír el chillido de un pájaro, pero nunca las carcajadas de aquellas dos mujeres que tiraban los dados sobre la cubierta.

La vox populi decía que quien las oía reírse perdía el deseo de volver a casa.

Permanecí inmóvil, como si nada esperara, ni siquiera una señal, una visita, la oscuridad profunda o que empezara algo. No hacía más que mirar el buque y sentía una impaciencia imprecisa, como al leer un soneto en el que la rima consonante hace previsible el último verso. Parecía que fuera a ocurrir algo inevitable, pero en realidad sin importancia, y que, con sólo poner un poco más de atención, lo que aún estaba formándose aparecería. O quizá no, quizá se había aplazado todo de nuevo, una vez más, como partículas de polvo en suspensión o un tembloroso horizonte a nuestras espaldas.

Acababa de empezar el recreo de las once. Estaba en el comedor, en la cola para el zumo, cuando oyó el ruido inconfundible. Se puso a tiritar, quizá le subió la fiebre de repente, y echó a correr hacia el patio.

Había habido señales durante toda la mañana. Cuando se despertó, vio por la ventana la acera mojada. En el alféizar había un pájaro gris que echó a volar hacia levante, en dirección a García Morato. En la esquina de la calle ardía una borraja humeante con una llama pálida y azulada. El viento la empujaba sobre los charcos, hacia poniente, en dirección al mercado de Olavide. Lluvia nocturna, vuelo repentino en diagonal y fuego imprevisto y perdurable: algo iba a suceder, algo intentaba manifestarse, emergía del légamo, del oscuro fondo de la vida, intentando romper la cáscara de la realidad visible y cotidiana.

En el cambio de clase, de nueve a diez, los profesores parecían nerviosos, en el aire había una vibración intimidatoria y, al salir al recreo, en la cola del zumo, vio por primera (y última) vez en su vida a Francisco Javier Cachón titubear, indeciso, quizá porque Visiedo se había colado.

En cuanto alcanzó el patio, a cielo abierto, jadeante, se hincó de rodillas sobre la arena. La voz no le llegaba a la garganta, apenas un hilo, y gemía como un animal moribundo, hasta que su propia voz le subió de golpe igual que se vierte el agua de un cubo volcado, y gritó con todas sus fuerzas:

–Gracias, Señor, gracias.

Apenas podía hablar. El helicóptero se acercaba a su colegio. El Señor de Tulipán había escuchado sus súplicas y descendería sobre él, su humilde siervo, José Ignacio Gamazo, entre todos los chicos en edad escolar, para cambiar su bocadillo por otro, su corazón por otro, su vida entera por otra que valiera la pena.

El Señor de Tulipán iba a absolverle o a fortalecer su esqueleto para que soportara vivir bajo el peso de la culpa.

Al verle salir corriendo sin el zumo, Monsieur Dupont había salido detrás. Ahora venía hacía él tocando el silbato con toda la potencia de sus rotundos pulmones de profesor de gimnasia.

El helicóptero se detuvo y dio media vuelta.

Nacho lo comprendió: la presencia de Dupont le impedía aterrizar. El Señor de Tulipán no se dignaba a mantener contactos con el claustro del Liceo.

–Al menos, envíame una señal –pidió en un susurro.

La nave giró en redondo, volvió a sobrevolar el patio y a Nacho arrodillado, se detuvo, suspendida en el aire, y el chaval vio con claridad un reflejo en la ventanilla.

Luego emprendió el vuelo ganando altura a gran velocidad.

Suficiente para Nacho. El Señor de Tulipán le había reconocido y le había aceptado, ya era uno de los suyos: acababa de recibir una señal.

Nacho comprendió que para él era el comienzo de una nueva forma de vida (que acaso ni siquiera estuviera basada en el carbono).

Dupont le llevó al jefe de Estudios, Monsieur García, que le castigó a quedarse de cinco a seis, en la hora de estudio, y a volver a casa en el segundo recorrido de la ruta.

Durante el siguiente recreo, sin embargo, llegó su madre en un taxi a buscarle. Fue la primera, pero no la única: a la puerta del colegio empezaban a agolparse padres y madres para recoger a sus hijos. ¿Qué había pasado? ¿Habían adelantado las vacaciones de Navidad? ¿Había estallado una guerra? ¿Se había declarado en el Liceo Francés una epidemia?

–¡Señor, ten piedad de España! –le oyó decir al padre de Cachón con la misma firmeza que había transmitido a su hijo.

–Falta nos hace –confirmó Monsieur García.

–Volvemos al 36 –reveló el señor Cachón–. Como Calvo Sotelo, el protomártir.

Los profesores asintieron con gesto grave y mirando al suelo, como si dijeran amén en voz baja. Nacho se preguntaba qué significaría protomártir. Debía de ser profesión u oficio, aunque a él le sonaba a herramienta, como una radial o la llave inglesa: ¡Manolo, alcánzame el protomártir! Si de verdad era una profesión posible y hasta respetable, le parecía tan tentadora como la de sonámbulo.

Nacho se enteró en el taxi: habían matado al presidente del Gobierno.

Ahora lo entendía todo y el sentido de la señal divina se hizo manifiesto. Su Señor podía más que ningún otro. Primero la abuela. Ahora el mismísimo presidente. ¿Quién sería el próximo?

Saltaba a la vista que el Señor de Tulipán no había venido a traer la paz, sino la espada.

El padre de Cachón, como su propio hijo, había expresado una vez más el sentir de todos: volvían al 36 y por eso la madre de Nacho estaba haciendo acopio de legumbres y latas de sardinas, kilos de arroz y de lentejas, y sobre todo un inmenso saco lleno de alubias. Rosario informó de que en el barrio se habían acabado el aceite y el azúcar.

No pasó nada. O pasó lo que estaba previsto, pues para eso había estado Kissinger el día anterior en Madrid.

El proceso 1001, que se iniciaba ese mismo día, tuvo que interrumpirse durante unas horas y el magnicidio pesó en la sentencia ejemplar: 162 años de cárcel para los Diez de Carabanchel, la cúpula de Comisiones Obreras.

En el balcón de mi casa, en Maldonado, se rompió un cristal. Bajé de inmediato a la calle y lo primero que vi fue el socavón. Tendría unos ocho metros de diámetro y cuatro de profundidad, y tal vez sus dimensiones no resulten estremecedoras, pero visto allí, aparecido de repente en la estrecha calle Claudio Coello, tan familiar para nosotros, nos pareció a todos una sima sobrecogedora, de la que no podíamos apartar los ojos.

Y allí estaba ella, Rosario, la chacha de los Gamazo, inmóvil, rígida, contemplando el cráter imantado con la boca abierta y los ojos vidriosos, subyugada por la atracción del abismo.

En aquel momento creíamos que había estallado una tubería de gas y se temía que pudiera haber nuevas explosiones, pero a aquella chica costaba apartarla del socavón, se había quedado como hipnotizada o sonámbula.

Yo reconocí un coche de respeto estrellado contra una de las paredes traseras de la iglesia y, como sabía que el Almirante comulgaba a diario en los Jesuitas de Serrano, frente a la embajada estadounidense, me temí lo peor: su ascensión al cielo, recién comulgado y en su propio Dodge 3700 GT, al que el pueblo llano insistió en confundir con el Dodge Dart, un modelo muy anterior.

Antes de ir a casa de los Gamazo, Rosario tenía que recoger un encargo en una tienda de Maldonado, propiedad, por cierto, de la marquesa de Puebla de Rocamora. Llegó sin el vestido, pero con la escalofriante noticia, y quizá por eso Mariví fue la primera madre que apareció en el Liceo a buscar a sus hijos, en cuanto se confirmó que se trataba de un atentado.

Cuando la policía acordonó la zona, me identifiqué, pero mi nombre no le decía nada al agente, así que no pude pasar. Me sorprendió que no supieran con quién estaban hablando, pero siempre son demasiado jóvenes.

Tuve sin embargo la suerte de toparme con el conde de los Andes, buen amigo de mi padre, que siempre le llamaba Paco Eliseda.

Gordo, empaquetado y rimbombante, don Francisco Moreno y Herrera, conde de los Andes, marqués de la Eliseda, falangista, terrateniente jerezano y colaborador de *Abc* (fino estilista), era un hombre del tiempo de los sucedáneos, cuando al café de verdad, para distinguirlo, había que llamarlo café-café: Paco Andes sabía casi igual que un auténtico Agustín de Foxá, conde de Foxá, pero sin ser Foxá-Foxá.

Nos fundimos en un abrazo: me dijo que venía «descompuesto».

–Vengo descompuesto, chico –así me dijo.

Acababa de llegar de la terraza interior en la que había aterrizado el coche del Almirante. Me aseguró que aquello era «un retortijo de hierros». Me reveló que se acababa de ir López Bravo, «desencajado y consternado»: la explosión le sorprendió comulgando y había tenido que ayudar con sus propias manos a sacar los cuerpos del coche.

–¿Murió ipso facto?

–Se lo han llevado todavía vivo –me informó Paco Andes–. Pero con la extremaunción ya administrada.

Andes me contó que el padre Gómez-Acebo estaba en su celda y desde la ventana vio pasar el Dodge «volando como un bólido por los aires». Carrero Blanco tenía el rostro amoratado y por los oídos le corrían hilos de sangre. El páter le acercó un crucifijo a los yertos labios empapados de sangre y, poniéndole la mano en la frente, invocó a la tres Divinas Personas para que se extinguiera todo el poder del diablo sobre el Almirante (si alguno tenía ya, pues hacía mucho que su inminente viuda, la señora Pichot, no tenía motivo de queja sobre el particular). *Extinguator in te omnis virtus diaboli.* No había tiempo para ungir los ojos, orejas, narices, boca, manos y pies (en el caso de que los hubiera encontrado en su sitio), así que abrevió con la fórmula sinóptica de emergencia: *Per istam sanctam unctionem indulgeat tibi Dominus quidquid deliquisti. Amen.* Que el señor te perdone cualquier pecado que hayas cometido. Stop.

Al Almirante se lo llevaron al Francisco Franco, donde falleció confesado, comulgado y ungido: absuelto de todos sus pecados.

Todo estaba perdonado.

Así se desencadenó la célebre, la admirable, la Inmaculada Transición.

Comenzó en el despacho oval de la Casa Blanca, recorrió su camino a través de la II Restauración borbónica y un golpe de Estado de opereta, y se clausuró con la firma del Tratado de Adhesión.

–¿Se sabe ya en El Pardo? –pregunté alarmado.

–Me acaban de confirmar que sí. El Caudillo está muy afectado, imagínate. Al parecer sólo ha hecho un comentario: «No hay mal que por bien no venga».

–Muy profundo. Qué temple tiene. Qué agudeza.

–Shakespeariano, chico. Ve muy lejos Su Excelencia: cuando

nosotros vamos, él vuelve. En fin, estoy molido –se despidió el fundador de la Cofradía de la Buena Mesa.

De nuevo Andes y yo nos fundimos en otro abrazo, al pie del socavón, del que ya rebosaba un agua cenagosa y pestilente: debía de filtrarse desde las profundidades de la historia nacional, de las alcantarillas o de las cloacas del Estado.

Acababa de empezar la cuenta atrás. A sus marcas: tres, dos, uno.

Dos años después, tras 56 partes médicos y 116 comunicados de las Casas Civil y Militar, y tras las sangrientas heces en forma de melena, el soldado invicto, el César Visionario, el Generalísimo Franco, murió inconsciente, pero absuelto de todos sus pecados.

Entonces comenzaron las *Lemuria* de la Santa Transición. Esa noche, en el hogar de Perico como en todos los demás, con las alubias acopiadas el día de la levitación de Carrero, los padres de familia, descalzos en la oscuridad, volviendo la espalda a los fantasmas del franquismo, repitieron:

–Por estas habas me rescato yo y los míos. ¡Sombras de mis antepasados, marchaos!

Y se purificaron las manos en el caldero de bronce de la democracia de toda la vida. Los Gamazo, el propio Adolfo Suárez, Juan Luis Cebrián, Martín Villa, Samaranch y todos los demás se apresuraron a ocupar su sitio, sin volver la cabeza hasta que los lémures del pasado desaparecieron, ocultos en las copas de los árboles, benévolos y tutelares.

El propósito de la enmienda

Io tenni li piedi in quella parte de la vita di là da la quale non si puote ire più per intendimento di ritornare.

Yo tenía los pies en esa parte de la vida más allá de la cual ya no se puede ir con intención de volver.

Dante, *Vita nuova*

A finales de 1983 ya no estaba *nel mezzo del cammin*, sino más bien del otro lado, cuesta abajo, en la misma *selva oscura* donde *la diritta via era smarrita*. No veía la forma de dejar de ser un empleado de Perico Gamazo, por mucho que, sobre el papel, hubiera abandonado hacía más de diez años la Guardia Civil, en comisión de servicios, para trabajar en el ministerio.

En la vida, como en el póquer, sólo te puedes descartar una vez y tiene que ser antes de los cuarenta años. Luego hay que aprender a jugar sin cartas: de farol.

O quizá hay que intentar hacer trampas.

Fue en 1971 cuando Perico Gamazo me sirvió una mano ganadora: consiguió que me incorporara al Servicio de Inteligencia del Almirante. Estábamos entonces en Castellana 3, en Presidencia, y nuestro nombre era Servicio Central de Documentación, el SECED. Allí mandaba el teniente coronel José Ignacio San Martín. Ejercíamos vigilancia sobre los militares con cargos políticos, los sindicalistas y la universidad. También intentamos, con más o menos éxito, infiltrarnos en Exteriores (López Bravo luchó a brazo partido por impedirlo, faltaría más) y en la Guardia Civil.

En el fondo, nuestro verdadero cometido era, por una parte, encauzar la transición del Régimen (una vez que se produjera el «hecho biológico») y, por otra, la lucha contra el terrorismo. Con vistas a lo primero creamos el archivo JANO, con toda la información sobre unas ocho mil personas que pensábamos que podían ser de utilidad en el futuro, después de Franco. La operación PROMESA consistió en establecer contacto con algunas de ellas y, en su caso, impulsarlas. Otras operaciones fueron ALBORADA y LUCERO, con el objetivo de garantizar la II Restauración borbónica.

Con respecto al terrorismo, nuestra principal estrategia fue la infiltración, lo que los comunistas habrían llamado el «entrismo».

Hicimos bien nuestro trabajo y me fui en el 80: Gamazo me necesitaba en el Ministerio de Sanidad (empezaba entonces su visionario proyecto con el Vaticano) y también necesitaba alguien que sustituyera al célebre Castresana, el hijo del pueblo, que había fallecido a bordo de aquel 1500 que cayó a plomo, como una roca, contra el lecho del Cares.

Allí habían encontrado los cuatro la muerte: mi padre, el papá de Perico, don José Montovio y Clemente Castresana.

Cuando se logró la II Restauración, sufrí la conocida «paradoja del Servicio» o «servidumbre del catalizador»: es nuestro esfuerzo el que ayuda a transformar la realidad, pero una vez que esta ha cambiado, todo nos resulta extraño y ya no encontramos nuestro sitio. El ejemplo clásico y más visible fue, poco después, la caída del muro de Berlín: todo el mundo recibió con satisfacción el fin de la Guerra Fría... salvo los agentes que lo hicieron posible y que, cuando se hizo realidad, se encontraron de pronto fuera de lugar (y a menudo sin empleo). No lo sé, quizá le suceda lo mismo a todo aquel que desencadena un cambio, el héroe de la revolución, el que se divorcia o el que por fin consigue dejar de beber. No lo sé, quizá nace de ahí la melancolía, inseparable del hecho de vivir cualquier vida y lograr cualquier cosa. Así ye la mina, y el mar.

Tras el golpe del 23-F gobernaban los socialistas que habían abjurado del marxismo, el Canal Castellana estaba recién inaugurado, ya no quedaba casi petróleo y el paisaje de nuestra juventud y nuestras esperanzas ya estaban bajo el agua. En junio del 84 habría Eurocopa y referéndum para la Adhesión. Creíamos que podíamos hacer doblete y ganar las dos grandes citas internacionales. Oé. Oé. Oé.

Todo empezó en diciembre del 83, cuando estuvimos a punto de quedarnos fuera del campeonato en la fase eliminatoria.

En el partido decisivo nos enfrentamos a Malta, el 21 de diciembre, y necesitábamos, no sólo ganar, sino ganar con una diferencia de 11 goles.

Parecía fuera de nuestro alcance: incluso la Holanda de Gullitt sólo había conseguido ganar a Malta 5-0. Se necesitaba una auténtica machada.

En otras palabras: la especialidad nacional. Aquí nadie tiene suelto, sólo llevamos billetes grandes.

Todo el mundo está dispuesto a sentir una pasión gigantesca, pero nunca a mostrar la más mínima amabilidad. Tenemos los bolsillos repletos de sacrificios heroicos, aunque jamás aceptamos sufrir pequeñas incomodidades. Si hay una operación quirúrgica, nos pasamos noches en el hospital, pero no hay nadie disponible para cuidar a quien sólo sufre un catarro. Ante una tragedia, todos firmamos un cheque en blanco para cubrir los gastos y, sin embargo, nadie encuentra calderilla para hacer frente a las molestias diarias. Nos sobran billetes para entregar la vida entera por amor y ni una sola moneda para acompañar a la persona amada al súper.

Nunca llevamos suelto, sólo esos billetes que se pueden exhibir sin peligro de que alguien tenga cambio: siempre acaba pagando otro.

Que no nos pidan esfuerzos demasiado pequeños, estamos hechos sólo para las grandes ocasiones, fabricados a una escala incompatible con la vida cotidiana, con los dolores sin importancia, con el amor de muchos días y de tantas tardes de domingo lluvioso.

Y de nada valen nuestras buenas intenciones: la vida nunca tiene cambio.

Salimos a por todas al terreno de juego, en el Benito Villamarín, como un toro al abrirse la puerta de toriles. Por una vez, el árbitro estaba de nuestra parte: ya en el minuto 2 pitó un penalti conjetural, que Señor estrelló contra el palo. Cada vez que los de Malta se acercaban, les atajábamos con una falta que siempre pillaba al árbitro mirando al tendido. Los fueras de juego de Rincón también se negaba a verlos, como si fueran la sangre de Ignacio Sánchez Mejías sobre la arena: Que no. Que no quiero verla. No me la enseñéis, que no quiero verla. ¿Esa falta en el área? No. Que no. No me la señaléis. Que no quiero verla.

Camacho y Gordillo estuvieron por la izquierda mejor que Señor y Víctor por la derecha. Aun así, el balón no entraba. No le daba la gana, por lo que fuera, o quizá obedecía instrucciones secretas de nuestro destino adverso, de un maleficio o de esa fatalidad que es toda patria. Y toda familia.

Al poco tiempo se jugaba a estilo patio de colegio, con diez delanteros españoles en el área de Malta en cada ataque. Santillana se convirtió en el hombre de verdad, el ariete providencial del poema de Kipling: supo mantenerse firme cuando todos a su alrededor perdían la cabeza.

Marcó tres goles en la primera parte, pero los malteses nos encajaron uno. Estábamos perdidos: había que meter nueve goles en cuarenta y cinco minutos.

O César o nada: a la española. Por fin había llegado una ocasión del tamaño de nuestro billete grande.

Salimos con un poco más de orden y los de Malta se echaron a temblar: se vinieron abajo.

A Bonello le llovían balones por delante y proyectiles por detrás: naranjas, pan y alguna botella de cerveza. De acuerdo, quizá no dimos una muestra de civismo, pero en ese momento lo que hacía falta eran testículos, y no buenos modales; gónadas, en lugar de cortesía.

Así lo conseguimos: nueve goles en la segunda parte, uno cada cuatro minutos. Hay quien dice que el partido estaba comprado. Así es la vox populi.

Fue apoteósico. Miguel Muñoz y Porta se abrazaron con lágrimas en el vestuario. Íbamos a jugar otra Eurocopa, otra oportunidad de que España se encontrara por fin a sí misma.

Al día siguiente me llamó Perico Gamazo.

Fue entonces cuando supe que Nacho estaba más allá de nuestro alcance.

El chico se había ido de casa a finales del 77, pero en una mochila que había traído un día, su padre había encontrado propaganda subversiva. Entre otras cosas había una bandera republicana con una estrella roja, parecida a la bandera yugoslava.

Gamazo se enteró de que la utilizaba el PCE(r) y también su brazo armado: el GRAPO.

¿En qué se estaba metiendo ese muchacho? Y sobre todo, ¿por qué?

En los sesenta una pandilla de chiflados decidió que el PCE y la propia Unión Soviética se habían entregado al revisionismo. Fundaron un partido de extrema izquierda que, en 1975, dio origen al Partido Comunista de España reconstituido, el PCE(r), que a su vez consideró imprescindible contar con una «sección técnica», los Grupos de Resistencia Antifascistas Primero de Octubre, el GRAPO.

Al parecer, el objetivo de estos animosos muchachos era instaurar una república maoísta en España, desde Langreo a Huelva, con sus estados federados y todo, con camisas sin cuello, bicicletas, Libro Rojo, periódicos murales y un Gran Timonel local, alguien como Pío Moa, por ejemplo.

Para conseguir ese propósito tan sensato les parecía imprescindible asesinar a guardias civiles. En 1976 secuestraron a Oriol y en 1977 a Villaescusa. En el 78 se cargaron al director de Instituciones Penitenciarias y en el 79 pusieron una bomba en la cafetería California 47: ocho muertos y cuarenta heridos. En resumen, unos angelitos.

Lo más sorprendente es que, a finales del 83, acababan de declarar una tregua, tras la convocatoria del referéndum.

¿Qué hacía entonces el mayor de los Gamazo metido en una banda terrorista que estaba en tregua?

Le aconsejé a Perico Gamazo que lo denunciara a la policía, ahora que todavía estaba a tiempo. No le pasaría nada demasiado grave y el problema quedaría cortado de raíz.

Perico Gamazo se negó. Un hijo suyo no podía ser subversivo: su imperio de envasado se hundiría y el acuerdo en marcha con el Vaticano jamás se firmaría.

No sabe cuánto se lo agradecí: me regaló la ocasión para dejar que nuestra relación empezara a enfriarse sin levantar sospechas.

Sin embargo, tendría que haberme hecho caso: unos meses después, cuando Nacho desapareció, sólo volvimos a verle muerto.

Fue en junio del 84, poco antes de la final de la Eurocopa y del referéndum.

Le aconsejé que dejara el caso en manos de Carlos Clot, que estaba atravesando una de sus malas rachas: volaba bajito cuando fuimos a visitarle Mariví y yo.

Al final tuve que intervenir, no sólo en la vida de Laura, sino también en la de Nacho. A veces pienso que actué en los dos casos por el mismo motivo.

–Todo está perdonado. Ese es el único mensaje. Dígaselo usted.

–Así lo haré, en cuanto lo encuentre.

–Si es que le encuentra –apostillé.

Me había presentado como «portavoz de la familia». Luego me senté con la espalda muy recta y ademán reticente, como si apenas estuviera interesado en la conversación. Había dejado hablar a la madre, doña Mariví, que llevaba un traje sastre de Dior y que le había enseñado al detective el anuncio por palabras que los periódicos llevaban diez días publicando, desde el 8 de junio de 1984: VUELVE A CASA, NACHO. TODO ESTÁ PERDONADO. TE QUEREMOS.

–No se preocupe, le encontraré.

–Damos por hecho que, en cualquier caso, siempre nos avisará a nosotros en primer lugar –le indiqué a Clot.

Cómo no, para eso le pagaban. Al fin y al cabo, la policía era gratis. Si encontraba al chaval robando en un supermercado, vendiendo droga en un parvulario o apuñalando sordomudos con un destornillador, ¿cómo se le iba a ocurrir avisar a las autoridades? Me llamaría de inmediato, ¿qué otra cosa iba a hacer? Al fin y al cabo, ahora Clot también se iba a convertir en empleado (temporal) de la familia. Los trapos sucios se lavan en casa, todos los muchachos cometen alguna travesura: Charlie Clot conocía su oficio.

Aun así, tenía que hacer la pregunta:

–¿Han denunciado la desaparición?

–Por supuesto, pero no creemos que estén haciendo todo lo posible.

Clot estaba convencido de que no estarían haciendo nada en absoluto: el «pequeño Nacho» era mayor de edad. A decir verdad, ni siquiera se había ido de casa, puesto que se había independizado en 1977.

—¡Lo que estará pasando el chico! —suspiró la madre.

—Nacho es valiente —la tranquilicé.

—A saber cómo nos vuelve.

—Si es que vuelve —apostilló esta vez Clot.

Clot nos aseguró que, puesto que era mayor de edad, no podía obligar a nada al chico. Si le llevaba de vuelta en contra de su voluntad, cometería un delito de secuestro.

—A su debido tiempo decidiremos la línea de actuación más conveniente. —No me costó ningún esfuerzo entender el mensaje de Clot: los honorarios por llevar al chico a casa de una oreja serían más elevados que los que cobraba por localizarlo y avisar a la familia antes que a la policía.

—Usted sólo tendrá que decírselo —insistió la madre—. Dígale que todo está perdonado. ¿Dónde iba a estar mejor que con su familia?

En cualquier otra parte, lo más lejos posible: quizá se le ocurrió a Clot la misma respuesta que a mí.

—Voy a necesitar saber muchas cosas sobre su hijo —fue en cambio lo que dijo.

—¿Tiene usted hijos, señor Clot?

—No por el momento —mintió el detective.

—Entonces usted no puede comprenderme.

—Lo intentaré. ¿En qué andaba su hijo? ¿Drogas? ¿Política?

—Mi hijo ni siquiera fuma —se escandalizó la señora—. Nunca se ha metido en política, pero es un idealista: es capaz de intentar tomar el cielo por asalto.

La primera vez que oí esa expresión fue en mi niñez, en Mieres, cuando mi madre contaba historias de la revolución del 34 y de aquellos mineros locos que se habían propuesto salir de debajo de la tierra y tomar *el cielu por asaltu*, a fuerza de barrenos, a golpes de pico o a puñetazo limpio si hacía falta. Quemaron iglesias y asesinaron sacerdotes, cuyos cadáveres dejaban al aire libre con un cartel que decía: «Se vende carne de cerdo».

Algunos preguntaban el precio entre risotadas: siempre les parecía demasiado caro.

Para ellos, debió de ser algo espectacular, embriagador, vertiginoso, como si por fin Dios hubiera muerto, lo cual tiene sentido: para invadir el cielo, es necesario liquidar primero a su propietario.

No lo consiguieron, pero resistieron catorce días y debieron de disfrutar como enanos, aunque en proporción al castigo que luego se les vino encima. Avanzaron desde Mieres hasta Oviedo a base de dinamita, pero esta vez del mar no les llegó la legendaria compasión del marinero: la caída de Gijón y Avilés permitió desembarcar a la Legión Extranjera y a los Regulares que Franco había traído desde Marruecos.

> Probe de aquel mineru,
> que muere siempre solu,
> en la oscuridad.

Tras dos semanas de Comuna, todo acabó en ataúdes y cárceles, como de costumbre.

A mí, de aquella, los mineros locos me parecían alienígenas, criaturas procedentes del espacio interior, personajes de novela de Julio Verne, con un faro en la frente y la cara tiznada de negro, invasores de otro planeta que actuaban como las termitas, bajo la corteza terrestre, abriendo túneles y galerías, hasta que un buen día, de pronto, cuando menos te lo esperas, salían de debajo del suelo y aparecían en la bocamina, armados con herramientas de trabajo y decididos por fin a tomar el cielo por asalto.

El 12 de abril de 1871 Karl Marx le escribió desde Londres a Ludwig Kugelmann acerca de la Comuna de París. Hablaba del valor de los obreros armados: «¡La historia no conocía hasta ahora semejante ejemplo de heroísmo! Si son vencidos, la culpa será exclusivamente de su "buen corazón"». Y le parece intolerable «que se compare a estos parisienses, dispuestos a tomar el cielo por asalto, con los siervos del cielo del Sacro Imperio Romano-Germánico prusiano».

Esa fue la segunda vez que oí la expresión y recordé a los mineros de mi tierra.

Nacho Gamazo jamás llegó a tomar el cielo por asalto y además aquel fue uno de los casos que Carlos Clot nunca consiguió resolver, aunque me temo que llegó a darse cuenta de la verdad.

Por mi parte, cuando me llamó Perico Gamazo en diciembre del 83, conseguí localizar el piso que la banda tenía en la calle Lérida, cerca de Cuatro Caminos. O quizá sólo fuera el piso que compartían los dos, Nacho y Rosario, su nidito de amor, su cachito de cielo.

Logré que sólo detuvieran a la chica, como me pidió Perico: él estaba convencido de que eso bastaría para asustar a su hijo y, en cualquier caso, ya no podrían llevar a cabo ninguna acción con éxito.

Se equivocó. Nacho siguió adelante con el disparatado plan y su propio padre tuvo que sacrificarlo.

Charlie Clot llegó demasiado tarde.

Todos los matrimonios viven en el destierro, sin poder regresar a esa patria perdida donde fueron tan felices: antes de que naciera el pequeño, cuando ella era buena, el año que vivimos en Núñez de Balboa, antes de que te hicieran consejero delegado. Cada vez que se detienen un instante y miran alrededor, y se miran a sí mismos, y ven cómo viven ahora, se preguntan qué ha pasado. ¿Qué nos ha pasado? ¿Por qué no puede volver todo a ser como antes? ¿Por qué ya no nos reímos juntos? ¡Éramos tan felices!

Ya no pueden volver atrás y cada día recuerdan con menos precisión el paisaje perdido. ¿Cómo era, Dios mío, cómo era? ¿No había unos árboles al fondo? ¿Adónde daba aquella ventana rota por la que entraba el viento? ¿Dónde se guardaba la llave de la puerta de abajo?

Los Gamazo-Montovio situaban su patria verdadera, the Old Country, antes de que José Ignacio empezara a «dar problemas». Sí, pero ¿cuándo empezó a portarse mal? ¿En qué momento se equivocaron ellos? ¿Cuando Nacho encendió una hoguera en su cama? Y si aquel verano le hubieran metido interno, ¿todo habría sido distinto? ¿Se quedó el niño traumatizado al ver morir a la abuela Carlota? ¿Sucedió algo irreparable aquella noche que desapareció, con catorce años? ¿La causa fue el malévolo aunque pequeño Olmos? ¿El problema viene de cuando intentó abusar de la chacha? ¿O quizá fue ella la que le traumatizó, como pensaba Castresana? ¿O tuvieron la culpa después las malas compañías, cuando le dio por meterse en política?

Perico y Mariví se miraban el uno al otro, incapaces de señalar cuándo empezó todo. Ambos habían aceptado ya que no tenía remedio: no podían hacer más por él. Habían llegado a ese punto en el que los desterrados saben que ya no queda patria a la que volver, porque si pudieran regresar, no encontrarían lo que tanto echan de menos. Donde estuvo su casa habrá una sucursal bancaria, no reconocerán las calles ni tampoco las aceras, los amigos sólo serán fantasmas, sombras sin voz, habrán muerto, se habrán ido a otra ciudad o habrán cambiado de costumbres.

Le echaban la culpa a algo diferente cada vez: la fatalidad, un trastorno mental, las drogas, la sociedad de consumo, Rosario Valverde, el comunismo internacional, el destino y así sucesivamente, y al final, siempre, aunque en silencio, el uno al otro.

Agotados, decidieron recurrir a la fuerza, a Carlos Clot y a mí, no sin antes repetir lo que siempre dice el que intenta evitar que le hagan reproches: que ellos ya habían hecho todo lo que habían podido, más de «lo humanamente posible».

–He llamado a Menéndez –anunció Perico.

–Dios mío... ¿Era inevitable? –preguntó Mariví, aliviada al endosar a un tercero la responsabilidad.

–Los dos sabemos que sí –la tranquilizó su marido.

Nacho llevaba en paradero desconocido más de diez días. La policía no sabía nada y tampoco hacía un denodado esfuerzo por encontrarle: era mayor de edad y se había independizado, esa era la única explicación que les daban.

Se acercaba, además, el Gran Momento Histórico. Los españoles, tantas veces ingratos, levantiscos, incapaces de no morder la mano que nos da de comer, teníamos por fin la ocasión de rectificar, la oportunidad de corregir nuestros errores del pasado y así poder «continuar la historia de España», como quería Cánovas.

Estaba a punto de celebrarse la consulta popular. Los socialistas, que se habían opuesto («de entrada no»), acababan de quitarse la careta y no tenían más empeño que firmar el Tratado de Adhesión.

Sin embargo, cuando se acabó el petróleo, muchos españoles, quizá frustrados al verse convertidos en peatones, se hicieron de extrema izquierda.

Nacho fue uno de ellos, tras el golpe del 23-F y la misión de paz norteamericana, que no sólo pretendía consolidar la democracia, sino también llevar a cabo las obras del Canal Castellana y la nueva red de comunicaciones fluviales (que resucitó el agonizante imperio de transporte naviero de Montovio).

En aquel momento, en junio del 84, teníamos por fin en nuestra mano la capacidad de rectificar el rumbo de la historia.

–Hay que encontrarle –me exigió Perico.

Fui a ver a Carlos Clot con Mariví. Perico era ya demasiado importante y demasiado conocido para dejarse ver por el despacho de un pies planos y, además, estaba a punto de cerrar el acuerdo con el Vaticano de Juan Pablo II: era la oportunidad de su vida.

Cuando era fácil lo hicimos mal y sólo tuvo arreglo con la machada contra Malta. En cambio, cuando aparecieron las mayores dificultades nos crecimos. Somos así, nos venimos arriba ante los obstáculos. En cuartos no pudimos con lo que parecía más sencillo, Rumanía y Portugal, así que no teníamos más remedio que vencer a Alemania.

El invierno había sido duro, las aguas del Canal Castellana, recién inaugurado, se congelaron dos veces. Hubo desbordamientos que inundaron hasta la altura de Serrano, en la Rive Droite; y más arriba de Barquillo, en la Rive Gauche.

En primavera hacía un tiempo olvidadizo, el cielo tan dispuesto a llover como a escampar y el Canal que tan pronto saltaba el malecón del Prado como desaparecía en un estiaje imprevisto que dejaba ver ramas de acacias con guirnaldas de algas y coronas de liquen y, bajo el puente de Eduardo Dato, un áncora de cemento que los jóvenes ya no recordaban de cuando fue una escultura de un tal Chillida. Nadie tenía muy claro cómo vestirse: o ibas cargando a pleno sol con prendas de abrigo y el paraguas o tiritabas con una camiseta empapada, pisando charcos con las suelas de esparto. No se sabía a qué carta quedarse. Sentíamos miedo de nuestra propia esperanza, de nuestro deseo de romper por fin el maleficio de los cuartos de final.

Aquella Alemania no era la de Beckenbauer, pero creó presión durante todo el primer tiempo. En el minuto 44 nos hicieron un penalti, que tiró un lánguido Lobito Carrasco sin convicción, casi a las manos de Schumacher. Después del descanso, calma chicha. Si seguíamos empatados, nos clasificábamos los dos, Alemania y España; siempre que Portugal y Rumanía empataran sin goles, así es la aritmética del fútbol. Por lo tanto, en París estábamos tranquilos, porque Rumanía-Portugal seguía en Nantes 0 a 0.

A diez minutos del final llegó la noticia al banquillo español: los portugueses habían metido un gol. El empate ya no nos valía para llegar a semifinales.

Miguel Muñoz se puso de pie y comenzó a hacer señas desesperadas a los jugadores. No le entendían, todo lo contrario: creían que les recomendaba mantenerse en calma chica, que les decía que en Nantes seguían empatados a cero, que no arriesgaran. Muñoz se desgañitaba, se retorcía mechones de pelo y llegó a arrancarse varios botones de la camisa. Los españoles, como quien oye llover: retenían el balón, peloteaban, mareaban la perdiz, dispuestos a aguantar a cero hasta que el árbitro pitara el final del partido con un empate. Muñoz, apopléjico, iracundo y con la corbata sobre el pecho desnudo, se daba a sí mismo violentos puñetazos en los parietales. Cuando se dio por vencido, gritó a pleno pulmón:

–¡Señor, ten piedad de España!

Este equívoco con el apellido de Juan Antonio Señor deshizo el equívoco entre los jugadores y el míster. Sólo faltaban dos minutos cuando por fin Señor gritó desde la banda izquierda: ¡Banzai! ¡Kamikaze! ¡Sayonara!

Conjuró la tempestad que sólo pueden desatar los dioses: una estampida de diez españoles unidos, avanzando hacia la portería enemiga. Ya no había defensas ni centrocampistas, sólo patriotas que corrían sin mirar atrás, todos con el honor de España en sus botas y el bastón de mariscal en la mochila. La pierna derecha de Señor, la buena, colocó el esférico al alcance de la cabeza de Maceda, que le asestó un formidable testarazo: ¡Goooooool! ¡Gol de España, señores!

Fue el éxtasis. Señor se quitó la camiseta y se quedó allí, incapaz de abandonar el terreno de juego, como un sonámbulo, dando vueltas al campo, con la mirada perdida y sin articular palabra. El resto del equipo iba entrando en el vestuario gritando: ¡Viva España! Miguel Muñoz lloraba como una Magdalena, agitaba en el aire su camisa hecha jirones, y gritaba afónico: ¡Viva España, coño! Pablo Porta declaró que había sido «un triunfo de la fe sobre la inteligencia». Santillana afirmó que él ya lo tenía previsto y que así se lo había dicho a todos los compañeros antes de saltar al campo: Vamos a ganar, acordaos de lo que os digo. Camacho, por su parte, propuso que alguien compusiera un soneto en alabanza de «esa prodigiosa cabeza de Maceda». Felipe González felicitó al equipo, recomendó sosiego y esperanza, y vaticinó la victoria. Alfonso Guerra fue más contundente: «A España no la va a conocer ni la madre que la parió: nos comeremos Europa por goleada».

Maceda, el héroe, lo explicó *a divinis*, como un humilde pastor retransmitiendo una aparición mariana: «El envío de Señor me llegó diáfano. Vi el balón en la red antes de meter la cabeza».

Lobito Carrasco, el desventurado que falló el penalti, recibió de sus compañeros esas palabras de consuelo que tanto agravian.

Había una novela que se titulaba *El miedo del portero al penalti*. Un título bonito, pero más falso que un duro de madera: el que de verdad tiene miedo es el que lo lanza. Lo raro, lo excepcional es parar un penalti, así que el portero siempre queda libre de culpa.

El que de verdad siente miedo es el lanzador.

Cada familia tiene su propio axioma, un punto inconcuso, ese nudo tan bien apretado que ninguno lo puede desatar y les mantiene a todos unidos. El dogma de fe de los Gamazo-Montovio era el talento de José Ignacio. Tenía talento, mucho talento, desde que nació. Como eso nadie lo discutía, tampoco hacía falta demostrarlo: saltaba a la vista. Todas las esperanzas y complacencias familiares estaban puestas en el talento de Nacho.

A los cinco años, cuando le preguntaron qué quería ser de mayor, respondió:

–Sonámbulo.

¿No era una muestra de talento?

Luego quiso ser protomártir y telépata.

Y de pequeño dibujaba, pintaba, escribía poemas, imitaba voces y aprendió solo a montar en bicicleta. Del talento de Nacho se podía esperar cualquier cosa y sus padres lo esperaban todo, de un momento a otro, el día menos pensado: un Premio Nobel, un ministro plenipotenciario, un filósofo, un matemático, un capitán de empresa o un Sumo Pontífice, por qué no, si al inmenso talento de Nacho le diera por despuntar en esa dirección. Ninguna de las disciplinas en que pueda desenvolverse la inteligencia humana le era ajena. Al fin y al cabo, como repetía con admiración su padre:

–Aprendió él solo a montar en bici. ¡A los cuatro años! Con eso te lo digo todo.

Tras el célebre prodigio psicomotor, el pequeño José Ignacio, en el templo del Liceo Francés, asombró a los sabios maestros con su inteligencia y respuestas.

–Tiene mucho talento –le confirmaron a su padre cuando el chaval cumplió los seis.

Poco a poco comenzaron a ir añadiendo peros: pero no se esfuerza, pero se distrae, pero es indisciplinado.

¿Que no se esforzaba? ¡Ni había para qué! ¿Es que acaso no tenía talento?

El talento de Nacho, a partir de la primera expulsión del colegio, decidió permanecer oculto, invisible para todos, hasta que se cumpliera el tiempo: entonces se daría a conocer, implacable, en toda su majestad y esplendor.

El eclipse no debilitó la fe familiar, sino todo lo contrario: su padre siguió oficiando el santo sacrificio del exceso de talento de Nacho, con el que todos comulgaban, convencidos de su «presencia real» bajo las especies más contradictorias. Si Nacho suspendía, eso precisamente probaba su talento: tan por encima estaba de las materias que se impartían en las aulas que no podía evitar distraerse; le faltaba motivación, como a todos los niños prodigio. Si Nacho no conseguía hacer amigos ni llegaba a ser popular entre sus condiscípulos, era lo más natural del mundo, pues tenía demasiado talento para aquellos niños adocenados que se morían de envidia. Si Nacho volvía a casa llorando, con un ojo morado y sin querer dar explicaciones, ¿qué otra evidencia de talento hacía falta? ¿No eran todos los genios unos inadaptados? ¿No tardaban todos en ser reconocidos?

Perico Gamazo pensaba del talento lo mismo que su madre, doña Carlota, les explicaba a los nietos sobre la clase y distinción social: que daba derecho a todo. Cuando uno tenía tanto talento experimentaba necesidades que no sentían los demás, no podía conformarse con vivir como los otros. Los pobres se lo gastaban todo en caprichos, porque no les hacía falta usar mantel ni poner cortinas. Para los que tenían talento, en cambio, no era suficiente la vida tan escasa y tan corriente a la que el resto nos resignamos: a ellos les hacían falta los visillos, las experiencias extremas, los cubiertos de plata, esa vida interior que también era una responsabilidad.

Su padre, convencido de que tenía talento, creía que, por eso mismo, sufría una incapacidad para la vida práctica, en la que no tenía más remedio que dejarse llevar por los compañeros más audaces, los más brutales, aquellos chicos tan echados a perder que ya no tenían miedo a nada. Eran las malas compañías, el mal ejemplo, y Nacho cedía ante ellos a causa de su talento, precisamente, pues el talento para lo sublime va siempre acompañado de una alarmante inocencia para lo prosaico, para la brutalidad de la vida diaria tal y como se manifiesta en un patio de recreo, en una oficina, en un campamento militar o en una cárcel.

Para su papá, Perico Gamazo, el Liceo estaba lleno de niños ricos, mimados, viciosos, pequeños aristócratas degenerados y precoces; o peor aún, esos hijos de diplomáticos sudamericanos, niños malvados con sangre indígena y piel cetrina, criaturas selváticas sin ningún freno moral, maestros en el disimulo hipócrita y crueles como ídolos aztecas. Esos diminutos monstruos, además, estarían repletos de un odio hereditario hacia los blancos. ¿Qué tenía de sorprendente que hubieran decidido aprovecharse de la ingenuidad de Nacho?

La expulsión temporal se anunció con una llamada urgente. Perico Gamazo se presentó en el Liceo preocupado.

Tal y como a menudo le había advertido su propio hijo, saltaba a la vista que el jefe de Estudios le tenía manía a Nacho. ¿Era necesaria esa llamada alarmante? ¿Había sido para tanto?

Perico examinó los daños que el jefe de Estudios atribuía a su hijo, si bien «en compañía de otros». Había hablado de «incendio provocado» y de «vidas humanas en peligro», pero la catástrofe se reducía a una papelera quemada en un cuarto de baño, dos paredes de azulejo tiznadas de hollín y un cortocircuito que había hecho saltar el automático sin mayores consecuencias.

De acuerdo, habían hecho fuego a escondidas. Una trastada, una imprudencia que merecía castigo, pero, al fin y al cabo, cosas de críos. No había que condecorarles, por supuesto. ¿Una semana de expulsión? ¿No era excesivo?

Al jefe de Estudios más bien le parecía que estaba siendo benévolo.

–Por esta vez nos limitaremos a una expulsión. Su hijo tiene que comprender que es el último aviso: no volveremos a ser tan tolerantes.

–Desde luego. Hay que actuar con severidad. Son unos niños, por otra parte. Ha sido una inconsciencia quemar una papelera y esto les servirá de lección.

–No se trata sólo de eso, señor Gamazo –el jefe de Estudios se resignaba a explicar lo evidente–. Como le he dicho, fueron sorprendidos en actitud indecorosa.

–¿Cuántos eran?

El jefe de Estudios, ese tal Monsieur García, era un hombre delgado y demacrado, que se cortaba los pelos que le asomaban por las orejas y tenía rozaduras de suciedad en los puños de la camisa. Perico Gamazo sabía que era soltero, muy religioso, algo cojo e incapaz de sacar los pies del plato.

–Eran cuatro alumnos –reveló por fin–. Su hijo José Ignacio, Jaramillo, Martínez Montero y el pequeño Olmos. ¿Los conoce?

–Sus nombres me suenan. Uno es colombiano, ¿verdad? ¿Qué estaban haciendo?

El jefe de Estudios se subió las gafas empujando el puente con el dedo índice y sonrió:

–Al pequeño Olmos lo encontramos casi desnudo. Sólo tiene diez años.

¿Qué estaba insinuando? Y sobre todo, ¿por qué sonreía? A Gamazo le pareció una sonrisa lasciva, aunque en realidad sólo debía de ser la concupiscencia del triunfo. Le excitaba quedar por encima de los padres de los alumnos. Los detestaba. Sentía odio hacia ellos. Ese era el problema de los colegios de pago: ponías a tus hijos bajo la autoridad de tipos que sólo podían aspirar a ser sus empleados. Y ellos lo sabían mejor que nadie: por eso odiaban tanto a sus alumnos.

–No lo acabo de comprender.

–Lo lamento, pero su hijo y los dos compañeros estaban en calzoncillos con un alumno menor desnudo, el pequeño Alberto Olmos. Y provocaron un incendio. Es una situación muy grave.

–Tiene que haber una explicación.

–El pequeño Olmos se niega a hablar. Los mayores dan versiones contradictorias. Confiemos en que la expulsión les haga recapacitar.

Desde luego, su hijo no era marica, si eso era lo que estaba insinuando. Quizá lo fuera, en cambio, el jefe de Estudios, con tanto «pequeño Olmos» por aquí y por allá. Miró a Monsieur García como a un insecto que hubiera aparecido al apartar un mueble. Le imaginó moviendo las extremidades, boca arriba, agitado por pasiones sórdidas y diminutas, las únicas al alcance de semejantes artrópodos con el repulsivo caparazón del tal García. Los chavales estarían haciéndose pajas en el baño, a ver quién acababa antes. ¿Qué tenía eso de extraordinario? ¿Cuál era la gravedad? Eran muchachos sanos, en pleno vigor de la primera juventud. El tal Olmos, ese «pequeño», estaría espiándoles. Medio desnudo, claro, ¡él sabría por qué! Era el pequeño Olmos el que se merecía un par de guantazos. Eso debía de ser todo. Tenía que haber una explicación evidente, aunque lejos del alcance de una sabandija como el jefe de Estudios, un tipo borroso y melifluo, alguien que sin duda se masturbaba con la polla dentro de un calcetín, para no dejar manchas en las sábanas de la pensión.

De buena gana lo habría aplastado con la suela del zapato.

–No volverá a repetirse –aseguró Gamazo, conteniendo su justa indignación.

–Hable con su hijo. Entre todos tenemos que llegar al fondo de esto.

Qué fondo ni que ocho cuartos. Un calcetín sucio: seguro. Una pensión en la que cenaría a diario sopa y empanadillas: seguro.

Recogió a Nacho en secretaría y se lo llevó, expulsado durante el resto de la semana.

Claro que daba problemas: ¡tenía demasiado talento!

Nunca pasamos de cuartos, pero si pasamos, ganamos la semifinal. Esa parece ser la regla del maleficio español.

Así sucedió en 1964, cuando jugamos una semifinal con ciento veinte minutos de gran fútbol contra Hungría. Recuerdo que el público, por primera vez, gritaba el nombre de Luis Suárez: ¡Su-á-rez! ¡Su-á-rez! ¡Su-á-rez!, y reclamaba la presencia de ese Toscanini del balón, ariete volante, pneumático como el espíritu, como un viento impredecible, presente a la vez en todos los ángulos del campo. Iríbar y él fueron los dos pivotes del partido. Pereda marcó el 1-0 con el que nos fuimos al vestuario. En la segunda parte, Suárez estaba agotado, le habían dado una patada en el muslo. El fútbol magiar se vino arriba: empataron. Los nuestros tampoco podían más y llegamos con la lengua fuera al minuto 90.

Los húngaros salieron a jugar la prórroga como una estampida que nos hizo a todos ponernos en lo peor. Sin embargo, el once hispano se rehízo y, por fin, en la segunda parte de la prórroga, Amancio marcó.

El graderío se vino abajo en un clamor patriótico. ¡Gol de España, señores!

En 1984 jugamos la semifinal contra Dinamarca y también ganamos, aunque también con prórroga e incluso penaltis.

Muchos no esperaban tanto: con llegar hasta allí se habrían conformado. Los patriotas, en cambio, íbamos a por el doblete: Eurocopa y referéndum de Adhesión. Oé. Oé. Oé.

Los hombres de Muñoz saltaron al campo desorientados, aturdidos, como si acabaran de recibir cada uno su manotazo en la frente, y se lanzaron a correr en todas direcciones, sin llegar nunca a tiempo para alcanzar el balón.

En cuanto se acercaron a la portería, a los seis minutos del inicio, los daneses marcaron: Arconada rechazó de un cabezazo y dejó el balón a los pies de Lerby, que remató sin contemplaciones, como si fuera una ejecución pública, un tiro en la nuca a patada limpia.

Sentimos desesperación: hubo tarjetas para Gordillo, Salva y Víctor. Sólo al final de la segunda parte consiguió Maceda el gol del empate que obligó a jugar prórroga.

Treinta minutos de angustia y, al final, hubo que ir a penaltis.

Ganamos.

Por penaltis, pero ganamos.

Al día siguiente, qué más da cómo se haya ganado. Con ocho tarjetas amarillas y una roja que nos dejaba sin Gordillo. Sí, pero íbamos a París a jugar la final. Eso era todo: el resultado práctico.

Pablo Porta, el presidente de la Federación Española, descorchó una botella de champán y analizó el partido: «Miguel Muñoz tiene una flor en el culo», declaró muy españolamente.

Con no menos españolidad contestó el aludido: «Vale más tener eso que otra cosa», afirmó, sin entrar en más detalles.

–Vale, pero ¿se ve algo?

Qué pregunta tan extraña para hacerla sobre una película, ¿verdad?

Así eran: sólo querían ver algo, cualquier cosa, lo que fuera. Se conformaban con una sola teta, durante un fotograma mal iluminado.

–Pues si no se ve nada, entonces no vamos –dictaminaba Nacho.

–Me han dicho que es divertida.

–¡Y una eme!

¿Para qué molestarse en ir a ver una película en la que no se veía nada? ¿Quién tenía ganas de ver una peli tolerada para todos los públicos, pero dirigida a vendedores de cupones de la ONCE e invidentes en general?

Jabardo propuso ir a ver *La fuga de Logan*. Se veía una teta, se lo había jurado Bonilla.

Eran mayores, tenían dieciséis años, ya habían dejado atrás, en el altillo del armario, los juguetes de la niñez, el Scalextric, el Madelman de Rosario, los libros de los Cinco, las películas de vaqueros, las *Hazañas Bélicas*, el yo-yo, las chapas y el Electro-L. Ahora decían lefa, esta tía traga y ¡vaya perolas! Decían chomino y morrearse, y compraban a escondidas barajas con fotos de tías en bolas. Eran mayores y ya habían pasado al otro lado, al dominio de la muerte, donde sólo querían ver por debajo de la ropa, en el fondo del estanque, por detrás de la puerta cerrada. Soñaban con los labios de Nadiuska, empañados como una ventana, con las tetas casi conjeturales de la Cantudo y con el culo incomparable de Ornella Muti. Acababan de entrar en la órbita de la muerte, deshaciéndose en llamas como los cohetes, y giraban convertidos en fragmentos diminutos y errantes que acabarían sin remedio atraídos por la gravedad de la oscura masa de la nada.

Así eran. Esperaban que les comprendiéramos. Nos había tocado perdonárselo todo y prepararles para que ocuparan de una maldita vez los puestos que les habíamos reservado en la sociedad.

De momento, ellos sólo querían ver, porque a Nacho, si cerraba los ojos, a solas, le daban miedo las mujeres.

Qué incomprensibles criaturas. Retenían líquidos, hablaban de sus propias hormonas como si tal cosa, confesaban a cualquiera que sufrían de estreñimiento. No resultaba fácil acercarse a ellas o sacarlas a bailar; ni siquiera era sencillo elegir un regalo que les gustara.

Si hasta tenían los órganos sexuales por dentro. Con eso, ¿no está dicho todo? Escondidos en el interior, al fondo, como los lavabos de los bares, como los enchufes por detrás de los muebles, ocultos como segundas intenciones o remordimientos poderosos.

No parecía sencillo acostumbrarse a quererlas, resignarse a acompañarlas, escuchar sin interrumpir su caudalosa conversación sobre dietas, cartas astrales, coincidencias mágicas o agravios diminutos, que exigían perdón sin olvido, porque ellas no eran vengativas, pero a ellas, eso sí, el que se la hacía se la pagaba.

En aquella baraja comprada a un pipero en la calle Amaniel había visto Nacho fotos de coños y había sentido repugnancia y una atracción casi morbosa. Parecía algo que acabara de ser desenterrado del suelo, palpitante y amoratado, aún con tierra pegada y unas oscuras, enmarañadas raíces de vello negro. Parecía un tubérculo complicado y nutritivo, pero incomprensible; uno de esos kiwis que se estaban poniendo de moda: ásperos y amenazadores por fuera, delicados y jugosos en el interior.

Eran como los aparatos electrónicos: demasiado complicadas. Todos los aparatos, cuantas más piezas tienen, antes se estropean. Lo más simple es lo más resistente y por eso Nacho no entendía a las mujeres: no había forma de saber por qué de pronto se ponían de mal humor, eran imprevisibles y desproporcionadas, y la causa de sus actos nunca quedaba a la vista.

Iba al cine para ver algo, para intentar comprender.

¡Bienvenido al siglo XXIII! Así decía el cartel de la película, en el cine Palafox, autorizada para mayores de dieciocho.

Cachón no quiso intentarlo, y estaba en su perfecto derecho, así que se quedó fuera con Bañeres, que también se echó para atrás.

–No me parece que valga la pena –aseguró el futuro ministro.

–Tú mismo con tu mecanismo.

Los demás lo consiguieron: no les pidieron el carnet a la entrada y le dejaron al acomodador cinco duros, para pagar su silencio.

En algún momento del siglo veintitrés, los supervivientes de la guerra, la superpoblación y la polución, viven en una gran ciudad cerrada por una cúpula, aislada del olvidado mundo exterior. Aquí, en un mundo ecológicamente equilibrado, vive la humanidad, sólo para el placer; liderada por los servomecanismos que les proporcionan todo. Sólo hay una pega, la vida debe terminar a los treinta años, a menos que se renueve en el diabólico ritual del Carrusel.

Eso decía la voz en off.

–Nadie podía llegar a cumplir treinta y uno –insistió Jabardo a la salida.

–Pero mientras tanto tenías de todo. ¿Qué preferirías tú? ¿Vivir con lo que te dé la gana sólo treinta años o morirte de viejo, pero trabajando y sufriendo? Imagínate cómo viven allí: todo gratis, se acuestan todos con todos, no hacen nada más que lo que les da la gana. Treinta años: yo creo que vale la pena.

–A mí no me compensa, no vale la pena –insistió Cachón.

–En el Carrusel ¿los mataban? –preguntó Bañeres.

–Es peor todavía: los congelan para que sirvan de alimento. Pero nadie lo sabe, ellos creen que los renuevan.

–Eso es antropofagia –presumió Cachón.

–Son caníbales, pero sin saberlo.

250

–En realidad están en su perfecto derecho. El canibalismo o antropofagia es un tabú, pero no tiene nada de malo, si te paras a pensarlo. ¿Acaso no nos comemos incluso a Dios?

–Cachón, no fastidies.

–¿No es la eucaristía teofagia? ¿No devoramos a Dios para que nos dé fuerza espiritual? Los primitivos se comen a los muertos para apropiarse de su energía –razonó Francisco Javier Cachón, que siempre había sido capaz de justificar lo que le más le conviniera.

–Todos llevan un reloj de edad en la mano –interrumpió Jabardo, al que le aburrían las teorías–. Como una piedra encajada en la palma, una roseta que va cambiando de color. A partir de los treinta, se vuelve de color rojo, y el último día, cuando vas a cumplir treinta y uno, se pone a parpadear. Entonces tienes que ir a la ceremonia del Carrusel.

Les contaron a Cachón y a Bañeres la película. Había algunos que sospechaban, esos tipos que nunca se creen «la versión oficial», y entonces se convertían en Fugitivos, se escapaban de la Ciudad de las Cúpulas, fuera de la gran burbuja. Logan 5 y su amigo Francis 7 son Vigilantes, su misión es capturar a los Fugitivos, que pretenden llegar a un lugar llamado Santuario para morir de viejos.

–En casa tienen todos una tele, que en realidad es un teletransportador. El que quiere ligar se apunta al Circuito y tú miras la imagen en la pantalla y, si te apetece alguien, lo sacas de la tele y ya está.

–Eso ya es técnicamente posible, en el estado actual de nuestros conocimientos científicos –aseguró Cachón.

–Logan elige a Jessica 6, que está como un tren la tía, pero ella le dice que no quiere hacerlo, que se ha metido en el Circuito para buscar a un amigo muerto. ¿Muerto?, se asombra Logan. Muerto, sí. Pero si nadie muere, tía, le dice él: se habrá renovado. La tía le responde que naranjas, que ella no se cree lo del Carrusel, pero se da cuenta de que Logan es un Vigilante, porque va vestido de negro. Ella está en la célula de los Rebeldes que quieren escapar y le pregunta: ¿Por qué es un delito querer salir de aquí?

–¿Y qué le dice Logan?

–En realidad no le contesta, le dice que por qué iba nadie a querer marcharse, que si quieres vivir otra vez no tienes más que ir al Carrusel.

–La tía tiene razón: cualquiera está en su perfecto derecho a no querer ser feliz. Si alguien no quiere ser feliz, ¿cómo van a obligarle?

–Los que quieren escapar se convierten en Rebeldes y Logan y los Vigilantes los exterminan.

A Logan le asignan la misión de encontrar el Santuario y destruirlo. Se hace pasar por un Rebelde y se fuga con Jessica. Ahora son Fugitivos. Lo que no sabe Logan es que su amigo Francis, que también es Vigilante, les ha espiado y les sigue para detenerles. Una vez en el mundo exterior, encuentran a un robot, Box.

–Están en unas cuevas de hielo y ahí se ve todo.

–¿Todo?

–¡Todo!

Van por el hielo, tiritando, resbalan a cada paso. El tío va con su sky-jama y pistola a la cintura; la tía con una túnica verde llena de rajas, pero se ve que va desnuda por debajo. Hay unas pieles tiradas en el suelo. «Puede que nos podamos poner esto», propone ella.

–¿Puede que nos podamos poner?

–Literal.

Entonces el tío dice: «Primero vamos a quitarnos la ropa, antes de que se nos congele encima».

–Qué tío tan listo.

–Y la tía se empelota. Se queda en bolas totales. Tiene unas tetas así. O más.

–Pero no creo que se le vea el chomino en una pantalla española –desconfió Cachón.

–Un poco, en penumbra, pero sí, y además se ve todo el culo sin parar, de sesión continua. Y mientras se desnuda le mira fijamente al tío a los ojos, no veas cómo te pone.

–¿Y él qué hace?

–Pues se hace un lío al quitarse el sky-jama, levanta los brazos para sacarse la parte de arriba y se le queda la cabeza tapada, no le pasa el cuello. Así que no ve nada.

–Qué gilipollas.

Cachón y Bañeres tragaron saliva. Una película en la que por fin se veía algo y se la habían perdido.

Entonces se oye una voz de robot maligno: ¡Bienvenidos, humanos! Es Box, que es el encargado de congelar a los Fugitivos para convertirlos en proteínas. De eso se alimenta la Ciudad de las Cúpulas. Les enseña unas catacumbas de congelados que están de pie y en pelotas, uno detrás de otro. Ahí también se ve. Salen tías en tetas metidas en bloques de hielo. Luego destruyen a Box y ya están al aire libre: es la primera vez que ven el sol. Y se ve Washington, que está destruido, cubierto de hierba.

–Eso está copiado de *El planeta de los simios*. –Cachón no se dejaba impresionar con facilidad.

Encuentran a un anciano y se dan cuenta de que el Santuario ni siquiera existe, pero se llevan al anciano de vuelta a la Ciudad de las Cúpulas, para contarles a todos la verdad y hacer una revolución. Ah, y el amigo Francis les intenta capturar, así que no tienen más remedio que matarle, ¡bang, bang! Es que no les dejaba opción. Y cuando llegan a la ciudad, les pillan y les llevan a la computadora central. Logan le dice que el Santuario no existe, pero la máquina no puede computar la información: ¡se autodestruye! No está preparada para oír eso y le estallan los circuitos. Todo explota y ellos escapan.

Acaba así, se van abrazados, sonriendo, pero con tristeza: ¿qué van a hacer en un planeta vacío y desolado, en un mundo ancho y ajeno, un tío en sky-jama y una mujer casi desnuda?

–El próximo sábado la vemos otra vez. Qué tetas tiene esa actriz.

–Jenny Agutter.

–Como se llame.

–Podríamos ir al Big-Ben.

Francisco Javier Cachón se negó en redondo: era peligroso.

El Big-Ben, prohibido, era el polo magnético del barrio. Ninguno se había atrevido a entrar: allí estaban los yonquis, aquellos que habían «caído en la espiral de la droga». Nacho pasaba por la puerta apretando el paso, cabizbajo, mirando de refilón, como si estuviera al borde de un acantilado, como si tuviera miedo de que aquellas siluetas sombrías le tiraran una pedrada.

El dueño del Big-Ben, don Eduardo, contaba que tuvo que agujerear con un taladro las cucharillas de café para evitar que se pincharan. No sirvió de nada: traían sus propias cucharillas con el mango doblado en el bolsillo de atrás del vaquero. Así eran los yonquis: todo para la droga.

Don Eduardo estaba desesperado, ya no sabía qué hacer, cada semana tenía que llamar a la policía para que levantaran un cadáver de las baldosas del lavabo, otro de aquellos esbeltos espectros ambulantes que no se detenían ante nada, como los zombis.

Así que siguieron sentados en el respaldo de un banco, comiendo pipas. Les gustaba escupir las cáscaras sobre la acera. Cachón ya no se comía los mocos, ahora se limitaba a extraerlos con un dedo y mucho disimulo, y luego los chupaba con la punta de la lengua. Aquel intenso sabor salado, procedente de sí mismo, le consolaba de casi todo. Luego los pegaba en la madera del banco.

—¿Te acuerdas cuando se quita la ropa, tío? —insistió Jabardo.

Nacho se puso de pie para lograr una gesticulación más obscena y dijo:

—Según se agacha, iba y se la metía por detrás, zaca, zaca...

Entonces la vio. Ella le sonreía.

—Hola, Nacho.

—Ah, hola —no pudo evitar ponerse rojo.

¿Le había oído? ¿Le había visto contorsionarse en la acera como si se estuviera trajinando a Jenny Agutter o Jessica 6?

—¿Quién era esa?

—Sólo es mi chacha —admitió Nacho, avergonzado sin saber por qué.

—Pues vaya par de tetas —si pensaba que estaba expresando el sentir de todos, por una vez sí había acertado Francisco Javier Cachón.

—Cómo está el servicio —redondeó Jabardo.

En el fondo, si lo mirabas fríamente, había que reconocer que era algo muy sucio. Visto desde fuera, te daría verdadero asco, te avergonzaría, te provocaría arcadas. Metida en harina, es otra cosa: nada te parece demasiado desagradable. Pero si te pararas a pensar dónde pones la lengua, lo que hay que rozar con los dedos, con los labios, con la piel delicada del interior de los muslos; y cuánta saliva, cuánto vello, cuánto sudor, cuánta humedad que no quieres ni saber de dónde viene; y ese ruido triste, esa respiración como estertores, esos chirridos de bisagra que abre una puerta que ninguno de los dos sabe adónde da. Es imposible no mancharse, así que cómo no iba a ensuciar también el alma, si lo contemplas con total objetividad, como si le pasara a una tercera persona.

Rosario tenía en 1977 veinte años y ya estaba interna en la nueva casa de los Gamazo, en el chalet de El Viso. Había perdido la virginidad hacía tres años, en 1974, y se había acostado desde entonces, sin que su novio supiera nada y mientras él cumplía el servicio militar, con tres hombres distintos, hasta que había llegado a la conclusión de que el sexo, dijeran lo que dijeran, no le gustaba tanto a la mayoría de los hombres: era demasiado sucio.

A ella sí le gustaba.

Por eso desconfiaba de los hombres muy pulcros. ¿Cómo iban a verlo desde dentro, metidos hasta el codo? Esos tipos que siempre comían como si en realidad no tuvieran demasiada hambre. Los que se dejaban algo en el plato. Los que comprobaban la raya del pantalón o se arreglaban a intervalos regulares el nudo de la corbata, el flequillo, los puños de la camisa. Los que se lavaban mucho las manos y siempre nada más entrar en casa, como si la calle, la vida, los demás les hubieran ensuciado. Como si ya no pudieran tocar a su familia con esas mismas manos que traían desde el trabajo, manchadas por este mundo tan enorme y tan áspero. A esos tipos, ¿cómo iba a gustarles de verdad?

Por eso le había sonreído a Nacho al cruzárselo en la calle Luchana. Aquel chico era un cerdo. Ahí estaba, zaca, zaca, como siempre: más salido que una cornisa. Y como decía su madre, no comía: devoraba. Y se mataba a pajas, bien lo sabía Rosario, que recogía del suelo del baño su pantalón de pijama, acartonado, que podría sujetarse solo de pie, apuntalado con semen reseco. Ella sabía dónde tenía escondida una baraja con fotos de mujeres desnudas. A diferencia de su padre, don Perico, el señor, Nacho no paraba de mirarle las tetas con ojos atónitos y febriles.

A los veinte años Rosario se había dado cuenta de que era como la comida: la mayoría sentía no sólo necesidad, sino también placer al comer. Pero era un placer muy sensato, como un animal de compañía. Sólo unas pocas personas se entusiasmaban de verdad comiendo, aunque fuera sin hambre, aunque tuvieran que comer con los dedos. ¿Quién quiere un placer sensato y, además, necesario y saludable? Que no contaran con Rosario para eso: ella prefería la atracción del abismo, el suelo firme que desaparece bajo los pies.

Los demás nos queremos entre la pasión y la paciencia. Nos queremos quizá por el mismo motivo que nos vigilan las cámaras en el metro: por nuestra propia seguridad. Los nuestros son amores de padres de familia, cariños de cuñados, inofensivos adulterios de adultos, vicios de vecinos de escalera; siempre a salvo, en tierra firme, protegidos del peligro y de nosotros mismos. Rosario, en cambio, no se conformaba con eso. Ella quería asomarse a todos los cráteres hasta sentir vértigo.

Ella tenía ambiciones.

Su primer novio también, pero muy distintas. No le gustaba tanto eso como él creía. Rosario tardó dos meses en darse cuenta y él mismo no llegó a saberlo nunca.

Qué vida, se decía Rosario, los tíos obligados, como por cortesía, a mostrar un violento interés en llevarse a las tías a la cama, como si fuera una tos ferina. Las tías, lo contrario, obligadas a disimular, para no intimidarles, para que no las despreciaran. Unas a depilarse; otros a presumir de pelo en pecho; y todos inconsolables y sin remedio.

Se llamaba Javier, y Rosario sentía hacia él tanta ternura como mala conciencia. Javier Martínez Carrascosa, ahí quedaba eso. Tenía dieciocho años y estaba impaciente por empezar la mili: voluntario, destinado en Cerro Muriano, Córdoba, Brigada Paracaidista. Había concebido el plan de «hacerse un hombre» en el CIR n.º 5. Mientras tanto, don Andrés, el dueño de El Segoviano. La Flor de la Fruta, le había prometido guardarle el puesto hasta que se licenciara. Javier afirmaba que le debía a cambio «una profunda gratitud».

Rosario sólo quería hacerse mayor y perder por fin y para siempre la virginidad, como esa moneda que resbala por el hueco de un sillón, fuera del alcance de las manos.

Quizá como la peseta de plata que a mí me devolvió Laura y ahora ya no podré volver a entregarle nunca.

Estaba decidida, aunque para ello tuviera que dejar de ser decente.

Su padre y las monjas de la SaFa no habían concebido para ella otro «destino manifiesto» que no fuera la decencia. Parecía que hubiera heredado un título nobiliario: ¡tenía una responsabilidad! Nobleza obliga como pobreza obliga: se esperaba de ella que cumpliera con su deber hereditario, que se pusiera a la cabeza de aquel *empire familier* de decencia y tinieblas, de trabajo y honradez, con gratitud profunda y sin el más mínimo resentimiento.

Cuanto más miraba a su alrededor, menos entusiasmo sentía ante la perspectiva de llegar a ser algún día pobre, pero muy decente. Era la forma más entristecedora de la resignación. Si a ella le daban a elegir, preferiría ser indecente, pero bastante rica. Indecentemente millonaria, por ejemplo. Dónde iba a parar.

Tampoco tenía tantas ganas de llegar a presumir de ser, ante todo, una gran trabajadora, ni mucho menos de ser lo que entonces se llamaba «bien mandada», ni por nada del mundo quería llegar a sentir gratitud, aunque fuera de poca profundidad, si un don Andrés cualquiera condescendía a volver a pagarle tres pesetas por diez horas diarias de trabajo, una vez que hubiera cumplido su deber con la patria.

¿Decencia? ¡Antes incandescencia! Ella tenía otros planes.

Con tal de librarse de él, como quien suelta lastre, dilapidó ese tesoro que sólo puede darse una vez en Javier Martínez Carrascosa, frutero, inminente soldado sin graduación y hombre de porvenir prometedor.

Cuántas y qué incómodas sepulturas había entonces para el eterno descanso de las virginidades: asientos de coche, descansillos de escalera, portales, cunetas, colchonetas, arbustos a la intemperie, plazas públicas y hasta esquinas difíciles, protegidas por una puerta entreabierta.

A ella le había sucedido en 1974, hacia las ocho de la tarde de un domingo, en un banco municipal que tenía el respaldo pegado al muro del mercado de Olavide.

–Ha sido conmovedor, señora. Ahora, si no es mucho pedir, cuénteme el resto.

–¿Qué más necesita saber?

–La verdad, por ejemplo.

–No le consiento: nunca le he mentido.

–Dígame qué es eso que ya le han perdonado a su hijo.

–Sólo es una manera de hablar. Haya hecho lo que haya hecho, se lo perdonaremos. Sólo queremos que vuelva a casa. Soy su madre, usted no lo comprende.

–Comprendido: es su madre. En ese caso, lo mejor es que vaya a la policía. Es gratis, va incluida en los impuestos. Y mucho más efectiva: están desplegados en toda España. ¿Para qué me necesitan a mí?

Antes de que Mariví pudiera abrir la boca, le puse una mano en el hombro:

–Perdona que intervenga, Mariví. Mire, señor Clot, la familia teme que se haya podido meter en cualquier lío. No existe ningún indicio que lleve a sospecharlo, por supuesto, pero es un temor comprensible. Si hubiera algo, cosa que dudo, sería un asunto de poca monta: una pequeña deuda, pongamos por caso. Es sólo una hipótesis, pero la familia preferiría un arreglo discreto, al margen de la policía, ¿me comprende?

–Como quiera. Usted sabe que, si descubro cualquier actividad delictiva, tengo obligación de ponerlo en conocimiento de las autoridades.

–Desde luego. Faltaría más. Sin ninguna duda. Si descubriera algo, pero dudo mucho que ese sea el caso.

–Usted manda. Hágame una provisión de fondos.

Mariví extendió un cheque por siete de los grandes.

Cuando salimos, Clot no tuvo que esperar demasiado: a los veintitrés minutos sonó el teléfono.

–Clot, soy Antonio Menéndez, ¿podemos vernos?

–Le espero en el Atilano, calle Amaniel.

–Lo conozco, deme veinte minutos.

Clot cogió su Fedora, un sombrero todavía potable, y bajó al bar.

Nada más llegar, le pregunté:

–Usted no sabe quién es don Perico Gamazo, ¿verdad?

–Dígamelo.

–Le diré una sola cosa: Perico Gamazo come una vez a la semana con el vicepresidente.

–En ese caso, estará muy delgado. Tengo oído que al vicepresidente le agrada hacer penitencia y sólo se alimenta de chocolatinas.

–No se haga el Bogart conmigo. No necesita impresionarme. Sé quién es usted.

–Pues cuéntemelo todo y acabemos de una vez.

–El lunes hubo un robo en el despacho privado de Perico Gamazo, en su propio domicilio.

–¿Qué se llevó el chico?

–Diez millones. Y una pistola automática.

–¿Legal?

–Un arma limpia, imposible de rastrear.

–Y su señor papá no quiere llamar a la policía, ¿es así?

–Ahí se equivoca. Perico Gamazo pondrá el caso en manos de la policía el próximo viernes, a las nueve de la mañana. Es doña Mariví la que ha intercedido por el muchacho y el padre ha dado ese plazo. Y lo cumplirá, se lo garantizo.

–¿El viernes 29 de junio? ¿Después del partido?

–Así es, la final de la Eurocopa se juega el 27, contra Francia. Tiene una semana para encontrarle.

Un caso sencillo, se dijo Carlos Clot. Al fin y al cabo, los jóvenes sólo se hacen visibles cuando desaparecen. Quizá sólo se pierden de vista para que por fin alguien mire hacia ellos o hacia el espacio que han dejado vacío. Lo que más desean es ser encontrados, siempre dan facilidades. Allí están, en un piso de las afueras, con una colchoneta en el suelo; en un pueblo de la costa, trabajando de camareros; en una pensión de la calle del Barco, con dos mil pavos prestados en el bolsillo. Te están esperando, mucho más delgados, muertos de frío y mirando el reloj: ya iba siendo hora de que les encontraran. Ese chaval sólo quiere volver a casa con la cabeza muy alta, pensó Clot, que alguna vez había sido joven sin poder evitarlo.

Y, como de costumbre, se equivocaba.

Cómo no iba a equivocarse si nadie le había contado nada. Ni Perico Gamazo ni yo le habíamos dicho nada del atentado que el GRAPO tenía planeado para final de mes, coincidiendo con la final de la Eurocopa o con el referéndum.

Permanecía absorta y sin moverse. Del cráter salía humo y una nube de polvo que se abría sobre la plaza como los geranios en sus macetas. La vibración del silencio levantaba desde el fondo del abismo las perdidas voces del carnicero; de Antonia, la de los pollos; del puesto de Martín, el de la casquería; la de la mujer que pedía la vez y la de la que esperaba a que Conchi le limpiara un cuarto de kilo de boquerones; el estampido de las cajas de fruta al dar contra el suelo, la hoja del cuchillo en movimiento, el zumbido de la máquina de picar carne: un universo de barrio sepultado con dinamita y sin pestañear, aquel mercado en el que ella era «una más de la familia».

A Rosario la había avisado Flora, la del bar Méntrida:

–Vente corriendo, que hoy nos explotan el mercado.

No llegaron a tiempo. Ya sólo quedaban cristales rotos, cascote y el cráter humeando que se lo había tragado todo.

Decían que el alcalde, el falangista García-Lomas, se había empeñado en apretar el detonador con sus propias manos. Juraban que era una venganza personal: quería hacer volar por los aires la obra de Ferrero, el arquitecto rojo, para cobrarse así los suspensos que le endosó en la carrera.

Calumnias. Antes de la guerra, García-Lomas era aparejador. Obtuvo el título de arquitecto en 1940, en un examen patriótico al que, por las razones que fueran, ni siquiera asistió Ferrero. No recibió ningún suspenso durante toda su carrera ni ese individuo llegó jamás a dar clase al futuro ministro de la Vivienda. Los hechos son los hechos. Testarudos. Inamovibles. Incontestables.

Rosario seguía paralizada, mirando el cráter sin decir palabra, con las manos enlazadas sobre el vientre, como si estuviera rezando ante una tumba.

Pensó que ahí quedaba eso. Su virginidad debía de estar ahí, bajo tierra, semilla entre los escombros, devuelta a ese polvo del que todos venimos, apretada contra huesos de gallinas, escamas de pescado y delantales a listas verdes y negras. Su virginidad ya era otra de aquellas voces enterradas, una de las palabras familiares que nadie volvería a oír, ese humo deshilachado que surge de debajo del suelo al amanecer.

Apenas hacía dos meses, cuando Rosario aceptó su tercera invitación para ir al cine, Javier se presentó con un cucurucho de fresas.

–Son para ti. Quería flores, pero al final me dio vergüenza.

–Gracias. A mí me gustan más las fresas. Se comen.

–Son tan pequeñas porque son fresas de verdad. Las grandes no son más que fresones.

–Claro, el tamaño no es lo que importa.

Se sintió conmovida al recibir los cien gramos de fresas verdaderas como miniaturas. Tal vez enamorada o dispuesta a improvisar amor si falta hiciera.

Habían quedado en la salida de metro de El Comercial.

–Las he comprado –aclaró Javier.

–¿Las has comprado? Pero ¿tú no eras frutero?

–Son de la frutería, pero yo las he pagado. Son un regalo mío.

–¿Y te las ha cobrado el segoviano? ¿A ti?

–Por supuesto. A su precio.

En el orgullo con que lo afirmaba vio Rosario el resto de la vida de Javier. Y se vio a sí misma a su lado: pobre, pero muy decente.

Ya no se sentía tan conmovida, sino acorralada: mucho menos dispuesta a rendirse a un sentimiento sin oponer resistencia.

En la frutería de Cardenal Cisneros, Javier descargaba, despachaba y llevaba los pedidos a domicilio. Admiraba a don Andrés, el segoviano, del que aseguraba que era un hombre que se había hecho a sí mismo, empezando desde muy abajo; y repetía asombrado que ahora, cuando ya no lo necesitaba, don Andrés seguía plantándose cada día a las cinco de la madrugada en Legazpi para escoger el mejor género al mejor precio. Para esa tarea delicada y decisiva, el segoviano nunca confiaba en subalternos.

Rosario se llevó una fresa a la boca, sujetándola por el tallo con el índice y el pulgar. La acarició con los labios y apretó la lengua contra la carne. Luego le dio un mordisco y cerró los ojos, deslumbrada por el sabor intenso, un poco ácido.

–Están muy ricas, ¿quieres?

–No. Éstas son para ti.

–Las has pagado.

–Porque son mi regalo.

Fueron al cine a ver una película del futuro, pero sin marcianos.

En aquella época, en el intermedio entre el corto y la película, era costumbre proyectar anuncios de muebles, como si estuviera muy extendida la sospecha de que los espectadores buscaban refugio en la sala por falta de un asiento cómodo en su propia casa. A Javier le entusiasmó un tresillo estampado en color burdeos y que podía adquirirse en cómodos plazos.

En la pantalla, el futuro no tenía medias tintas: o era un infierno o era el paraíso en la tierra. Sin embargo, los paraísos futuros solían esconder un infierno. Los tipos del futuro paradisiaco eran jóvenes: ellos iban en pijamas de plástico; ellas, en combinación, enseñándolo todo. A Javier la película le aburrió: prefería el mobiliario. ¿Quién quería una vida perfecta pero sin libertad? Para Javier, la libertad era el bien más precioso, y así se lo dijo a Rosario. A ella, en cambio, la película le gustó mucho: creía que la única libertad que merece la pena era la justicia, pero no le dijo nada a Javier.

Aún quedaba tiempo: tenía que volver a las nueve y media a casa de los Gamazo.

–Te convido a un café –anunció Javier.

En el bar, Javier hizo constar con énfasis lo que consideraba su derecho irrenunciable: pedir el café muy corto de café, con leche templada y en vaso. No aceptaría otra cosa. Él no.

Rosario ya se había percatado de que el planeta o al menos

Madrid estaba lleno de hombres de carácter (con o sin el servicio militar cumplido en Cerro Muriano). La mayoría no sólo acabaría con su vehículo propio, sino también con toda la razón en las discusiones, con principios, con ese respeto que ya se ha perdido y con una gratitud profunda y sincera hacia alguien como el segoviano. Siempre serían decentes, por muy pobres que llegaran a ser.

Hombres de una pieza. El problema era que se quedaban con la pieza más inútil por sí sola, como un reloj que hubiera decidido conservar únicamente la manecilla de los minutos en lugar de la de las horas.

Era desalentador.

En el bar, ni un solo roce, ni siquiera al cederle el único taburete libre de la barra.

–¿Damos un paseo? –propuso Rosario.

Acabaron, por inercia, en el mercado de Olavide.

De planta octogonal y ladrillo visto, republicano y racionalista, parecía un zigurat mesopotámico, como un platillo volante que hubiera aterrizado en el centro de la plaza redonda, sobre un parque infantil. Debajo debía de haber toboganes y columpios aplastados por la nave espacial, niñeras y soldados sin graduación, congelados en esa Pompeya de Chamberí. Entre el muro y las fachadas de enfrente no habría más distancia de la que alcanza un hombre al abrir los brazos en cruz; los coches circulaban en dos ruedas; los peatones, de perfil. En ese foso entre el mercado y los balcones se encharcaba la luz del atardecer y desaguaba el final del día con un remolino de resplandor morado.

Encontraron un banco con el respaldo contra el muro de ladrillo. Al sentarse, tuvieron que meter los pies en la calzada: no les cabían en la acera. Rosario, con las rodillas juntas y el bolso sobre los muslos, se sentía incómoda: así no iban a ninguna parte. Tendría que dar pie. Puso el bolso en el suelo, entre los dos zapatos, separando un poco las piernas.

–¡Jamás en el suelo! –advirtió Javier–. El dinero se va andando y ya no vuelve nunca.

–¿Qué dinero? Soy pobre, chico. De toda la vida. Nosotros los Valverde somos así: pobres por nuestra casa.

—Yo no —se apresuró a aclarar él—. O sea, sí. Ahora mismo sí soy pobre, tal y como me ves. Pero tengo ambiciones, yo creo en la iniciativa privada. Quiero tener mi propia empresa, Charo. ¿Puedo llamarte Charo?

—Claro que puedes, Javi.

Con los tacones apoyados en el suelo, Rosario movía en círculos las puntas de los pies. Gotas de luz malva le salpicaban los tobillos.

Por fin. Una mano.

Aunque en realidad no le había dado la mano: la había depositado sobre el dorso de la de ella, como el carnicero que suelta un chuletón sobre la báscula. Rosario juraría que había oído un ¡plof! semejante a una palmada.

Dejó allí aquella mano inerte, colocada a plazo fijo, tal vez esperando que devengara intereses, como todas las inversiones prudentes.

Rosario notaba en los nudillos la carnosidad de la palma de la mano de Javi, pero no le recordó el vientre viscoso y frío de un sapo, sino un filete blando y crudo de ternera gallega.

Le dio la vuelta a su mano para ofrecerle a Javi la palma y entrelazaron los dedos.

Se preguntaba dónde tendría Javier su otra mano, la izquierda. Era indudable que tenía dos, pero ya llevaba demasiado tiempo del salón en el ángulo oscuro, esperando sobre su hombro el santo advenimiento de la otra, que debía de ser esa mano de nieve.

Pasó un Simca rozándoles los dedos de los pies, pasó una paloma hambrienta con andares de canónigo, pasó un 1500 del PMM y tuvo que hacer maniobra para rodear el mercado. No llevaba pasajero y el conductor le guiñó un ojo a Javier.

¿O se lo había guiñado a ella?

Rosario imaginó la comodidad del asiento de atrás, se vio allí con Javier, mirando los hombros del chófer mientras Javi la besaba, dejándose meter mano para excitar al conductor. Se sintió inocente y sucia, casi feliz.

La mano, aunque no leve, permanecía en su letargo contemplativo. A intervalos regulares, respiraba con estertores, igual que un batracio, y le apretujaba los dedos.

Eso era todo y a Javier debía de parecerle suficiente.

–Rosario –pronunció por fin, en el tono con el que el médico se dirige a un enfermo acostado en la cama.

–Llámame Charo, eso habíamos quedado.

–Rosario, es que esto es importante. Yo... Yo... Yo a ti...

–Tú ¿qué?

–Yo a ti te respeto.

–Vaya.

Precedida de una tos opaca, hizo por fin su aparición la esperada mano izquierda, que le acarició el hombro como si lo empuñara. La mano derecha de Javi soltó la suya, reclamada por la necesidad imperiosa de gesticular para decir:

–Lo que yo siento por ti es algo muy especial, Rosario.

–Claro, ya lo sé.

Rosario puso la mano recién liberada sobre la rodilla de Javier.

–Rosario –repitió por quinta vez–. Quiero decirte...

–No digas nada, tonto –interrumpió ella.

Le quedaba poco tiempo, ya no podía seguir confiando en la iniciativa privada del honrado frutero. Acercó los labios y cerró los ojos. Él la besó con fuerza, apretando con los labios y moviendo la lengua como si se hubiera propuesto desatascar un fregadero.

De ahí no le iba a sacar, así que fue Rosario la que tuvo que desabrocharle la bragueta y sentarse encima, con las bragas a medio muslo y la falda remangada, y tuvo que metérsela con la mano, y moverse en silencio mientras él le apretaba los pechos por encima del vestido.

Al correrse Javier, se encendieron de golpe las farolas de luz tenue como un hilo de voz.

Rosario se puso de pie, se subió las bragas y se recolocó la falda.

Javier le dijo que la quería. Pasó un 127 blanco.

–Ese es el coche que nos vamos a comprar en cuanto vuelva de la mili –anunció Javier–. Y el tresillo de Muebles La Fábrica.

–¿Sabes lo que más me apetece ahora? ¡Un sándwich mixto!

–¿Te queda tiempo? Yo te convido.

Sobraba tiempo: no habían gastado ni cinco minutos.

Rosario se consoló pensando que, sin ropa, aquello que habían hecho debía de ser muchísimo mejor o, por lo menos, no tan patético.

Cuando llegó a la casa de los Gamazo, en su baño, se lavó con coca-cola. Le habían dicho que así era imposible quedarse embarazada.

Durante los tres años siguientes lo hicieron varias veces, con y sin ropa, pero nunca de nuevo contra el muro del mercado.

Allí, en Olavide, quedó enterrada su virginidad cuando el edificio voló por los aires.

Bajo el cascote pensaba Rosario que debía de estar, mientras permanecía inmóvil al borde del cráter.

No había nada más que ver.

–Vámonos yendo, que se hace tarde –le indicó Flora, la del Méntrida.

La idea más extendida era que, si no había precipitaciones de inmediato, cristalizaríamos: así no se podía seguir. Las nubes eran planas como cartulinas; aceradas, como hojas de afeitar; y bruñidas, como la superficie de un espejo. Cada dos días descendía un grado la temperatura, pero ni llovía ni nevaba, y a los peatones les dolía la frente de frío, tras andar sólo unos pocos metros.

A finales de 1977, Rosario había tomado dos decisiones.

Iba a dejar a Javier.

También iba a dejar de ser interna.

Trabajaría por horas, aunque no estuviera «comida y calzada». No quería ser «una más de la familia». Menos aún de la familia de otros.

Si lo pensaba bien, ni siquiera estaba muy convencida de querer ser un miembro más de su propia familia.

Después de tres años de intensos preparativos nupciales, Javi se encontró con una noticia bomba: ahora Rosario quería cortar.

–Hay otro hombre, ¿verdad? –lo decía como si esa fuera su única esperanza.

Rosario miró al suelo sin decir palabra, atenta a las instrucciones que pudiera recibir de sus propios zapatos (que antes habían sido de doña Mariví y estaban «en perfecto uso», aunque pasados de moda).

–¡Lo sabía! –Javi escondió la cabeza entre las manos.

–Lo siento –dijo ella rozándole el hombro con los dedos–. Lo siento de verdad.

–Déjame. No me toques.

Las manos sobre los muslos, Rosario reanudó la vigilancia

del calzado. Pasó una cuerda de párvulos de la guardería de Gonzalo de Córdova. Tiritaban de frío, a pesar de los verdugos y los guantes de lana. ¿Qué podía decirle a Javier? ¿La verdad? ¿Que no se merecían el uno al otro? ¿Que no era necesario que acabaran haciéndose daño? Pasó una mujer con un carrito de la compra del que sobresalía una barra de pan. Daban ganas de arrancar un pico. Estaba claro, antes abandonado por otro, traicionado, que rechazado por sí mismo, por ser él. Si lo prefería, si a Javi le consolaba tanto que hubiera otro, ¿por qué no iba a concederle ella ese último capricho? Pasó un hombre con una corbata negra y el gesto solícito, pero expeditivo, de los viudos recientes. Total, a ella ¿qué más le daba? Él prefería sentirse decepcionado por ella en lugar de por sí mismo: pues adelante. Por Rosario, como si se operaba.

Le veía cabizbajo, con los labios amoratados y los puños cerrados, esforzándose por meditar. Intentaba elevarse por encima de sus problemas inmediatos, aunque con un resultado poco satisfactorio: le recordaba a una gallina aleteando, pero sin conseguir remontar el vuelo.

Tras una poderosa inhalación y un resoplido prolongado, Javier enderezó por fin la espalda y la miró a los ojos:

–¿Quién es él? Dime quién es. Tengo derecho a saberlo.

Rosario miró el cielo, tenía que improvisar algo, pronto, tenía que inventar a otro hombre. Javier comenzó a subir el tono de voz.

–Juanjo. Lo sabía. No me lo niegues. ¿A que ha sido Juanjo?

–No, Javier, te prometo que no.

–Júralo por Dios.

–Te lo juro por Dios.

–Entonces es Martín, lo sabía –volvió a la carga Javier.

Tuvo que negar Rosario que se tratara de Martín Esparza, el de la antigua casquería del mercado, que ahora estaba en la galería comercial; de Miguel, de Juáncar o de Fer, el novio intermitente de Emilia. Cada negativa, avalada por su correspondiente juramento, sólo servía para aumentar la cólera de Javi. Disparaba de nuevo, como si jugara a los barcos. Agua otra vez. Lanzaba otro nombre con impaciencia. Agua. Se iba acalorando.

Los párvulos, ya desatados, se columpiaban con una seriedad glacial y desproporcionada. Dos nubes planas atravesaban el cielo de la plaza como si recorrieran un pasillo a gatas. Había pneumáticas palomas, con el pecho repleto del viento del espíritu, zureando y copulando a plena luz del día, en aleros, en balcones, en cornisas, a la vista de todos y siempre a punto de perder pie.

–Te lo voy a decir, Javier. Pero prométeme una cosa: no harás nada.

–Yo haré lo que yo tenga que hacer –pronunció con orgullo.

–No es culpa suya. Ha sido sólo culpa mía.

–De acuerdo. Sólo quiero saber quién es –cedió al fin.

–Gamazo.

El nombre le produjo el aturdimiento de la bofetada imprevista: le enrojeció una sola mejilla.

–¿Don Perico Gamazo? ¿Ese viejo?

–No, el señorito José Ignacio. Su hijo.

–No me lo puedo creer.

Rosario bajó la cabeza en señal de avergonzado asentimiento.

–Así es la vida, lo siento –dijo, fatalista.

–¿Se ha propasado contigo?

–Que no es eso. Si fue culpa mía. Yo quise.

–¿Quieres decir que sois novios?

–No del todo.

–¿Tú eres imbécil o te lo haces?

–¿Por qué lo dices?

–Ese tío sólo quiere aprovecharse de ti, qué te has creído. ¿Acaso piensas que te respeta? ¿Que se va a casar contigo? Mira, no sé si eres tonta o algo peor. Sólo te quiere para lo que te quiere. Se divertirá contigo y luego, si te he visto, no me acuerdo.

–No me importa.

–¿No te importa?

–No me importa. A lo mejor yo hago lo mismo. También me divierto con él y luego ni me acordaré.

–Ahora ya sí que no me lo puedo creer –le temblaba la mandíbula de rabia incrédula–. Rosario, hemos terminado para siempre. Y no te digo lo que eres.

–¿Qué soy?

—No sé si me das más asco o más pena —se levantó de golpe.

—Dime qué soy.

—Adiós para siempre.

—Adiós, Javi. Lo siento de verdad. ¿Podrás perdonarme algún día?

—No hay nada que perdonar. Todo está perdonado.

Le vio alejarse con la espalda muy derecha y paso marcial que dejaba profundas huellas en la arena helada del parque. Se detuvo a unos cinco metros, se dio media vuelta, la señaló con el dedo y pronunció con voz firme, sonora y bíblica:

—Tú eres una puta. Eso es lo que eres. Te has convertido en una puta.

La miraba con ferocidad.

—Dímelo, Javier. Di lo que quieres decir. Dilo y quédate a gusto de una vez.

—Ya te lo he dicho.

—No. Dilo. Di lo que de verdad quieres decir. Atrévete. ¿No tienes valor para decirlo?

—No es cuestión de valor, Rosario.

—Quiero que me lo digas. También yo tengo derecho a saberlo. Dímelo, no seas cobarde.

Por fin se decidió:

—Tú lo has querido. Eres una puta: igual que tu madre.

—Gracias, Javier.

El iracundo frutero y hombre de porvenir se dio media vuelta y desapareció apretando el paso.

Por todo el barrio, las benévolas monjitas de la SaFa debían de haber ido haciendo su incansable labor de apostolado.

Se quedó sola, con la vista en los zapatos y las manos apoyadas en los muslos, sentada sobre las ruinas del mercado.

Cuando iba a hacerse de noche vio que una gota de lluvia le mojaba el zapato.

Por fin iba a llover y ya se había librado de Javi y su futuro con vehículo propio y un elegante tresillo comprado en cómodos plazos.

Ahora sólo le faltaba salir de la casa de los Gamazo, del nuevo chalet de El Viso con sus cuatro cuartos de baño.

En realidad no había sido nadie en particular, pero eso no se lo podía decir a Javier. Mientras él «se hacía un hombre» en Cerro Muriano, Rosario se había acostado, con más curiosidad que satisfacción, con Martín, el de la casquería; con un amigo de Javier que se llamaba Miguel Macanaz; y con uno de aquellos espectros ambulantes del Big-Ben, David Ortega, al que le gustaba que le llamaran Mike.

Lo de Martín fue un desastre, el chico se asustó y apenas pudo hacer nada. Con Miguel Macanaz no fue mejor: no se quitaba de la cabeza a su amigo Javier, el honrado frutero, y se negó a volver a verla, porque él «tenía principios». Mike había sido mecánico en un taller de motos, pero lo había dejado todo y ahora vivía dedicado a la droga, que al parecer ni siquiera le dejaba fuerzas para acostarse con Charo.

–Qué quieres, tía, el caballo te la baja.

Rosario no le entendía.

Para Mike no había duda.

De una parte estaba el trabajo honrado, la diversión sana y la invisibilidad. Diez horas al día en un taller, en una tienda, en un andamio, y resignarse a la pobreza, a la humillación, al cansancio y a la falta de sentido. ¿A cambio de qué? Del respeto y el cariño de la familia y los vecinos, de las palmaditas del jefe en la espalda y de poder presumir de ser, por encima de todo, muy decente, de tener principios.

De otra parte estaban el placer, la perdición, una vida intensa y breve, el prestigio sombrío de convertirse en una amenaza para la sociedad y también en una víctima, la ausencia de res-

ponsabilidades y la halagadora posibilidad de ser materia de re-
flexión para políticos y periodistas.

Para Mike no había color: mejor el Big-Ben y reventar en los
lavabos, con la aguja clavada en un brazo, acurrucado al pie de
la taza.

–No hay futuro, tía.

–Pero tú te estás destruyendo, Mike.

–Sólo me hago daño a mí mismo.

–Es que no estamos solos, no podemos hacer nada solos. Si
nos unimos sí que habrá un futuro.

Rosario ya se reunía entonces con Joaquín Visiedo, el Tequendama, uno de los dirigentes del GRAPO, y había empezado a creer en trasnochadas utopías revolucionarias.

–Paso, tía. Paso de política. Paso de todo.

–Vas a acabar muy mal. Por ahí no hay salida.

–Puedes ser un engranaje cualquiera del motor, un palier insignificante, un tornillo que no sabe quién conduce ni adónde
va la moto. O puedes acabar mal, convertirte en una catástrofe y una amenaza para la sociedad. Vale, pero por lo menos has
intentado gripar el motor, ¿me entiendes? Aunque te cueste la
vida, te quedas mucho más a gusto.

Rosario no le entendía, pero sentía piedad por él. Los domingos iba a verle al Big-Ben. Desde que se puso a trabajar
como interna, tras la muerte de la abuela Carlota, en el chalet
de El Viso, los domingos se le hacían más largos que aquellos
en que tenía que quedarse en la SaFa. Eran los implacables, los
eternos domingos de las chachas, que acaban en su día libre en-
cerradas fuera, sentadas en bancos municipales, con el bolso en
las rodillas, recorriendo parques, comiendo pipas, pidiendo permiso para utilizar el baño en cafeterías, mirando escaparates o
leyendo novelas. Charo iba a veces a comer con su padre y, por
la tarde, volvía a Olavide y acababa en el Big-Ben. Si dejó de
verle fue porque Mike desapareció de la noche a la mañana.

No le encontraron derribado en los lavabos del Big-Ben: murió años después, en 1984, en la última planta del Gregorio Ma-
rañón, enfermo de sida, cuando Rosario ya formaba parte de la
organización y acabábamos de detenerla para asustar a Nacho.

Si a Nacho Gamazo o a su familia alguna vez se les pasó por la cabeza la peregrina idea de que su vida, su pasión y, al final, su muerte iban a provocar al menos algo de mala conciencia o malestar entre sus amigos, él y su familia se equivocaron de medio a medio. Fue todo lo contrario: el triste ejemplo de Nacho, su mala cabeza y la ingenuidad de su entusiasmo les vinieron como anillo al dedo para justificar su propia rendición a la realidad.

A Francisco Javier Cachón tuve que ir a verle a su despacho recién estrenado, en la Dirección General de Seguridad. Iba para ministro: con veinticuatro años ya ni siquiera fumaba y había reemplazado el paladeo mucoso por lo que él llamaba «una pelota antiestrés». La apretaba con todas sus ganas en un puño, debía de contar hasta diez y luego hablaba en un deliberado tono robótico, solemne y metalizado, tomando impulso con frases como «bajo mi punto de vista la situación presenta varias coordenadas complejas».

Esta vez, sin embargo, dio un salto sin coger carrerilla:

–¡Nacho Gamazo! –exclamó, casi aturdido–. José Ignacio Gamazo. El mejor de todos nosotros. Un figura. Qué potencial. Qué talento. Qué gran corazón... ¿Qué ha sido de él, por cierto?

–No tengo ni idea. Por eso te pregunto.

–¿A mí? ¿Por qué? Hace años que no le veo. ¿Le ha pasado algo?

–Ha desaparecido. Necesito dar con él antes de que cometa algo irreparable.

–Fuimos muy amigos, pero los caminos se separan. Ya hemos perdido todo contacto.

Cachón era así, tenía sentimientos cartilaginosos, translúcidos, difíciles de masticar porque eran a la vez duros y blandos, hechos de gelatina y de tendones, de compasión y crueldad, de miedo y ambición implacables.

–No te pregunto como amigo. ¿Qué tenéis sobre él?

–Tonterías, propaganda ilegal, poca cosa. Sin embargo, la última vez que le vi, su posición me asustó. Le perdí la pista, te lo aseguro.

–A mí me consta que sigue en la organización. No te olvides de qué lado estoy ni quién soy: a mí me puedes facilitar toda la información. Consulta con el ministro, por favor.

–Discúlpame.

Quizá era demasiado joven para saber con quién estaba hablando. Cachón se ausentó unos minutos y volvió sonriente: se había quitado un peso de encima.

–¿Puedes contarme lo que tenéis? ¿Estás autorizado?

–Por supuesto: estás en tu perfecto derecho. Era una simple formalidad, tú ya sabes cómo funcionamos.

Según me contó Cachón, Nacho había decidido que aún era necesaria la lucha armada. A pesar de la Constitución y la llegada de la democracia, a pesar de la legalización de los partidos, a pesar de Juan Carlos I, rey de todos los españoles, a pesar del inminente referéndum. ¿Cómo se le había podido meter en la cabeza algo así? Cachón no daba crédito: Nacho lo tenía todo, y sobre todo talento, era el mejor de todos ellos. Cachón sólo podía explicárselo de una forma:

–Fue la chacha. Tuvo un lío con su chacha, Rosario Valverde. Una mujer mayor que él, muy extraña, una resentida, militante de la banda. Y debió de acabar mal. El seductor seducido o algo así, y al final fue ella la que le reclutó para esa fantasmagórica revolución.

–¿Qué están preparando ahora?

–No estamos seguros, creemos que quieren hacer algo el día del partido contra Francia o quizá el día del referéndum. Algo importante a final de mes. No conseguirán nada, tú lo sabes, siempre podremos llegar a tiempo, están infiltrados hasta la coronilla.

–¿Protegeréis a Nacho?

–Protegeremos su vida, te lo garantizo.

No le dirigió la palabra durante todo el trayecto. Conducía como si apilara cajas de mala gana, empleado por cuenta ajena.

–Tengo una comida decisiva, José Ignacio. –El nombre completo formaba parte de la puesta en escena de su justa cólera, revestida de dignidad sombría–. Hoy ya has echado a perder bastantes cosas.

–¿Mamá está en casa?

–Llegará por la tarde, tiene tenis. Es lo mejor para su espalda. Lo que no te perdono es eso: el disgusto que le vas a dar a tu madre.

Se detuvo frente a la puerta y bajó del coche sin apagar el motor.

–A tu habitación castigado. Estás bajo arresto domiciliario.

Perico Gamazo había llamado al timbre. Desde que tenían interna, nunca llevaba llaves de casa: decía que deformaban los bolsillos.

–Aquí le dejo a este, Rosario. Bajo ningún concepto puede salir de su habitación. Llévele algo de comer, pero sólo verduras.

–Hay acelgas, señor.

La chica estaba despeinada y con las mejillas rojas, como si hubiera sido sorprendida en falta. Perico Gamazo no se dio cuenta de que no llevaba puestas las medias. Su hijo sí lo notó.

–Pues acelgas. Es más de lo que se merece. Le han vuelto a expulsar. Esta vez se ha pasado de la raya –respondió Gamazo y luego añadió dirigiéndose a su hijo–: En cuanto vuelva nos veremos las caras. Ahora a tu celda.

Vigiló la ascensión del chico escaleras arriba y esperó hasta que oyó cerrarse la puerta de su habitación.

–Dele un poco de jamón de York, Rosario. Como si fuera cosa suya. No se lo merece, pero soy así: se me parte el corazón.

–¿Está enfermo el señorito?

–Ojalá. Es un auténtico salvaje. Mano dura, Rosario: sólo jamón. Y de York, por supuesto. Tengo que irme.

Y sin más saltó al coche y dejó a Rosario en la puerta, con su uniforme negro, el delantal blanco y la cofia mal ceñida, y tratando de imaginarse al señorito Nacho convertido en «un auténtico salvaje».

Iba a ponerse el sujetador y las bragas cuando oyó a Nacho que la llamaba desde su habitación. Los martes, cuando la señora se iba al tenis, Rosario se quedaba sola y leía desnuda en su cuarto. Había oído el coche del señor justo a tiempo para ponerse el uniforme por encima, sin ropa interior.

–¿Quieres comer ya?

El chico estaba tumbado en la cama, boca arriba, con la música puesta.

–¿Qué te ha contado el viejo?

–No sé cómo aguantas este ruido. –Rosario bajó el volumen–. Nada, que sigues como siempre: hecho un auténtico crío.

–Mira quién habla.

–¿Quieres o no quieres las acelgas, que tengo mucho trabajo?

–A la mierda la verdura. A la mierda las tareas pendientes. Siéntate, Charo, ahora vas a conocer algo grande.

–Grande es el cerro de plancha que me queda, pasmarote.

–No seas Mari-Angustias, que son diez minutos, es una ópera-rock.

–Toma del frasco –se rió la chica, aunque se sentó en la silla del escritorio.

Nacho cambió el disco y sacó de un cajón de su mesa una botella con un líquido azulado.

–Vamos a brindar.

–Lo que me faltaba –rechazó Rosario–. Estás tonto: cualquier día te encuentran la botella.

278

–Qué va. El viejo respeta mi intimidad. No hace más que hablar de respeto, de responsabilidad, de libertad, de más respeto, no se le cae de la boca.

–Pues no le veo la gracia.

–Prueba, es absenta, lo que bebían los poetas malditos.

–Hay que ver cómo estamos, Nacho. Calcetines para ejecutivos. Coñac para hombres de verdad. Y ahora también bebidas especiales para poetas malditos. Venga, dame un trago. Total, con el día que llevo.

–¿Mucho trabajo? –le pasó la botella.

–Lo de todos los días. Y he roto con mi novio.

–¿El frutero?

–El frutero. Él sólo bebe café corto de café, con leche templada y en vaso. Debe de ser la bebida de los más legendarios profesionales de la fruta. Esto está asqueroso, Nacho: parece gasolina de mechero.

–Tú no tienes paladar para lo sublime.

–Se conoce que no.

De uno a otro iba la botella, aunque la que más bebía era Rosario, que no tenía costumbre y, hasta entonces, sólo había probado la cerveza. Nacho se había sentado en la cama y, desde abajo, la miraba empinar el codo.

–¿Qué has hecho esta vez? –preguntó la chica.

–Nada del otro mundo. He disparado una pistola.

–Natural. Qué cosa tan corriente. Cómo no. ¿Quién no se lía a tiros cualquier martes? Con lo patoso que eres, le habrás dado a alguien.

–No seas borrica. Metí el cañón en la taza del váter. Disparé hacia dentro, bajo el agua.

–Pero qué idea tan poética, chico. Parece mentira que ya tengas diecisiete.

–Estalló la taza entera y la tubería también. Me torcí la muñeca, por el retroceso. Mira, se me está hinchando.

–Claro, el retroceso. Tú no eres más gilipollas porque no te entrenas. ¿O sí te entrenas, Nacho?

–No te pases, Charo.

–Perdone el señorito.

—Déjame en paz.

Rosario bebió un trago prolongado. Nacho ponía cara de haber sido víctima de un agravio inmerecido.

—Sabe a matarratas.

—Era lo que bebía Baudelaire.

—Siendo así...

—Mira, tú y yo estamos igual aquí, Charo. Y tú lo sabes. En esta casa sólo manda el viejo.

—Déjalo, anda. Las cosas son como son.

Se acabó el disco, pero ninguno se movió.

—Me estás mirando —dijo Rosario, sonriente.

—Claro, hablo contigo —respondió Nacho, ahora sin mirarla.

—El coño, imbécil. Acabo de darme cuenta.

—No te miraba.

—Claro que sí. Si no, ¿cómo sabes que no llevo bragas?

—¿Por qué no llevas bragas?

—Porque estaba leyendo. ¿Te gusta? —Rosario separó un poco más las rodillas—. Sí que te gusta. Te has puesto rojo. Te gusta mirarme.

—Me gusta —admitió, y comenzó a incorporarse.

—No te muevas. Quédate quieto —le ordenó ella.

Rosario se subió la falda, apoyó los talones sobre el travesaño entre las patas de la silla y separó los muslos.

—Mira bien —le dijo—. Te gusta. Mira qué monstruo delicado.

—¿Monstruo delicado? ¿Qué es eso?

—Es un poema de Baudelaire, idiota.

—¿Tú has leído a Baudelaire? —se sorprendió Nacho.

—Sí, lo siento mucho. Tu padre también lo ha leído. Perdona, el viejo quería decir. Lo tiene en el despacho. ¿Tú no lo has leído?

—Un poco, en revistas —mintió Nacho, que había leído mucho sobre el francés, pero ni uno solo de sus versos.

Nacho se levantó.

—Te he dicho que no te muevas. Túmbate. —Rosario cerró las piernas.

—Vale —cedió él y se tumbó boca arriba en la cama.

Rosario se puso de pie al borde de la cama, con la falda subida hasta la cintura. Cuando él le acarició una rodilla, ella volvió a exigirle que permaneciera inmóvil.

–Pon las manos detrás de la espalda. Quédate quieto.

–Charo, ¿qué juego es este? ¿De qué va esto?

Rosario abrió las piernas. Se sujetaba la falda con la mano izquierda y se acariciaba los labios de la vagina con la mano derecha.

–¿Esto? Esto es poder. ¿No lo sabías? Es el único juego.

Se desabotonó la falda y la dejó caer al suelo. Luego se acercó a Nacho y le desabrochó el botón del vaquero. Cuando iba a bajarle la bragueta, el muchacho no pudo evitar sacar las manos.

–Quieto. Si te mueves, me largo ahora mismo.

–Lo siento. Ha sido un reflejo.

–¿Tienes miedo?

–Sólo por la cremallera. Me puedes hacer daño sin querer.

–¿Sin querer? –se rió Rosario.

–Me fío de ti.

–Haces mal: te equivocas.

–Para el carro, Perico, y no te embales. Hay que filtrar, filtrarlo todo: esa es la clave. Ella dice que Nacho quiso propasarse. ¿A que el chico cuenta otra versión? Bueno, bueno: se calla por vergüenza. Y entonces, ¿con qué nos quedamos? Pues a las pruebas me remito. La chica es tres años mayor que él: prueba número uno. Lo demás son suposiciones, si lo vas filtrando.

El célebre Castresana le impartía a Perico Gamazo un curso acelerado de pragmatismo.

–Rosario es de toda confianza –opuso Gamazo.

–Eso, según y conforme. Lo único importante es: ¿cuánto te ha pedido?

–¡A mí no me ha pedido nada! –se escandalizó Perico–. Se ha despedido.

–Pero tú ¿le has dado algún dinero?

–Todavía no. Por eso quería verte. Habrá que darle algo, es lo mínimo.

–Tú para quieto. Ni se te ocurra. De eso ya nos ocuparemos. ¿Sabe leer la chica?

–Por Dios, Castresana, que estamos en pleno siglo veinte. Esto no es una plantación de esclavos negros, no fastidies. Rosario ha leído más que tú y que yo juntos. Otra cosa no, pero se ha leído toda mi biblioteca. Le pusimos tele en su cuarto y ni la enchufa.

–Mala señal. Acabáramos. Una marisabidilla. Y encima está buena. Lo llevas clarinete: esa sabe latín –advirtió Castresana.

–¿Cuánto te parece a ti que hay que darle?

–Echa el freno, no tan deprisa. A esta gente hay que saber

tratarla. Hay que conocerlos. Tú déjame a mí. Escúchame con atención. Lo primero, no te eches tú la culpa de nada. Ni tampoco al chico. Tú no sabes lo que en realidad ha pasado, así que tienes que confiar en tu hijo. ¿Vas a confiar más en esa que en tu propio hijo?

–Ahí llevas razón, pero es que Nacho no suelta prenda, se ha cerrado en banda.

–Natural. Le habrá hecho un trauma la tía. Estas pájaras se las saben todas, te lo digo yo, que las conozco a fondo: soy un hijo del pueblo.

Castresana, con la espalda muy derecha, procedió a abrirle los ojos a Gamazo y a poner a su alcance los conocimientos ornitológicos que había acumulado en su larga experiencia con el personal de servicio. El señorito que abusa de la criada: ¡miau! El noventa por ciento de las veces, según cálculos del propio Castresana, eran ellas las que iban provocando. Eran así, primitivas. En el pueblo, los instintos son más poderosos, están más a flor de piel, como en los animales. En definitiva: que eran unas calentorras. El pueblo es muy básico. Luego, cuando la cosa llega demasiado lejos, le echan la culpa al hijo de familia y asunto concluido. O peor todavía: se dan cuenta de que además pueden sacar tajada. ¿La inocente chacha? Castresana volvió a maullar y añadió: ¡naranjas de la China! El inocentón era el pobre Nacho, criado entre algodones. Esas pájaras se las sabían todas.

–El caso es que se ha ido sin pedirme un duro. –Gamazo cada vez ponía menos resistencia, le había cambiado la voz.

–Es una maniobra clásica. ¿No dices que es tan leída y escribida? Pues prepárate, ahora te vendrá con un bombo.

–No seas bruto.

–Otro inocente. Como tu hijo, tal para cual. Es así, en cuanto las preña su novio o vete tú a saber quién, te endosan a ti la factura. Si te descuidas, le acabas pagando la universidad a ese crío.

–Qué crío, no exageres. Nadie ha hablado de niños. ¿Tú crees que Rosario es así?

–Pues no faltaba más. Mira, Perico, con todos los respetos, tú no conoces al pueblo.

–Si te vas a poner así.

—Yo soy un hijo del pueblo —repitió Castresana con solemnidad.

—El pueblo somos todos —aventuró Perico Gamazo sin demasiado convencimiento.

—Eso sí que no. Yo vengo de abajo, hijo. Tú lo sabes. Yo soy uno de ellos. Por eso los conozco tan bien.

En vista de lo que se le venía encima, Perico Gamazo se puso a examinar las molduras del techo, el drapeado del sillón, los encajes de los visillos y hasta el estampado de la alfombra. Más que caer, la tarde resbalaba por andamios y canalones, a rastras por tendederos y cornisas, rebotando de grúas a terrazas. Parecía que la luz violeta hubiera tropezado en una antena y Gamazo sabía que, antes de que hiciera impacto contra el suelo, Castresana no habría terminado de devanar el ovillo de su auténtica filiación popular. ¿Qué le tocaría escuchar hoy a Perico? ¿Esta vez habría descargado fruta en Legazpi? ¿Habría limpiado con manguera el suelo de un matadero? ¿Habría juntado cartones y recogido harapos en un carromato? ¿Habría robado tendido eléctrico para vender el hilo de cobre en el Rastro? Porque Castresana había hecho de todo, todo lo que él se pudiera imaginar, y todo desde los nueve años de edad. ¡Todo! Él era pueblo, puro pueblo: la cantera, el macizo de la raza. Por eso los conocía como la palma de su mano. El pueblo era la materia prima, eran capaces de cualquier cosa: las mayores heroicidades y las vilezas más arrastradas. El pueblo era sencillo y sin dobleces. Para bien y para mal. Su bondad podía alcanzar lo grandioso, pero su maldad tocaba el fondo del abismo. Aunque ahora Perico Gamazo viera así a Castresana, tan empaquetado y de corbata, con sus zapatos relucientes y el reloj de oro, él era legítimo pueblo, hijo del pueblo. Se había hecho a sí mismo, siempre con la ayuda de don José Montovio, porque él, al suegro de Perico, se lo debía todo en esta vida. Sí, Castresana era otro ahora, pero en su (no tan accesible) corazón él seguía sintiéndose pueblo. Por eso entendía al servicio. Y por eso mismo no se fiaba un pelo.

Desaguaba la grumosa tarde y la espesa monserga en imbornales, encharcaba alcorques, empapaba ropa tendida, y se hacía de noche sin remedio. Gamazo decidió rendirse.

–De acuerdo. Ocúpate tú de la chica.

–Con una condición, hijo.

–Lo que tú digas.

–No me hagas preguntas. Yo te iré informando, pero no me preguntes nada.

–Pues como siempre, ¿no? Así lo haré.

–Entonces pierde cuidado. Déjalo todo en mis manos. Antes de irnos a Asturias te lo dejo resuelto. A la vuelta te lo explico todo.

A simple vista no era fácil decidir si el cabezazo de Perico era una señal de asentimiento o un repentino escalofrío que acabara de recorrerle el espinazo.

Rosario desapareció de la casa, aunque no de la vida de Nacho. Y si Castresana había dejado algo pendiente o no, Perico no lo supo nunca, porque el hombre del pueblo nunca volvió de Asturias.

En aquel viaje murieron los cuatro antiguos compañeros de celda. Mi padre, el viejo marqués de Morcuera, Pepe Montovio y Castresana, aquel hijo del pueblo.

Durante la guerra, el reventón de una rueda les había salvado del fusilamiento y, ahora, el reventón de otra rueda les arrojó a la garganta del Cares, ese abismo en el que desaparecieron, ese cráter en el que el vacío se los tragó para siempre.

Nacho estaba en su antigua habitación, sentado en el suelo. Desde que se fue de casa, poco después de la desaparición de Rosario, aún con diecisiete años, sólo venía a comer algunos domingos y cuando necesitaba dinero, que era bastante a menudo. A Perico aquella decisión de independizarse le había parecido una buena señal: pensó que el indiscutible talento de Nacho iba por fin a manifestarse.

No fue así y en 1984 hasta el propio Perico había perdido ya la paciencia. Nacho, con veinticuatro años, seguía dando tumbos en pisos alquilados con subvención paterna; había empezado varias carreras sin llegar en ninguna más allá de segundo y, aunque había desplegado proyectos para rodar una película, formar un grupo musical, escribir una novela y editar una revista, ninguno de ellos había producido el más mínimo resultado.

Y ahora Nacho estaba furioso.

Perico y Mariví, en el salón, se esforzaban en hacer como si tal cosa. Mariví miraba la tele mientras Perico leía el *Financial Times*. Cuando Nacho apareció, no se miraron.

–¿Me vais a ayudar o no? –preguntó de pie, mirando a su padre a los ojos.

–Siempre te hemos ayudado, José Ignacio. Y vamos a seguir ayudándote en todo. Pero no te vamos a dar ese dinero. Eso no sería ayudarte. Si es inocente, la soltarán después del juicio.

A Rosario la habían detenido el viernes. La policía se presentó en el piso que compartía con Nacho y encontraron propaganda ilegal.

–¿Por qué me hicisteis ir a Moratilla?

–Ya lo sabes, necesitábamos tu firma en la escritura.

–Necesitabais que no estuviera en el piso, ¿verdad? Queríais protegerme y que sólo la detuvieran a ella. Vosotros sois los culpables, la habéis denunciado. Y ahora no pensáis ayudarme a pagar la fianza.

–No digas tonterías.

–Dime la verdad, mamá. No me mientas.

–Tu padre te lo está diciendo. No sabemos nada de eso. Si esa chica es terrorista, lo mejor que puedes hacer es alejarte de ella para siempre.

–¡Habéis sido vosotros!

Nacho lanzó un chillido agudo y saltó sobre su madre.

La agarró por el cuello y comenzó a apretar, decidido a estrangularla.

Perico intentó detenerle tirando de sus hombros, pero Nacho seguía con las manos en el cuello de su madre.

Perico lanzó un puñetazo desde atrás sobre la cabeza de su hijo. Hizo impacto bajo la oreja izquierda. El chico soltó a su madre y se volvió para hacer frente a su padre, que le golpeó de nuevo, esta vez en la boca, con todas sus fuerzas.

Nacho se quedó inmóvil, de pie, sangrando por el labio partido y sin llevarse las manos a la cara.

–Fuera –dijo su padre–. Fuera de mi casa. Vete ahora mismo.

–¿Me estás echando de casa? Tú sabes que no puedo volver al piso.

–No me dejas alternativa. Fuera de aquí.

Nacho se dio la vuelta con ceremoniosa lentitud, subió a su antigua habitación y volvió con una mochila y el anorak puesto.

Su madre tenía el cuello enrojecido y los ojos encharcados de lágrimas. Su padre permanecía de pie. Habían apagado la tele.

–Mamá, ¿tú quieres que me vaya?

–Tu padre tiene razón. Es por tu bien.

–Dímelo, mamá. Dime que me vaya.

–Vete.

–Fuera de aquí ahora mismo, José Ignacio –repitió Perico–. Tú madre y yo queremos que te vayas. Fuera de nuestra casa.

Le expliqué a Carlos Clot que esa fue la última vez que los Gamazo vieron a su hijo.

Salió sin despedirse, con la cabeza muy alta, arrastrando los pies, algo inclinado hacia la derecha por el peso de la mochila.

Hubo una llamada. Cogió el señor Gamazo. Nadie decía nada. Se oía ruido de calle, debía de ser una cabina. Le pasó el teléfono a su mujer. Tampoco dijo nadie nada, pero ella está convencida de que era su hijo. Dice que oyó su respiración. Colgaron pronto. Al día siguiente se produjo el robo.

NUMEROSAS PERSONAS SE MANIFESTARON ANOCHE ANTE
LA EMBAJADA FRANCESA

Un grupo numeroso de manifestantes se concentró poco antes de la medianoche de ayer ante la embajada de Francia, en la calle Salustiano Olózaga, situada en las proximidades de la madrileña Puerta de Alcalá. Los manifestantes corearon diversos gritos contra el personal de la misma y los jugadores franceses, en especial contra Platini, y lanzaron huevos contra el edificio. La presencia policial, algunos de cuyos componentes fueron alcanzados por los proyectiles, hizo que los manifestantes optaran por abandonar la calle, a lo que habían sido invitados sin violencia por la policía. A partir de ese momento, el acceso a la misma fue controlado, vehículo a vehículo, por miembros de la policía nacional.

Los manifestantes, a los que se añadieron a lo largo de la hora siguiente otros cientos de madrileños, convirtieron el paseo de Recoletos, la calle Alcalá y las plazas de Cibeles e Independencia en escenarios de una sonora protesta por el resultado de la final de la Eurocopa, con derrota española por 0-2, y la actuación del árbitro checoslovaco Christov, al que se le tachó de casero. Las bocinas y los gritos de «¡España, España!» se mezclaban.

Diez de aquellos llegaron a subirse a la estatua de la Cibeles enarbolando banderas españolas, mientras eran animados entusiásticamente.

La concentración de unas doscientas personas se produjo, finalmente, en la plaza de la Cibeles. Y, pasada la una y media de la madrugada, un grupo prendió fuego a una bandera francesa y, ardiendo, la izó a uno de los mástiles, entre gritos de «¡Franchutes, franchutes!» y el estallido de bastantes petardos. La nueva aparición de la policía nacional terminó por disolver a los manifestantes.

El País, 26 de agosto de 1984

Qué pálido reflejo, qué tenue relato, qué prosa tan yerta y mortecina para una noche tan dolorosa, pero tan heroica como española.

¿Doscientos? Debimos de ser dos mil. ¿Invitados sin violencia por la policía a abandonar la calle? Los centauros nos desalojaron a porrazos, con algún que otro disparo intimidatorio con fuego real; los cascos de los caballos trituraron docenas de costillas, y hubo pelotas de goma, carreras, cabezas descalabradas y más de cinco heridos por arma blanca. ¿Que se tachó al sinvergüenza del colegiado checoslovaco de «casero»? Eso fue lo más amable que se gritó. Y no sólo ardió una bandera francesa, sino cientos; y no fueron petardos, sino también pedradas y cócteles Molotov; y no fue sólo en la embajada, sino que algunos valientes se acercaron a lanzar proyectiles y orinar contra la pared de la residencia de *Monsieur l'ambassadeur de France*, en plena calle Serrano, y fueron capturados y detenidos.

Así se escribe la historia.

¿Y qué esperaban? ¿Resignación? ¿Conformidad? ¿Que España agachara la cabeza? El propio presidente socialista, Felipe González, lo dijo sin pelos en la lengua: «El resultado del partido es injusto para España». Pues ante la injusticia, ¿cómo reacciona el noble pueblo español? Que se lo pregunten los gabachos a Napoleón.

Como de costumbre, fue Adolfo Suárez el que acertó a expresar el sentir de todos: «El árbitro ha jugado con Francia y nos ha hecho la Pascua».

Durante toda la primera parte estuvimos a años luz de los franchutes, sin dejarles ni una sola ocasión de gol. No tuvimos suerte: Víctor remató de cabeza rozando el poste derecho; luego Santillana, dos veces, la primera también de cabeza. Hasta los franceses pitaban a su ídolo de pacotilla, Platini.

Pero la suerte es como es y nos abandonó. En esa Eurocopa, el único partido que perdimos fue el que mejor jugamos y el decisivo: esa final contra Francia. Así es la vida. Así es el fútbol. Así ye la mina, y el mar.

Aquella flor que Miguel Muñoz prefería tener en el culo «antes que otra cosa» (que no especificó), había dado un fruto venenoso, acre y hemorroidal. Así lo confesó el seleccionador en declaraciones a la prensa: «La flor se ha marchitado, ¡me cago en la madre que la parió!».

De eso se trataba, a fin de cuentas, de una desfloración: en todo equipo el portero es una madre y el gol es la violación de la madre por la horda enemiga. Cuánto más en una selección nacional, donde un portero violado es la madre patria humillada. ¿Acaso no merecía tal afrenta una noche de odio y de quemar banderas enemigas?

Tras el descanso, el árbitro checo Christov se pasó con armas y pertrechos a la selección francesa, a la vista de todos, sin molestarse ya en disimular su parcialidad. Nos pitó una falta que sólo existía en el interior de su cabeza, lanzó Platini y Arconada paró el tiro. Llegó a detener el esférico en sus manos, pero se le deslizó de entre los dedos y entró en la meta, con una lentitud lacerante, pasando entre las piernas de la madre violada y la patria humillada.

Nos quedamos estupefactos, como en un trance. En el palco, entre François Mitterrand y un sonriente Felipe González, ambos impasibles como reptiles, estaba sentado un jovencito rubio, con traje y corbata, y del que daban ganas de decir que iba «más bonito que un San Luis». Era el príncipe Felipe, con bucles dorados en las sienes, labios de coral y ojos transparentes, opalinos, tan incapaces de ocultar un mal pensamiento como de concebirlo. Aunque intentó guardar la compostura, todos pudimos ver que, tras el gol criminal, se le encharcaron los ojos y apretó los labios para contener un alarido de rabia. Era (y es) un auténtico español: a su corta edad, el chaval ya no tenía horchata en las venas.

La furia española vino en nuestro auxilio: comenzamos a jugar con desesperación, pero también con potencia, corriendo sin volver la cabeza y sin mirar atrás, todos a una hacia el arco francés. No fue bastante. Ni la furia ni siquiera aquellos minutos en que jugamos contra diez, tras la expulsión de Le Roux, fueron suficientes.

Incluso nos metieron un segundo gol, al contragolpe, y al final subió Platini a recoger la copa, entre gritos que pedían al árbitro que le acompañara, como miembro del equipo.

Al día siguiente Gilera escribió en *Abc:* «Ha sido una victoria falsa, que ha de remorder las conciencias francesas de aquellos que sepan ver y juzgar un partido de fútbol».

Como si los franceses tuvieran una conciencia que pudiera remorderles.

O como si supieran ver un partido y mucho menos juzgarlo.

Esa noche, a las doce y diez, murió José Ignacio Gamazo. El comando de dos personas, Nacho y un tal Joaquín Visiedo, se aproximó en una motocicleta Vespa 250 al restaurante La Ancha, en la calle Príncipe de Vergara. Conducía Nacho y Visiedo era el encargado de arrojar a mano la bomba. A Visiedo ya le teníamos fichado: se hacía llamar el Tequendama y era el especialista en explosivos. Siempre utilizaba el mismo explosivo plástico, TK-112, sustraído de la mina de La Camocha, en Asturias.

Pudo haber sido una matanza. En aquel momento se encontraban cenando en el local dos ministros, tres subsecretarios, cinco directores generales y no menos de veinte periodistas (todos ellos independientes, por más que compartieran la mesa del poder dos veces por semana).

Al parecer, la tortilla de almejas y la merluza con salsa de chipirones de La Ancha merecían su fama.

De pronto, a medianoche, a la olvidadiza primavera le dio por llover a cántaros, sin parar hasta el amanecer.

Aquello fue una ejecución, yo estuve allí. Les estaban esperando en la esquina con Ramón y Cajal. Iban de paisano y ni siquiera les dieron el alto.

La influencia de Gamazo y mis buenos oficios lograron que Nacho apareciera en las noticias como víctima inocente del fuego cruzado entre los terroristas y la policía.

Tal y como yo esperaba, Francisco Javier Cachón me había mentido. Estaba en su perfecto derecho.

A Nacho nadie le puso una señal en la frente para impedir que le mataran.

No pudo ser el doblete, la legendaria cantada de Arconada nos arrebató la Eurocopa, pero al menos sí ganamos el referéndum.

Por su parte, Perico cumplió el sueño de su vida: cerró el acuerdo con el Vaticano para los envases eucarísticos.

Sólo él sabe en su conciencia el precio que tuvo que pagar, aunque a menudo la conciencia es como la ideología: cada uno tiene la que necesita para justificar su modo de vida.

La penitencia

Hemos sufrido, pero ha valido la pena.

Juan Carlos I, rey de España

Hier möchte ich sagen: das Rad gehört nicht zur Maschine, das man drehen kann, ohne dass Anderes sich mitbewegt.

Aquí quisiera decir: no pertenece a la máquina una rueda que se puede girar sin que el resto se mueva con ella.

Ludwig Wittgenstein, *Investigaciones filosóficas*

Los pulpos copulan con la cabeza hacia abajo, los demás moluscos por la espalda como los perros, igual que las langostas y las galeras; los cangrejos, por la boca. Las ranas se colocan encima, el macho sujetando a la hembra por las axilas con las patas delanteras y por los cuartos traseros con las de atrás.

Plinio el Viejo, *Historia natural*

Fue el mejor de los tiempos, fue el peor de los tiempos; fue la edad de la razón, fue la edad del desvarío; vivimos días de llamas, soportamos años de humo; nunca lo habíamos tenido tan cerca, nunca habíamos estado tan a punto de perderlo todo; era el momento de la esperanza más insensata, era el momento de la resignación más dolorida; podíamos hacerlo, oé, oé, oé, podíamos deshacernos de golpe en una sola noche; teníamos los ojos empañados de entusiasmo, teníamos la voz nublada de rencor; aún éramos jóvenes para disfrutar de la victoria, éramos demasiado viejos para sobrevivir a una derrota...

En otras palabras, era una noche tan parecida a cualquier otra de nuestra vida opaca que las autoridades no tuvieron más remedio que declararla Acontecimiento Histórico Nacional.

En el trono aún se sentaba el mismo rey zascandil y deportista al que había designado aquel dictador de mesa camilla y correajes militares, y había una reina impávida y repleta de inquietudes culturales. También teníamos una princesa plebeya, divorciada, con sus propias y copiosas inquietudes culturales y con las muñecas del diámetro de una antigua peseta de plata, y había un príncipe esquiador y campanudo que llevaba pulsera, y los dos se querían a la vista y en representación de todo el mundo, con ese amor de primera calidad exento de intereses y cálculo, y también a todos nosotros nos querían, aunque sin aspavientos y sin descomponer sus no por solemnes menos cariñosos gestos. En la capital imperial, había una emperatriz de raza negra, no sin sus propias inquietudes culturales, humanitarias y ecológicas, y un emperador mulato y filantrópico que corría cinco o seis millas cada amanecer, para mantenerse en forma, y los dos se querían tanto como nos querían a todos los demás, y se querían sobre todo en nombre de los más desfavorecidos, los que nunca han recibido un beso inesperado, o peor todavía: los que nunca nos hemos atrevido a darlo sin reparar en las consecuencias.

Era el octavo año del segundo milenio de Dios Nuestro Señor. El bondadoso presidente había tomado la determinación de lograr, en primera persona, la paz universal perpetua, la victoria en el partido decisivo y la Alianza de Civilizaciones en todo el planeta. Ya había advertido a la prensa que, como nación, «teníamos derecho» a ser campeones; ya había predicado, para perplejidad de los más cándidos, que él era un «optimista antropológico», y ahora estaba dispuesto a dar trigo; se había anunciado a la población que la crisis económica no era más que un rumor propalado por sus enemigos, los mestureros malos, esos que sólo querían crispar a toda costa los ánimos para provocar otra guerra fratricida.

Había un equipo nuevo, «el equipo del cambio», un conjunto sin vedettes ni caudillos, espejo de la profundidad y la calidad de nuestra democracia, de nuestra cohesión social, de una España plural, de un país decidido por fin a no perder ningún tren, a montarse en marcha sea cual sea la estación de destino.

La Furia Roja era la admiración del universo mundo, había derrotado en Salzburgo a Grecia, y a Rusia en semifinales, y ahora teníamos ante nosotros la jornada decisiva de Viena, la más alta ocasión que vieron los siglos, y estábamos preparados para recibir la noticia de que los muchachos habían sido aniquilados bajo las ruedas dentadas de los *Panzerkartoffeln*, reducidos a cenizas, destruidos, de acuerdo, pero nunca, ¡nunca jamás!, vencidos. Eso no se podría decir de nosotros. ¡Éramos españoles! Oé, oé, oé.

Aquel año de gracia de 2008 debía conducir a la gloriosa selección nacional a la victoria o a la aniquilación, o César o nada, o el *Volkgeist* sublime o un wagneriano *Götterdämmerung*, el sangriento ocaso de los dioses patrios. Pero una de dos.

Y a la multitud de criaturas insignificantes, dolientes y temblorosas –también a las minúsculas criaturas de esta crónica– el año 2008 también debía conducirlas en una de las dos direcciones opuestas que ofrecía el destino, tan ciego como inescrutable y tan indiferente como arbitrario.

Absolución o condena, no había más tutía.

Aquel jueves 26 de junio ganamos la semifinal y el sábado 28 nos lo jugábamos todo. El jueves habíamos machacado a Rusia, aunque ya no era la Unión Soviética. La destruimos, la aniquilamos, la despedazamos con un 3-0 contundente.

Aquella tarde se lesionó Villa: no podría jugar la final. El fantasma de Raúl, con el peso abrumador de su 7, cayó sobre la pierna derecha del Guaje. Jorge Candel, el médico de la Furia Roja, lo definió como una microrrotura fibrilar en el bíceps femoral. Qué subterfugio más tonto. Por mucho esfuerzo que pongamos para tallar el bloque de mármol de nuestra vida, la veta negra del destino siempre vuelve a aparecer.

El fantasma de Raúl sobrevoló el terreno de juego y se cobró su venganza impidiendo al Guaje llegar a Viena.

«La mina me da más respeto que una final», había dicho siempre el muchacho, pero no pudo llegar a comprobarlo.

Villa no tenía que haber tirado esa falta, no debería haberse expuesto tanto, pero así es el destino trágico de un héroe.

A la media hora de juego, un central ruso tumbó a David Silva a quince metros de la frontal del área. Capdevila, Marcos Senna y Villa se reunieron en corro, como las brujas de Macbeth, alrededor del balón en llamas. La discusión fue muy breve.

«La tiro yo», afirmó el Guaje, lanzándose a pecho descubierto hacia el resto de su vida, sin mirar atrás.

El momento fatídico había llegado. Villa retrocedió tres pasos para tomar carrerilla y se dirigió hacia el esférico. En cuanto su pie hizo impacto un escalofrío atravesó el músculo como una corriente eléctrica. El rostro del héroe se contrajo en una mueca de dolor.

Intentó seguir, dio un par de carreras torpes, se tiró sobre el césped y al final hubo que sacarle a rastras del terreno de juego.

Entró Cesc y ganamos la semifinal.

Jugamos bien la primera parte, pero la segunda fue un auténtico espectáculo. El príncipe Felipe no hacía más que levantar el culo de su asiento en el palco y Luis Aragonés, afónico, daba instrucciones apretando los puños y rozando la cal de la banda con la punta del zapato. Daba gusto verles triangular. Jugar al hueco. Buscar espacios. Daba gusto, lo confieso, ver a Luis Aragonés agitarse dentro de su chándal, como un gato encerrado en un saco, y disfrutar de nuevo de su apisonadora formación en 4-1-4-1.

Conste que a mí me seguía pareciendo un camandulero. Pero ahora era ya nuestro camandulero, no sé si me explico.

Partidazo con tres señores goles.

«Hemos hecho historia, pero queremos más», declaró Iniesta.

Se habló de redención, de fuerza de la naturaleza, del orgullo de ser español.

Tras la batalla, se celebró un Te Deum con el recuerdo a los caídos, como Villa, el héroe trágico al que el fantasma del 7 le había puesto la zancadilla. Iker Casillas consagró el balón al doctor Borrás, médico de la Federación recientemente fallecido: «Quiero dedicarle esta victoria: esté donde esté, le mando un fuerte abrazo», dijo el capitán del equipo como si rezara.

En el vestuario ruso, Afinkeev se mordía los labios para no derramar lágrimas. Él fue el verdadero humillado y ofendido, el único personaje de Dostoievski en el drama shakespeariano del guaje Villa. Lo que no consiguieron los delanteros lo logró una triangulación de los volantes. Primero, Xavi, que tocó y se desmarcó. Después, Cesc, que le hizo la pantalla para librarle de Semak. Iniesta devolvió el balón al eterno cabo de tormentas, esa zona entre el portero y los centrales donde todo puede suceder.

Entonces, desde atrás, con el impulso de un alud, se lanzó Xavi. Afinkeev se puso frente a él: dos hombres en combate singular, un duelo a muerte bajo el declinante sol vienés.

Disparó Xavi y el balón pasó por el hueco entre las piernas de Afinkeev: el único gol que jamás se le perdona a un guardameta. Como una madre violada, con ojos vidriosos y sin voz, Afinkeev miraba absorto entre sus muslos, sin comprender muy bien lo que acababa de sucederle.

Hasta ese momento, Igor Afinkeev se había mantenido imperturbable, pero entonces se le descompuso el rostro y se dejó alcanzar por la melancolía, reventó un dique y empezó la lluvia a anegar su alma de arena.

Comenzó a mirar al cielo. El agua mansa caía sobre su cuerpo inmóvil y Afinkeev contemplaba cómo se cerraba la tormenta sobre el Danubio, escuchaba los truenos y esperaba el rayo que por fin le abriera la cabeza en dos y, con el castigo, le absolviera de la culpa.

Tres goles había encajado, tres. El primero, el de Xavi, el más doloroso: entre las piernas. Tras ese gol ya no pudo hacer nada, salvo mirar la lluvia. Luego vino el de Güiza, que le engañó con un golpe de tobillo y una media vaselina. Por último, el de Silva, que le puso el balón demasiado lejos.

Las tres veces se quedó solo ante el enemigo. Las tres veces se quedó helado. Las tres veces apretó las mandíbulas y levantó los ojos para que la piadosa lluvia borrara el recuerdo de su paso por el arco.

Tras el España-Rusia, volví a encontrarme sobre el puente de Eduardo Dato, entre dos mundos, entre dos vidas que podía vivir, tan diferentes, con sólo tocar tierra a uno u otro lado.

Me proponía alternativas inútiles, encrucijadas peligrosas, cruces de caminos o *carrefours* inservibles. Tomar vino alegre o triste en el Seemannsbar de Arturo o beber un *single malt* en un simulacro de pub inglés de la calle Hermosilla. Esas chicas que no llevan sujetador y hablan de Boris Vian por los cafés de la calle San Vicente Ferrer o aquellas cuarentonas divorciadas que llevan en el bolso crema espermicida y piden dry-martini en una terraza de Juan Bravo. Una marquesa con ropa interior de seda y las ingles depiladas, en el Ritz; o su propia chacha en una sala de baile al costado de la Gran Vía, con el pubis enmarañado como un arbusto, y con la misma acogedora tiniebla que tienen los remordimientos o las aguas oscuras de la Castellana, ese río que nunca he dejado de mirar, convencido de que todavía puedo elegir.

Siempre que no sé si resignarme o sublevarme vuelvo al pretil del puente de Eduardo Dato, para convencerme de que tengo libertad para elegir algo. Lo que sea. Aunque sea tirarme al agua, hacia el pasado hundido como un antiguo galeón, nuestro pasado inmóvil, repleto de monedas de oro y plata: un tesoro perdido, inaccesible, custodiado por criaturas abisales y cubierto de algas carnívoras y venenosas.

Todo ha cambiado en estos años, desde que no hay petróleo ni automóviles y quedamos ya muy pocos que todavía hablemos sólo en español.

Los acaudalados habitantes de la Rive Droite y de los chalets acorazados del norte se han quitado algo de pelo de la dehesa (no todo, sin embargo), han adquirido corbatas de colores y han aprendido a no llevar el dinero en fajos, sujeto con gomas elásticas. Los ricos ya se hacen la manicura, pero nunca se descalzan, para que no se les vean asomar los dedos prensiles de los pies y esas uñas pétreas, adquisitivas como garfios.

En la Rive Gauche, el cambio cultural más relevante e imprevisto en un siglo ha sido la aparición de las tiendas de los chinos. Primero fueron los chinos de la esquina que vendían pan a deshoras: en poco tiempo no quedó rastro de los antiguos ultramarinos. Luego aparecieron los chinos textiles, con réplicas de zapatillas deportivas y ropa de marca a precio de saldo; los chinos electrónicos, con toda clase de aparatos; los chinos fruteros, con sus bolsas y sus guantes de plástico, sus básculas trucadas y esos inmaculados delantales que tarde o temprano despiertan sospechas. El noble, generoso e insurrecto pueblo madrileño, el que gritaba «¡No pasarán!» frente a las tropas de Franco, ahora vuelve a gritar «¡Vivan las *caenas!*», y se ha convertido ya en un consumidor de buen conformar, adicto al *low-cost:* basta una tele de plasma para impedir una huelga y el «derecho a internet» ha reemplazado a la obsoleta justicia social (o a la justicia sin más). Por si fuera poco, ponen partidos de fútbol todos los días de la semana. Sinceramente: ¿qué más se puede pedir?

¡Ya hemos pasao!

¡Ya hemos pasao y estamos frente a Isla Cibeles, tirándonos al agua del Canal de pura felicidad!

Eran peligrosos, eran inaccesibles, eran despiadados. Al menos eso le había dicho Pachín Micawber.

Por ahí resoplaba, se oía desde la escalera, al otro lado de la puerta, una respiración tan pendiente de un hilo que parecía mentira que pudiera mantener con vida semejante masa corporal y con una bondadosa sonrisa existencia tan adversa.

A Carlos Clot también se le debía de oír venir escalera arriba con esa tos que empapaba de sangre su pañuelo, porque Pachín abrió la puerta antes de que llamara y ya tenía en la mano las dos botellas, una de ginebra transparente y otra de whisky opaco.

Le dijo que los neognósticos tenían, como los bucalistas, una rama juvenil, chicos y chicas con su indumentaria distintiva, sus señales para reconocerse y sus ganas de pegar puñetazos sin que mediara provocación alguna.

–Son la kale borroka de la herejía, para que tú me entiendas.

Hasta los muchachos no era difícil llegar, pero el núcleo financiero estaba bien protegido: eran una secta iniciática.

–¿No lo son todas? –preguntó Clot.

–En cierto modo sí. Los gnósticos son muy particulares: son propietarios de ciertos conocimientos secretos, la gnosis, unos conocimientos que, por sí solos, garantizan la salvación a quien los reciba. Ahí queda eso.

–¿Y qué se supone que es? ¿Una ecuación matemática? ¿La fórmula Omega? ¿Una receta de cocina?

–¡Oh, por favor! No es nada, qué va a ser: vaguedades, ideas de bombero dichas con una voz en off, como los hipnotizadores. En teoría es un proceso, una ascesis. Cuando llegas al final, has recorrido tanto camino que se te quitan las ganas de volver atrás. Por eso te dices que ha valido la pena. No te queda otra. Así que ya tienes el dichoso «conocimiento», aunque por supuesto eres incapaz de expresarlo con palabras: es inefable, mira tú por dónde. No vale decirlo sin más, el que quiera gnosis, que se moje el culo. Que haga el mismo camino agotador, no te fastidia.

–A simple vista no parecen ascetas.

–Claro que no. Al menos en el sentido corriente: ayunos, abstinencia, mortificación, castidad y toda la pesca. Digo ascesis porque ascienden. Según ellos, van subiendo peldaños de una escalera. Los gnósticos son dualistas, creen en la separación radical del espíritu y la materia. Son dos principios antagónicos, la materia es el principio del mal. Una gran cantidad de gnósticos son maniqueos, por descontado. Los neognósticos consideran que su gnosis les garantiza la salvación, así que con la materia hacen lo que les da la gana, porque no importa y está corrupta. Al contrario, se trata de liberar al espíritu de la materia. Cuanto más se degrade la materia, tanto mejor. Asesinatos, violaciones, excesos..., les da lo mismo ocho que ochenta. Algunos hasta se castran, como Orígenes.

–Pero no creen en la eucaristía.

–Ni por pienso. Qué han de creer. Dios es espíritu, así que no puede tener nada que ver con el enemigo, que es la materia. ¿Cómo va a encarnarse un Dios? Se contaminaría. ¡Hacerse carne! ¡Hasta ahí podíamos llegar!

–¿No creen en Jesucristo?

–La mayoría sí, Charlie. Están chalados, así que hay de todo. Los docetistas, por ejemplo, creen en el «cuerpo aparente» de Cristo. Era puro espíritu, pero mostraba un cuerpo que en realidad no tenía materia, era sólo para que los demás lo vieran. Es como si fuera un holograma. Ninguno cree en la «presencia real» en la hostia consagrada: allí no hay ni carne ni sangre de un dios. La materia es el enemigo: ¿cómo va a estar Dios metido en el enemigo? Ni que fuera un caballo de Troya. Muchos se oponen también a la procreación, puesto que multiplica la materia.

–Como los espejos.

Town-Ho suspiró con los labios cerrados antes de responder:

–Ingenioso, sí, muy borgiano. Pero la verdad es un poco más infame: degüellan a los recién nacidos. Hay muchos que veneran a Judas, el verdadero redentor, porque ayudó a Jesucristo a liberarse de la materia.

–No hay mayor heroísmo que aceptar el papel de malo de la peli.

–Alguien tiene que hacer el trabajo sucio, ¿verdad, Charlie? Para muchos Jesucristo cometió una debilidad, no se atrevió a ahorcarse en silencio, como Judas. Qué va, a él tenían que crucificarle clavado a un madero, con público y aplausos.

Puede que Charlie imaginara entonces lo que yo imaginé cuando me lo contaba: un cuerpo suspendido en el vacío, colgado de la rama de una encina, en Moratilla, de noche; los pies descalzos de Mariví Montovio, que no tocaban el suelo de aquel huerto encharcado, con flores silvestres, pinocha y raíces desenterradas por la tormenta.

Durante un par de horas y una botella cada uno, Micawber le había hablado de las distintas ramas del gnosticismo, los herederos de Simón el Mago.

La imaginación mística de la humanidad es inagotable, mucho más constante y poderosa que nuestra limitada imaginación para lo real. Somos capaces de soñar la eternidad de mil formas distintas, pero impotentes para inventar una vida diaria libre. Qué entusiasmo para lo desconocido y cuánta resignación para lo que vemos y tocamos. Toda esa pasión y precisión para crear la eternidad desaparece ante la realidad de la vida, que no nos atrevemos a inventar de otra manera, que no somos capaces de transformar.

Sólo al final, después de la teoría, Pachín le proporcionó un contacto. Esta vez no conocía a ninguna amante del CFO, el decisivo Chief Financial Officer:

–Pero te llevo directamente a la fuente, el CFO: Lou Seltz. Ten mucho cuidado, Charlie.

–No te preocupes por mí, ya no tengo ni miedo.

–Carlos, no escondas ese pañuelo. He visto la sangre.

–Dicen que la muerte no duele.

–Eso dicen los que han estado en coma y han vuelto. Que no hay dolor, pero se pasa mucho frío.

–¿Frío?

–Es lo más terrible: al morir hace un frío espantoso, eso dicen.

Para ver al CFO, Clot tuvo que enviar por anticipado sus huellas dactilares y esperar cita.

Era uno de los palacetes de la orilla del Canal. El vestíbulo olía a madera de roble, o a cardamomo, a lo mejor era espliego, en fin, a cualquiera de esos olores que al parecer los novelistas identifican con tanta facilidad. A mí que me registren. Yo sólo cuento lo que he visto, lo que me han contado o lo que me imagino por mi cuenta. A Clot, el pies planos, aquello le olía a dinero casi en metálico. Quizá demasiado. Quizá demasiado reciente: olía a dinero aún en la edad del crecimiento, con esa impaciencia juvenil por multiplicarse. Todo era demasiado caro, desde las tetas en vilo de la recepcionista a los sillones de cuero inglés. Clot sabía que el dinero «de verdad» no tenía ese pestazo adolescente a billetes manoseados, sino el intenso y sereno aroma del capital bien invertido en patrimonio inmueble o en oscuros negocios de alto rendimiento. El dinero «de verdad» olía a agua de lavanda. En cantidad suficiente, el dinero «de toda la vida» era capaz de comprar el buen gusto.

No había más que ver su chaqueta y su gorra de visera: Clot odiaba el buen gusto. Le parecía la forma más contundente de la explotación. Da igual cuánto dinero tengas, muchacho, el buen gusto no se compra, no está a tu alcance. Al menos todavía: el PVP son tres generaciones, así que vuelva usted mañana.

La recepcionista le dijo que se llamaba Debbie y que tuviera la bondad de esperar. Preguntó si podía ofrecerle algo de beber. No podía. Lamentó mucho, aunque con una sonrisa helada, que no estuviera permitido fumar en el edificio. Clot tuvo la bondad y esperó.

A los quince minutos Debbie le pidió que tuviera la bondad de acompañarla. Bondadoso, Clot la siguió por un pasillo hasta una puerta blindada revestida de caoba. Debbie introdujo la clave y Clot entró en el compartimento estanco que daba acceso al despacho. Se dejó fotografiar y apretó las yemas de los dedos sobre el sensor para que comprobaran sus huellas. Luego se abrió la puerta y entró en una sala de unos doscientos metros cuadrados, con ventanas al Canal.

–Buenos días, Mister Clot, soy Lou Seltz. Tome asiento –el CFO, sin levantarse, le señaló un sillón frente a su mesa.

–Carlos Clot –estrechó su mano y tomó asiento.

–Soy una mujer. Ocupada. –El CFO había dicho que era una mujer ocupada, pero hizo una pausa turbadora–. Le agradecería que fuéramos al grano.

–Lo comprendo Mistress Seltz.

–Es Miss Seltz, pero llámeme Lou, se lo suplico.

Así que el CFO era una tía: otra de las bromas prácticas del teórico Micawber.

O llevaba un sujetador inmaterial o sus pechos eran una refutación quirúrgica de la ley de la gravedad. Saltaba a la vista que era norteamericana, su belleza parecía una manifestación de salud.

–Quería hacerle algunas preguntas.

–Pues hágalas.

Claro. Por supuesto. De eso se trataba. El vestido era de seda, del color del filo de una nube al atardecer, casi violeta. Clot decidió saltarse el plan acordado con Micawber: había que improvisar.

–¿El mundo material es un error?

–No le quepa duda.

–Y ustedes son unos pocos elegidos que están en el secreto y van a ayudar a Dios a redimirse destruyendo el universo erróneo, ¿es eso?

–No será necesario, Mister Clot: el mundo caerá por su propio peso, sin que haga falta hacer nada.

–Así que el espíritu lucha contra la materia, quiere librarse de ella. ¿De verdad lo cree?

Clot aguantó con estoicismo sus carcajadas: ella se reía sin abrir la boca.

–*Laughing Out Loud, Clot, man!* LOL y más LOL –dijo por fin–. Vamos a ver. *One*: ya sabe que sí. *Two*: no admito preguntas personales. Y *three*: le repito que mi tiempo es limitado. No parece entrarle en la cabeza.

Tenía los ojos entre gris y verde, los labios húmedos y entreabiertos, los pómulos salientes, el mentón firme, y una sonrisa que provocaba un sobresalto y la sensación de haber cometido un error irreparable. Lo único que tenía varonil eran las manos, con nudillos pronunciados, uñas cortas y huesos muy visibles.

Clot decidió volver al plan acordado con Pachín Micawber.

–Quiero preguntarle por la adquisición de TuroPharma.

–¿Y qué quiere saber? Lea la Memoria, allí está todo: precio, plazos, inventario, origen de los fondos... Es una inversión transparente. Cuando se abra la fase norte del Canal de Castilla, el valor de cualquier industria en la zona de Teruel se multiplicará: eso no es ningún secreto.

–Entonces se trata de una operación especulativa: compran barato y venden caro. ¿Es eso lo que me está diciendo?

–Pues básicamente ese es mi trabajo, sí: hacer dinero. Lamento que no le guste.

Extendió las grandes manos abiertas sobre la mesa, apretando las palmas contra la madera. Clot tragó saliva.

–La pregunta es: ¿sigue en operación el laboratorio?

–Todo se vende a mejor precio si está funcionando.

–¿Y qué produce ahora?

–Lo mismo, su línea habitual: medicamentos, detergentes, limpiacristales, ya se imagina. Es una pequeña industria química, tiene un catálogo de productos reducido.

–¿Veneno? ¿Algún tipo de matarratas, por ejemplo?

–Por supuesto. Hay media docena de tóxicos. Esprays para las cucarachas y cosas así. Esa información también la tiene en la Memoria.

–Como sabe, lo que me preocupa es el impacto ambiental.

Esa era la tapadera que le había proporcionado Micawber.

–No creo. Que deba preocuparse. –De nuevo hizo una pausa que sonó amenazadora–. Su cliente sin duda tiene el informe de la Comisión.

–Todavía no, pero lo hemos solicitado.

–Se lo facilitaré. Esta misma tarde le llegará a su despacho. Si no tiene ninguna otra cuestión...

–Usted es una mujer ocupada –concluyó Clot.

Lou Seltz se puso en pie. Era más alta que Clot, tenía las caderas anchas y la cintura estrecha, y llevaba medias cristal con tacones. Sonrió y entonces Clot tuvo la seguridad de que había cometido una equivocación que no tenía remedio.

El CFO le estrechó la mano con fuerza y el pobre Charlie se sintió humillado por una erección intempestiva.

La muerte de Nacho precipitó la recomposición del caleidoscopio familiar y la boda de Laura, futura marquesa de Morcuera, se hizo apremiante.

Entonces se produjo la muerte de su madre.

Aunque todos dieron por hecho que fue la muerte de Nacho lo que desencadenó el suicidio de Mariví, su marido, Perico Gamazo, no logró evitar la verdad: se había matado contra él. Se ahorcó de la encina del jardín de Moratilla, una noche de tormenta.

Por la mañana la encontró su marido, que la descolgó. Llevaba más de cinco horas muerta, el cuerpo estaba empapado.

Sobre su mesa vio Perico, dejado allí para que él lo encontrara, el último mensaje de su mujer. Aquel viejo sobre festoneado de rayas azules y rojas era el único resto visible del arsenal nuclear que había garantizado durante tantos años la estabilidad del matrimonio. Estaba abierto y Perico adivinó lo que contenía aun antes de reconocer su propia carta escrita a máquina: «Querida Mariví, no voy a andarme con rodeos».

Al final Mariví había disparado el arma oculta bajo la almohada.

En la última hoja, reconoció Perico su caligrafía juvenil: «Espero que puedas perdonarme».

Debajo había escrito Mariví con letras mayúsculas: NO TE PERDONO NADA.

Tras la muerte de su hermano y su madre, Laura volvió a ser una mujer muy bella, como lo había sido a los doce años, aunque en dirección contraria.

312

Después de aquel momento (ay, tan fugaz) de belleza casi infantil, a los catorce años Laura comenzó a engordar y a cambiar de forma: su cuerpo y ella se trataban sin misericordia. Las hostilidades se prolongaron durante unos años, pero fue en la primavera del 77 cuando se declaró la guerra. De nada sirvieron la política de *appeasement* ni el régimen de 800 calorías, la delicada negociación diplomática, la gimnasia, las concesiones territoriales o los telegramas con su ultimátum lapidario. Se acabó, se dijo Laura, y declaró la guerra abierta a su propio cuerpo. Todo tenía un límite, ella había aguantado lo humanamente posible, pero había llegado el momento de dar un puñetazo, la hora de decir: basta, hasta aquí hemos llegado. Si tenía las tetas gordas, pues las tenía y ¡adiós, muy buenas! Si su nariz era grande y el entrecejo le crecía silvestre y tenebroso como la hierba de las cunetas, qué le íbamos a hacer. Si al andar un muslo le rozaba contra el otro, esto era lo que había: lo tomas o lo dejas.

Fue una declaración de independencia con el discutible resultado de que se puso como una vaca, hasta tal punto que se juzgaba inconcebible lograr su matrimonio con uno de los emergentes príncipes financieros de la Inmaculada Transición y ni siquiera parecía ya hacedero emparentar con un consejero delegado de una empresa de más de cien trabajadores. De hecho, cada vez se asemejaba más a la esposa de uno de esos llamados «ejecutivos de ventas», una mujer terca, hirsuta, obesa, mezquina y quisquillosa. Se diría que, de dar un paso más hacia el abismo, se zambulliría en las aguas heladas y voraces de la misa diaria y la devoción pública. A esa edad, su decencia y su soberbia amenazaban ya con volverse irreversibles.

Sin embargo, bajo aquel caparazón de orgullo, grasa y condescendencia, debía de haber un ser humano de otro cuño, porque a partir de la muerte de Nacho, Laura comenzó a perder peso y convicciones, y acabó por convertirse, en apenas seis meses, en una mujer atractiva, aunque rotunda. Ahora era la clásica mujer «interesante» y, bien pensado, con esa narizota, esas pobladas cejas negras, los labios gruesos, esos pies tan grandes, la sombra de bigote, y sus huesos largos y lentos, no le quedaba otra, qué iba a hacer la pobre, salvo transformarse en una mujer con mucho carácter, uno de esos seres amenazadores de quienes se dice que tienen «mucha personalidad», esas mujeres independientes, retadoras y seguras de sí mismas, que intimidan a la mayoría de los hombres, pero atraen a determinados individuos pusilánimes y ambiciosos.

Ese fue el caso de Francisco Javier Cachón, que empezó a frecuentar a la familia, como si sintiera un interés morboso en el suicidio de Mariví, y acabó por someterse a los discutibles encantos de esa nueva Laurita cargada de carácter, con la que mantuvo un noviazgo (no menos morboso) durante diez años.

Al parecer, Cachón no quería casarse hasta ser nombrado ministro.

Estaba en su perfecto derecho.

La postura era incómoda y dolorosa: acuclillada y de medio lado porque la cadena de las esposas estaba enganchada a un tubo del radiador. Las muñecas desolladas le sangraban y, si levantaba la cabeza, se mareaba y un músculo del cuello le ardía como una quemadura. Se había hecho pis. Los botones se habían desprendido y tenía la camisa abierta. En realidad sólo le habían dado un par de hostias, que fueron tres: un golpe de canto en el cuello, un puñetazo en la boca y una bofetada en la mejilla izquierda. Luego la habían dejado sola durante un tiempo para el que no tenía unidad de medida y al que puso fin mi presencia.

Daba pena verla, pero Rosario no había cantado: ni un solo nombre.

Tampoco hacía falta, ya lo sabíamos todo. Ya los habíamos encerrado a todos, salvo a su superior directo en la organización, Joaquín Visiedo, el ingeniero hidráulico, especialista en explosivos para voladuras submarinas, que acababa de participar con Nacho en el atentado de La Ancha. Consiguió darse a la fuga y estaba en paradero desconocido.

–Mírate. ¿No te da vergüenza?

Ella negó con la cabeza.

–Pues debería. Pero no por hacerte pis encima, eso le puede pasar a cualquiera. Ni por enseñar las tetas. Vergüenza por estar aquí, por dejarte utilizar por terroristas. Por esta vez te vas a ir a tu casa, pero no habrá segunda oportunidad. La próxima vez será muy distinto, ¿lo entiendes?

Aseguró que lo entendía, pero hubo próxima vez y fue a prisión durante años, hasta el 92.

–¿Qué le habéis hecho a mi padre?

Era una buena pregunta, pero no podía responderla sin delatarle ante su propia hija.

Habíamos hecho por Benito Valverde todo lo que podíamos hacer. Se lo debíamos: gracias a su colaboración se había producido la captura de sindicalistas más importante desde el proceso 1001. Había prestado importantes servicios. En 1976 hubo 1438 días de huelga por cada mil trabajadores, cuando el promedio de la Comunidad Europea era de 390 días, y Benito Valverde fue una de las piezas decisivas en la desactivación del movimiento sindical. Ahora había vuelto a resultar esencial para identificar la escasa pero muy eficaz red de apoyo obrero a la lucha armada: habíamos detenido a veinte personas. ¿Qué podíamos hacer con él? Estaba quemado, de eso no había duda, así que hubo que fabricarle una salida. En la DGS hicimos correr la voz de que estaba siendo torturado y, como prueba de convicción, le dimos varias vueltas por los pasillos, sostenido por dos agentes, ensangrentado, con la cara llena de cardenales (que no tuvieron más remedio que ser auténticos). Después fue hospitalizado.

Saldría en una o dos semanas sin cargos. Sus compañeros sacarían la conclusión de que Benito había cantado bajo intensa tortura. Sentirían compasión de él: nadie puede asegurar cuánto dolor resistirá.

Fue la mejor solución. De otro modo, no habrían tardado en descubrir que había sido un confidente y había provocado la caída.

Entonces su propia vida correría peligro.

Recibió una vivienda de protección oficial en la avenida de los Toreros, aunque años después decidió venderla y trasladarse a Barcelona: allí le perdí la pista, como si se lo hubiera tragado la tierra.

Era todo lo que se podía hacer por él, aunque personalmente me sentí obligado a ir un poco más lejos y decidí darle una oportunidad a su hija. Benito había sido mi fuente, mi garganta profunda en el movimiento obrero y, al fin y al cabo, tantos años de reuniones en aquel bar de Quevedo, el Santos, habían creado un vínculo que iba más allá de lo profesional.

Además, a mí me había herido su madre y, con mucha más intensidad que el disparo, sentí el dolor de no ser aquel bandido muerto al que ella abrazaba.

Dejar a Rosario en la calle representaba un riesgo y por eso encargué a Carlos Clot que la protegiera y la vigilara.

Lo que no supe prever fueron dos cosas. Una: que mi amigo Charlie y Rosario se enamorarían. Y dos: que Benito le confesaría a su propia hija toda la verdad.

¿Qué habíamos hecho con él?

Le respondió su padre: le habíamos convertido en un delator.

La noticia no la alteró.

–Tu padre está avergonzado –le dijo Clot–. Perdónale, lo ha hecho por ti.

–¿Cómo puedes ser tan estúpido? No tengo nada que perdonar. Tú no lo entiendes: mi padre no ha hecho nada. Se lo han hecho a él. Ha sido cobarde o débil, qué más da. La culpa es siempre de quien corrompe, él es la víctima. Es a ellos a quienes no perdono.

Eso le dijo ella a Clot antes de abandonarle. Su sitio, aseguró aquella terca mujer de manos grandes, estaba con los compañeros, a las órdenes de Tequendama, al servicio de esa conjetura a la que ellos llamaban revolución.

Charlie no quiso unirse a la causa y Rosario se fue.

Mi amigo se limitó a pedir otra copa y encogerse de hombros:

–Todas se van –aseguró.

–A menudo vuelven –le dije entonces.

–Nunca retroceden, no hay camino de vuelta.

Al año siguiente ingresó en prisión Rosario Valverde con cargos de pertenencia a banda armada y colaboración en la voladura del muelle deportivo de Aravaca, planificada por Tequendama, que dejó su firma: él siempre usaba dinamita procedente de la misma mina de Gijón, la de La Camocha.

El célebre «método nasal» de Clot había funcionado. Debía de haber hecho impacto de lleno en plenas napias financieras o legales de los neognósticos, porque en cuanto abrió la puerta, supo que había alguien dentro de su propia casa, esperándole a oscuras.

–No se levante, por favor. Como si estuviera en su casa.

–Hay mucha diferencia. Mucha, créame.

Clot reconoció la voz grave de Lou Seltz y no encontró dificultad para creerla: costaba imaginar que ella se sintiera cómoda en aquel sotabanco de cincuenta metros cuadrados, sin calefacción y con vistas a una cuadrícula de cielo tan pequeña que la luna sólo tardaba quince minutos en atravesarla de lado a lado.

–¿Puedo ofrecerle algo?

–Francamente, confío en que no.

–Como prefiera.

–Encienda la luz.

No estaba sola. Lou se había reclinado en la otomana de raso y, en el confidente color burdeos, había dos gorilas de perfil, cada uno con su AK-47 apoyada en los muslos, su mandíbula de mampostería y su mirada opaca y obtusa, tan incapaz de expresar piedad como placer, sin amor ni odio, *sine ira et studio*, impávidos y obedientes.

–Veo que se ha traído amigos. Si quieren montar un guateque, pondré bailables.

–¿A que resulta muy gracioso, muchachos? Ya os lo advertí: le gusta leer novela negra.

–Ja, ja y ja. Nos partimos, milady –confirmaron los gorilas con voz lúgubre y mecánica–. Es un auténtico duro de Raymond Chandler.

Clot volvió de la cocina con un vaso lleno de hielo y cinco dedos de Cutty Sark. Se acercó a la silla.

–No le he invitado a tomar asiento.

–Estoy en mi casa, Lou –le recordó Clot, aunque permaneció de pie.

–¿Esta pocilga? Por Dios, no soy tan pesimista como para creer que «esto» pueda ser un hogar para nadie. Ni siquiera para usted. En fin, usted no tiene casa, Clot. No tiene nada. Ni su propia vida es suya, ¿lo sabía? Estos dos se lo harían comprender enseguida, ¿verdad, muchachos?

–Sí, milady –coreó el aludido par de pasmarotes empuñando las Kalashnikov y apuntando a Clot.

–Cuando yo dé la orden, ¿comprendido?

Unos gruñidos de resignación indicaron el asentimiento del par de dos.

–Así que alguien la obedece: lo celebro, Lou.

–Cállese. Usted no sabe ni quién es, señor don Carlos Clot. Se ve a sí mismo por dentro y se ha convencido de que es alguien, pero mírese desde fuera, a través de mis ojos, y se dará cuenta de que su identidad sólo es un acto de fe. Un sentimiento religioso mal dirigido: pura idolatría. Usted no es nada, mírese. Vive solo en esta cueva, gana menos de veinte mil pavos al año y ni siquiera sabe para quién trabaja ni por qué. Su capacidad de intervención en el mundo real es más reducida que la de una bacteria o un gusano. Ni su vida ni su trabajo le pertenecen, usted es parte de un organismo, como los microbios, y ni siquiera es capaz de concebir dónde está viviendo: usted aún no sabe si es flora intestinal o fauna cadavérica, ¿me comprende?

–Alto y claro. No somos nadie. En vista de lo cual, me tomaré otra copa.

–No se confunda: es usted el que no es nadie. Yo sé quién soy. Una palabra mía bastará para aniquilarle. Nadie le lloraría, Clot. En veinte o treinta minutos se habrá extinguido todo rastro de su paso por esta tierra.

–¿Media hora? Es posteridad de sobra para mí.

–Mire, Clot, usted no es nada, pero cree en sí mismo. No pretendo sacarle de su error. Por mí, puede consolarse con su credulidad supersticiosa y con su autoidolatría. Siga rezando en su propia iglesia de una sola persona. El templo está vacío: es usted el único fiel, el Dios ante el que se arrodilla y el sacerdote. No hay nadie más. El falso sacrificio que celebra es el de sí mismo, como si pudiera redimirse o absolverse.

–Pues muy agradecido, doña Lou, por esta visita pastoral. Ahora, si me disculpa, tengo tareas pendientes. Las propias de mi existencia vermicular, de gusano, ya lo sé, pero así es mi vida. No tengo otra y, después, sólo habrá quince minutos de prórroga, según me ha anunciado.

–No se mueva.

–Aquí estoy.

–Seré breve. No siga husmeando. Eso es todo. Déjelo. No vale la pena. Usted no es nadie, pero si da la lata, por poca lata que sea, será nadie a diez palmos bajo tierra. Si vuelve a acercarse a nosotros, estos dos muchachos pronunciarán el *ite missa est*, todo habrá terminado y quince minutos después no quedará ni el recuerdo. Míreme a los ojos: ¿lo ha comprendido?

Por alusiones, el par de dos se había puesto en pie con sus armas.

–Comprendido, Lou.

–Quietos, chicos. ¿Me habéis oído decir «ahora»? Pues entonces: quietos. Mister Clot, confío en que me haya entendido. No es nada personal, se lo garantizo.

Con resoplidos de frustración, volvió el par de dos a acomodarse en el confidente.

–Un placer, Miss Seltz.

Le dio la mano con una firmeza que a Clot le provocó una erección repentina.

–¡Qué detalle tan emotivo! –aseguró Lou contemplando su abultada bragueta–. No está nada mal.

–Para mi edad.

Sin soltarle la mano, Lou acercó los labios a la mejilla de Clot. Le susurró al oído:

–Ahora pórtese bien.

Sus labios resbalaron acariciando su mejilla hasta encontrar los del detective y rozarlos. Clot sintió su lengua, que entró en su boca y volvió a salir, mientras el pezón puntiagudo de Lou se apretaba contra la solapa de la americana, como si quiera arañarle el pecho o el corazón.

–Sabe usted a sangre –dijo Lou, y luego anunció–: Nos vamos, muchachos.

El par de dos rezongó, con muecas de decepción.

–Os dejaré apalear a un mendigo en un cajero automático –prometió para consolarles y añadió, dirigiéndose a Clot–: Necesitan ejercicio. Tienen menos cerebro que un mosquito, pero no se ofenden, ¿a que no? ¿A que sois un par de cernícalos?

–Sin duda, milady, somos unos completos cernícalos –recitaron con entusiasmo de catecúmenos, puestos en pie.

–¿Lo ve? Son mejores que usted, Clot. Ellos saben quiénes son. No necesitan supersticiones religiosas. La identidad es el opio del pueblo, Clot, ¿no lo dijo Marx? Y usted no es más que un puto yonqui de sí mismo.

Farewell, my lovely, a punto estuvo de pronunciar Charlie Clot.

El idólatra, el crédulo, el adicto a sí mismo, se quedó de pie, contemplando la puerta cerrada por la que acababan de salir las tres patas para un banco: Lou Seltz y el par de dos, aquellos cernícalos sin fe que no necesitaban consolarse con mentiras piadosas sobre su propia identidad.

El detective aún sufría aquella erección tenaz y humillante.

En la tele del vecino estaba a punto de empezar el partido, la semifinal contra Rusia.

Recordó el abrupto canalillo, las pneumáticas tetas, la humedad de la lengua de Lou cuando le separó los labios y se metió en su boca. Se bajó la bragueta. Recordó las piernas al cruzarse, una sobre la otra, y el roce de sus muslos, como una ráfaga de viento entre las hojas. Apoyó la espalda contra el tabique, más cerca del himno nacional que sonaba al otro lado de la pared. Empuñó la polla con la mano derecha. Recordó su pezón en la solapa, su mano firme, su voz nublada. Cerró los ojos. Agitó la muñeca. Recordó sus hombros desnudos. Aumentó la velocidad de la mano. Vio sus nalgas antes de dar un portazo sin volverse. Los dedos apretaban con más fuerza. Sus tacones de aguja. Las rodillas temblorosas, el escalofrío, como si fuera a desplomarse. El árbitro acababa de pitar el comienzo del partido.

No quiso ni mirar el pantalón, los zapatos, el suelo, ni dónde habría dejado la mancha, el breve rastro de sí mismo, su única «presencia real» en aquella casa deshabitada.

Fue una deflagración, sin más sonido que el lamento de un mundo que se acaba.

–Veo que has seguido husmeando en TuroPharma. Eres incorregible. Tú no sabes trabajar en equipo –sentenció el Martillo, el implacable y distinguido comisario Fernando Garvía, con la amargura condescendiente del hombre que ha visto defraudada su buena fe.

Estábamos en la pérgola del Ritz. Allí había empezado todo, bajo las tiernas hojas de parra, en aquel semicírculo de columnas dóricas.

Había bastado apartar el cadáver y esconderlo bajo tierra para que sonara de nuevo la música y volvieran paramentos, bordaduras y cimeras, el delicado perfume de las «escorts de alto standing» y las «famosa TV demostrable», el aroma de lavanda del pañuelo de bolsillo de los caballeros, las vajillas, los bisbiseos, el brillo de las piedras preciosas y el sonido apagado, pero reconfortante, de los apretones de mano que ratificaban acuerdos con beneficio mutuo.

En la mesa en la que se había desplomado Laura Gamazo se sentaba un parlamentario con dos mujeres muy jóvenes y muy escotadas que tal vez fueran sus sobrinas, como él decía.

–Recibí un aviso de su CFO –explicó Clot.

–Lou Seltz, lo sé, fue a visitarte.

–Vino con unos amigos.

–Las empresas protegen sus intereses, Charlie, la vida es así. TuroPharma está limpia. Primero, te empecinaste en unos chiflados que comulgan de rodillas, abren la boca y cierran los ojos. ¡Agua! No tenían nada que ver. Ahora te has empeñado en otros que creen que la mejor forma de oración es ganar dinero. Tienen una farmacéutica, entre otros muchos negocios. ¿Y qué, Charlie? ¿Tú sabes cuántos laboratorios hay en el país que produzcan estricnina y sus derivados? Dígaselo, inspector.

–Quinientos treinta y ocho, a día de hoy –precisó Olmedo.

–Ahí lo tienes. ¿Todos son sospechosos, listillo? Admítelo, te has vuelto a columpiar. Tienes a un obeso de la tercera edad, ese tal Pachín Micawber, un degenerado, revisando archivos, nóminas, despidos, cuentas de resultados... ¡A ninguna empresa le gusta que le busquen las cosquillas! Ya sé que eso no les da derecho a amenazarte o a darte un escarmiento, pero ¿qué pretendes? ¿Que te protejamos de tu propia insensatez?

–Sé cuidarme solo.

–No lo parece –intervino el inspector Olmedo–. Tienes la cara amarilla y la barriga hinchada.

–Será la edad.

–¿Qué estás haciendo ahora? ¿Más cabezas de chorlito con crucifijos? –preguntó Garvía.

–Sigo otra pista: el GRAPO.

–¡Acabáramos! ¡El GRAPO! Una organización que ya no existe y que, cuando existió, tampoco se sabía a sueldo de quién estaba. En fin, qué más da: el caso ya está encarrilado. Cuénteselo, teniente –el Martillo se limpió los abultados labios con el dorso de la mano.

La teniente Teresa Murillo comenzó a hablar, bajo la atenta y amorosa mirada policiaca del inspector Olmedo:

–Hemos identificado un grupo de sindicalistas violentos y hemos comprobado que han efectuado varias adquisiciones en establecimientos especializados en pesticidas. Esto no es todo: el cuñado de uno de ellos es licenciado en Químicas.

–Qué prometedor –comentó Clot.

–Blanco y en botella: cualquier químico sabe cómo extraer la estricnina de un pesticida. Lo demás es un juego de niños: una jeringuilla y a perforar envases eucarísticos –concluyó el comisario Garvía.

–Es la clásica estrategia sindical del resentimiento –acotó Olmedo–. Muerden la mano que les da de comer.

Carlos Clot era de los que pensaban que nadie tiene derecho a cerrar el puño con pan dentro. Creía que nadie debe comer de la mano de otro y que, por lo tanto, en cuanto abran el puño para darte lo que ya no necesitan, hay que morderles la mano. Sin contemplaciones. Pensaba que había que hincar el diente y apretar fuerte, pero se limitó a decir:

–Demasiado sencillo. ¿No te parece un poco fabricado?

–Déjalo, Charlie, muchacho. Olvídate de todo esto y cuida tu salud.

–Gracias por el consejo, pero no me rindo.

–No es un consejo. Es una orden. Estás retirado del caso.

–Yo no trabajo para ti. Soy un detective privado.

En la mirada del comisario Fernando Garvía, el Martillo, re-verberó la codicia del triunfo, el bloque de hielo de la victoria, y pronunció muy despacio, como si por fin diera un martillazo:

–Aquí tienes tu carta de despido firmada por don Perico Ga-mazo, tu cliente. Me ha pedido que te la entregue. En el sobre encontrarás un cheque con tu liquidación. Nosotros nos ocupa-remos de cerrar el caso.

A Carlos Clot le sobresaltó que la puerta estuviera entreabierta. El despacho estaba vacío y no vio a Micawber.

–Pachín, ¿estás ahí? ¿Pachín? –preguntó sin subir la voz, pero con el corazón en un puño.

–¡Town-Ho, Town-Ho! Por aquí resoplo, viejo amigo.

–Qué susto me has dado. La puerta estaba abierta.

No era un panorama ni consolador ni edificante: Micawber apareció en albornoz y con una fatigada sonrisa de satisfacción, y se dirigió a la vieja Hinze & Bostelmann, que estaba abierta de par en par y de la que sacó una botella de whisky y otra de ginebra.

–Ah, eso, la puerta. Ya. Mis visitas, amigo. Son tan jóvenes.

–Deberías dejarlo, Pachín, ya tienes edad de sentar cabeza. Cualquiera de esos chicos te la acabará jugando. Es demasiado peligroso. Busca un hombre honrado. Incluso de tu edad. No sé qué sacas de esos chaperos.

–Placer –le dijo, por si lo entendía.

–No lo comprendo.

Micawber abrió los brazos, con una botella en cada mano.

–La Luna es cuatrocientas veces más pequeña que el Sol. Entonces, ¿cómo puede taparlo? Porque está cuatrocientas veces más cerca del observador. Es una cuestión de perspectiva. Un orgasmo es un eclipse, Charlie. Y por cierto: tú también deberías dejar de beber.

–*Touché*. Estamos empatados. Pásame la botella, amigo.

Se sentaron y Clot le contó la visita de Lou Seltz y sus dos cernícalos.

–¿Te amenazó?

–Sí. También me dijo que tengo una fe religiosa en mi propia identidad. ¿Es tan indispensable creer en algo, Pachín?

–Sólo en lo que no se ve, nunca en uno mismo: *Der Mensch macht die Religion, die Religion macht nicht den Menschen*. El hombre crea la religión, la religión no crea al hombre. En realidad, la religión se inventó con un solo propósito: validar los juramentos. Sin un dios, ¿a quién pones por testigo? ¿Quién iba a garantizar nuestras promesas? El resto no es más que mucho miedo y un poco de contabilidad: sacrificios que esperan retribución, dones, indulgencias, paraísos.

–El santo sacrificio.

–Hay que entregar una parte para salvar el resto. Alguien tiene que morir, porque mientras una persona es devorada se cierran las fauces del abismo.

–Pero tú aún crees en el Espíritu, ¿verdad?

–Oh, sí. El pneuma. El viento del más allá, el hálito de vida. Lo exhalamos al abrir la boca y empaña los cristales. Lo inhalamos al respirar. Está por todas partes.

–Pachín –interrumpió Charlie–. Ciérrate el albornoz, por favor. No es tan agradable de ver.

–En el fondo, la religión no es más que una protesta contra la falta de sentido de la vida. –Pachín intentó mirar por debajo de la barriga y se cubrió–. Es igual que un niño que duerme con la luz encendida.

–Esa mujer me amenazó y sus amigos traían cada uno un AK-47.

–Y sin embargo creo que TuroPharma no tiene nada que ver con esto. He localizado a cierta persona, alguien por quien tú sentías algo.

Clot bebió y preguntó:

–¿Es ella?

Micawber cerró los ojos. Sin abrirlos, respondió con un suspiro afirmativo.

–Aquí te he apuntado su dirección –añadió luego, y le entregó un papel.

–¿Y estos números? –preguntó Clot tras leerlo.

–Es la combinación de mi caja fuerte. Por si me ocurriera algo.

—No te pongas tan dramático, Town-Ho. Esos chicos sólo quieren tu dinero.

—Lo sé. Por eso cuando vienen les dejo abierta la caja fuerte.

—A ti no te va a pasar nada.

—Por si acaso. Cuídate tú también, amigo. Recuerda: alguien tiene que ser arrojado al abismo, para que las mandíbulas se cierren mientras lo devora.

—Gracias, me cuidaré. Búscate un novio formal. Para envejecer juntos y esas cosas.

—Dios no lo permita —se escandalizó Micawber con un sonoro resoplido—. Me basta con los eclipses.

—Adiós, amigo.

Cuando iba a abrir la puerta, Clot oyó a sus espaldas la voz de Pachín que le llamaba. Se volvió. Enorme, repantigado en el sillón, a punto de encender un Lucky Strike, con una sonrisa dulce y ojos vidriosos, Pachín dijo:

—No quiero que tú pases frío.

Cuando llegó a su casa también encontró la puerta entreabierta y esa repetición le hizo sentirse incómodo, tal vez en peligro. Entró y saludó en voz alta:

–Buenas tardes, Miss Seltz.

–Adelante, Mister Clot.

Estaba recostada en la otomana, con una falda telegráfica y sus ecuménicas tetas, con piernas telescópicas y sonrisa plegable, manos abiertas, pupilas contraídas y, sobre todo, muy descalza.

Los zapatos no estaban a la vista y tampoco llevaba medias, aunque sí un moño muy alto que prolongaba su cuello hasta una longitud desconsoladora.

–Póngase cómoda, Lou.

–Póngame una copa, Charlie.

–¿No ha traído a sus amigos los cernícalos?

–Es su día libre. ¿Debería sentirme en peligro?

Sin responder, Clot se dirigió a la cocina. Puso la cubeta en el fregadero, bajo el grifo, para que se ablandaran los hielos. Sirvió dos whiskies con dos cubitos y recorrió el pasillo con un vaso en cada mano.

Ya no había nadie en el salón.

–Frío, frío... –se rió Miss Seltz.

Echó a andar hacia el dormitorio.

–Caliente, caliente...

Abrió la puerta y la oyó desde la cama:

–¡Se está quemando, Clot! Cuidado, que se quema –su risa daba ganas de buscar un escondite.

–Me pondré más fresco –dijo el detective y se quitó la corbata.

–Me pondré más cómoda –dijo la ejecutiva y se soltó el pelo.

Clot le acercó el vaso. Ahora ya se había quitado la blusa y estaba tendida boca arriba, con un bustier de filigrana que le propulsaba hacia la barbilla aquellas tetas aerostáticas.

–¿Debería sentirme en peligro? –preguntó ahora Clot.

–*Clear and present danger.*

Lou dejó el vaso en la mesita de noche, se incorporó y comenzó a acariciar los muslos del detective. Le apretaba la polla a través de la franela del pantalón.

–Se alegra usted de verme, ¿verdad que sí?

–También llevo una pistola.

Carlos sacó del bolsillo de la americana su aparatosa 45. Lou le desabrochó la bragueta.

–No se ven ya muchas así –comentó ella.

–Está cargada –advirtió él–. La voy a poner aquí: al alcance de los dos.

Lou le masturbaba despacio con una sola mano. Acercó los labios, contemplativa, y sopló sobre el glande con la suavidad del espíritu sobre las aguas.

Clot dejó la pistola en la mesita de noche.

–Póngase cómoda.

–¿Es que vamos a follar de usted? –preguntó Lou.

–Mejor en tercera persona –sugirió Clot.

Él se quitó los pantalones; ella, el bustier. Clot sólo se dejó puestos los calcetines de algodón negros; Lou, sólo las bragas, también negras, pero de seda. Ella le besó en la boca; él le acarició las nalgas. Clot le tocó las tetas hasta que hizo aparecer los pezones endurecidos, como si él los hubiera creado con sus propios dedos. Acercó los labios al pezón derecho y lo frotó con la lengua, empujándolo hacia los lados. Recorrió la curva de su cadera con la mano, la nalga, le pasó los dedos por la raja del culo, enterrando la minúscula tira de la braga tanga, le apretó la rodilla, pasó los dedos trémulos por la cara interior del muslo, con el mismo impulso que separa la luz de la tiniebla, donde convergen los muslos y desaparece el horizonte. Rozó su ingle y, con un dedo, por encima de la seda, tocó su vulva inflamada y palpitante, con su sordo latido de corazón en el que rezuma la humedad de un alma enfriada por el serpentín de la memoria. Apartó con dos dedos la braga, acercó la otra mano y se quedó inmóvil, como sorprendido en falta.

–Tú eres un tío –dedujo el detective, adoptando el tuteo.

–Nadie es perfecto –citó ella.

–Hostias.

–¿Tanto miedo te da?

–Eso parece.

–Pues nadie lo diría.

En efecto, Clot seguía empalmado. Empero. No obstante. Sin embargo. Con todo y con eso.

Lou le tomó de los hombros, le atrajo hacia sí y le besó en la boca. Le apretaba los labios con los dientes y su lengua se movía en la oscuridad, bajo el encapotado cielo del paladar, como quien busca en el fondo de un armario donde hay abrigos apolillados, pero que quizá guarden en sus bolsillos monedas olvidadas (una peseta de plata), un número de teléfono (sin nombre) apuntado en un billete de metro o un recorte de prensa (noticias de nuestro propio pasado).

Fue Charlie, con los ojos cerrados y sin separar la lengua de la boca de ella, el que apartó la mano de su teta izquierda y la llevó sin prisa ni titubeo hacia abajo, y la puso entre sus piernas. Primero la apretó en el puño. En la mano, le pareció más grande y más firme que a la vista, un animal vivo que intentara escapar con espasmos de pez fuera del agua. Luego la acarició con la yema de los dedos, siguiendo las venas hinchadas, sintiendo su pulsación violenta, resbalando en el glande húmedo, recorriéndola de arriba abajo, apretando luego los huevos compactos contra el culo suave y contundente de la mujer.

–No lo pienses más: hazlo.

–¿Sin pensar? ¿Como tirarse a la piscina?

Así que Clot comenzó a chupársela, inseguro, temeroso de sentir una arcada. Le apretaba las nalgas con las manos, separándolas, y empujando sus caderas hacia él. Mantenía los ojos cerrados, como si no quisiera que el cloro se los irritara.

Con las manos en su nuca, Lou le apartó la cara y la atrajo

hacia la suya. A su mirada interrogativa respondió Clot con una sonrisa de indefensión. A su beso en los labios, con un abrazo desamparado. A sus pellizcos en los pezones, dejándose caer boca arriba. Ella se sentó entonces sobre él, a horcajadas. Movía las caderas y sus pollas se frotaban una contra otra. Clot levantó las manos para sentir sobre las palmas el bamboleo de sus pechos. Lou descabalgó, se quedó de rodillas, se puso un condón y levantó los muslos de Clot.

–Mejor no.

–¿No sin amor? Es el consejo del mes de *Cosmopolitan* para todas las «chicas Cosmo»: sólo debes consentir el sexo anal cuando estés segura de su amor y su respeto.

–Estoy confuso.

–Te la voy a meter. Por el culo. Sin amor. Sin respeto. Hasta el fondo –decía ella, tentadora, con la voz muy ronca y los pómulos brillantes.

Clot flexionó más los muslos, Lou le metió la punta de un dedo. Con la otra mano consiguió que entrara, luego agarró a Clot de las caderas y, atrayéndolo hacia ella, empujó hacia dentro.

–No duele –admitió el detective.

–Lo sé. No hay dolor.

Clot le apretaba los pechos con las manos y ella le masturbaba al mismo ritmo que le penetraba. Se corrieron a la vez.

–Al final esta es toda la diferencia entre vivir y morir: tres milímetros de látex –comentó Lou.

Luego fue a tirar el condón a la basura.

En el salón, Clot se sirvió otra copa y encendió un cigarrillo. Miss Seltz dio tres vueltas alrededor del detective y se vistió sin decir palabra, mientras él fumaba en silencio, paralizado.

–No pensará usted que he venido sólo para darle por culo –dijo por fin, de pie, recuperando el tratamiento de usted.

–Pues usted dirá, señorita.

–Usted no es nada, no es nadie, ¿es que no lo acaba de comprobar? Sólo he venido para confirmarle que no bromeo. Déjelo. No siga. Le mataré y puede que lo haga personalmente, con mis propias manos. Lo lamento por los chicos, les hacía tanta ilusión, pero ya ve, le he tomado cierto afecto a esta «chica Cosmo».

–Mensaje recibido.

Clot la vio dar media vuelta, oyó su taconeo pasillo arriba, el ruido de la puerta al abrirse y sólo entonces su voz amenazadora:

–Dele recuerdos de mi parte a su amigo Micawber.

Tras el portazo, Clot oyó por primera vez en su vida la risa espantosa de una hiena.

Empujó la puerta con la mano: de nuevo estaba abierta.

Carlos Clot se encontró con lo que se conoce como un cuadro de SPB (Sofocación Por Bolsa), es decir, una muerte ocurrida tras introducir la cabeza por completo en una bolsa de material no transpirable, que en este caso era plástico. Sobre la mesa había un papel en el que se podía leer, escrito en letras mayúsculas: NO SE CULPE A NADIE DE MI MUERTE. La SPB es, de hecho, un método suicida recomendado por todas las asociaciones a favor de la eutanasia y lo que llaman «la muerte digna». También provoca suicidios involuntarios: en jóvenes, asociados a la inhalación de disolventes; en adultos, a ciertas prácticas sexuales más o menos desesperadas o melancólicas.

El pneumatólogo se encontraba sin vida en el sofá, en decúbito supino, con la cabeza en el reposabrazos, ligeramente elevada con respecto al cuerpo e inclinada hacia el lado izquierdo, mirando al respaldo del sofá. La cabeza estaba dentro de una bolsa de basura con sistema de cierre por tracción mediante cinta de plástico. La oclusión se había reforzado en torno al cuello con cinta adhesiva transparente. Tenía las manos sobre el abdomen, colocadas encima de un libro (el *De Trinitate*, de san Agustín), aunque eran todavía visibles las señales de ligaduras recientes en las muñecas.

Cuando Clot retiró la bolsa de la cabeza, la puerta se cerró dando un portazo. El viento del espíritu, el pneuma de Micawber, se liberó y aleteó por la estancia. De los orificios respiratorios comenzó a manar un líquido sanguinolento. Pachín Micawber tenía los ojos abiertos, despavoridos y cristalinos; los labios pálidos; la cara congestionada y las mejillas lívidas. Ya había rigidez, aunque todavía vencible. Clot le entrelazó los dedos con las manos sobre el pecho.

No encontró lesiones en la superficie corporal ni signos de defensa.

Llamó al inspector Olmedo y luego consultó en el papel la combinación y abrió la caja fuerte.

En el interior sólo había una botella de whisky y una cartulina que decía: «Ya no tengo frío. Bebe tú por mí».

Clot se sentó en la mecedora, para beber junto al cuerpo de su amigo.

Francisco Micawber, pneumatólogo, el amigo Pachín, el querido Town-Ho que ya sólo resoplaba al otro lado del horizonte.

Había sido la máxima autoridad en pneumatología y habría obtenido la cátedra, de no ser por una ventolera juvenil y bizantina que le llevó a negar nada menos que el Filioque, es decir, por lo que pudo llegar a entender Clot, le dio por mantener, en contra del credo de Nicea, que el Espíritu Santo no procede del Padre y del Hijo, *qui ex Patre Filioque procedit*, sino en exclusiva del Padre. Hubo un sonado proceso judicial, en el que se personó el Ministerio de Asuntos Religiosos; Micawber se ratificó en su herejía, fue condenado a pena de excomunión y se invalidaron todos sus títulos académicos. A los tres años se le concedió, como medida de gracia, una habilitación para ejercer la práctica privada de la pneumatología y comenzó a asesorar a la policía y al propio Clot.

Pero, Pachín, paisano ¿a ti qué más te daba? Cuántas veces no le habíamos hecho esa pregunta Clot y yo, y siempre había respondido lo mismo, cabeceando con melancolía:

–Pues sí que me da, ya lo creo que sí.

Aseguraba Micawber que el Espíritu no se crea por generación, sino por espiración, y a su modo de ver sólo los padres lanzan resoplidos de verdad.

Los suspiros los consideraba, en cambio, atributo del Espíritu, que de las palomas ha aprendido a suspirar, según enseña san Agustín. «Suspira en nosotros, porque él es la causa de nuestro suspirar», son los suspiros del desterrado, los del anhelo por volver a casa, los de la «peregrina paloma imaginaria». El que ya está en casa y se considera feliz grazna como el cuervo. Sólo el Espíritu afligido y peregrino suspira y zurea, como suspiraba Pachín, siempre con los ojos cerrados.

Veinte años después, Pachín había vuelto al Filioque, convencido de que el Espíritu había sido suspirado tanto por el Hijo como por el Padre, pero se negaba a reconocerlo en público.

Afirmaba que nunca había que corregir los errores, sobre todo si eran errores de juventud. Cargado de razón, uno se queda demasiado solo.

En los últimos tiempos era defensor de la «pneumatología dialéctica», que según él arrancaba de Joaquín de Fiore, aquel monje de Calabria que, en el siglo XII, explicaba la Santísima Trinidad como si hubiera leído a Hegel y afirmaba que cada persona de la Trinidad predomina durante una etapa del desarrollo histórico, en un avance progresivo hacia la salvación.

El bueno de Pachín había sacado de la doctrina joaquinista consecuencias políticas revolucionarias que le condujeron en línea recta a Marx y a Lenin, al espionaje industrial, a investigar la cuenta de resultados de Surface, Inc. y a exhalar su último aliento en una bolsa de basura apretada al cuello con esparadrapo.

Todo el que es propenso a recorrer las afueras con pie llano y calzado deportivo conoce esas flores de cuneta y su colorido insolente, repentino y perdurable, conoce el zapato sin pareja sobre un arbusto, como caído del cielo; las nubes bajas y lechosas que se enredan en la copa de los árboles, esos hangares y aquellos cobertizos con un candado en la puerta; y conoce también, y no habrá podido olvidar, la lentitud solemne y sombría del atardecer cuando se recuesta contra un muro de piedra, como para no volver a levantarse nunca, con la misma serenidad y el mismo espanto del animal que agoniza, pero aún lucha por mantener los ojos abiertos.

Más allá de Alcorcón, Carlos Clot sintió un sabor amargo en la garganta y siguió andando hacia el horizonte interrumpido por grúas, silos de trigo y un cementerio con cipreses, tapiado como un cine de verano. Al cruzar el puente de tablas, el Almorca describe una rápida sucesión de curvas muy cerradas, a las que debe su nombre el barrio: ahí comienza el Berbiquí (sólo en los mapas conocido como Ciudad Sideral), que ocupa toda la margen derecha del río Almorca hasta su confluencia con el Taroma, y se extingue a partir del cerro Velado, disuelto en campos de labor con tenues flecos industriales.

La barriada del Berbiquí es una de las más inhóspitas de la constelación de ciudades-dormitorio del cinturón suroeste. Está apartada de todas las rutas habituales de navegación urbana; sin enlace fluvial con el Canal Castellana, sólo dispone del metro de Sideral, que llega hasta Príncipe Pío, y de una parada de la diligencia que lleva a Alcorcón.

Con demasiada ropa de abrigo, por la mañana temprano, el cuerpo de ejército abandona el Berbiquí para ir al frente de batalla laboral. Permanecen de guarnición los heridos, los inválidos, los tercera-edad, parados de larga duración, el clero regular y algunos jóvenes que no encuentran trabajo o ni siquiera lo buscan, porque ya se han ido por el mal camino sin billete de vuelta. Deambulaciones, inspección de obras, rogativas, campeonatos de petanca, minúsculas compras con prolongado regateo previo, tráfico de Topaz o heroína, y cañas de cerveza o chispazos de ginebra van hilvanando la desolación baldía del campamento.

Entre las cuatro y las cinco salen los niños del cole, en la plaza del Eclipse, y llenan el parque, salvo que consigan esquivar a los tarjeta-dorada y sus golosinas para reunirse con los chavales del Instituto Emiliano Botín en el descampado de Iberdrola o en el callejón de la calle Asteroide.

A eso de las seis regresan los primeros efectivos de ese ejército derrotado sin honor ni heroísmo. Hay mujeres que son cajeras, dependientas, mujeres que han empezado limpiando oficinas al amanecer, que han metido la mano en una docena de váteres, que han pasado la fregona por varias hectáreas de baldosas. Vienen deshechas, con los tobillos hinchados, la piel cuarteada y las uñas descoloridas por la lejía, y aún traen una bolsa con una falda que tiene una sola puesta y está como nueva, o un trozo de redondo de ternera envuelto en papel de aluminio.

Más tarde, a partir de las nueve, llegará la infiel infantería vencida en los andamios. Desarmados, cautivos, arrastrando los pies y la tristeza hasta su propio barrio desolador.

El primer día Clot cruzó el Almorca a las siete y media de la tarde, encontró el número 8 de Asteroide y localizó el bar más cercano, en la esquina con Orión. Desde la barra podía vigilar el portal. A los dos whiskies la vio salir y pidió la cuenta.

Era ella, la misma de 1984, pero tan distinta. Donde hubo orgullo ya sólo quedaba amor propio decidido a defenderse. Donde hubo inmensas tetas desafiantes, ahora había senos pacificados, semejantes a cisternas o a voces oídas en la oscuridad. Donde hubo el entusiasmo por querer saber sólo quedaba ahora el dolor de haber sabido.

338

La vio mirar a ambos lados, comprobar que la puerta quedaba cerrada y emprender el camino hacia Orión.

Iba con la cabeza muy alta, como un soberbio pero indefenso mascarón de proa, expuesto a golpes de mar, al oleaje, al viento y al salitre; impasible y generosa, más sola que la una en pleno cabo de tormentas.

Las hojas del *Marca* tremolaron en las manos de Carlos Clot.

Ni al ir ni al volver dirigió ella la mirada hacia la ventana del bar.

Por eso mismo no había duda: le había detectado, si es que no le había reconocido.

Era ella y, sin embargo, cómo deseó Clot que no lo fuera, que hubiera un error, que todo hubiera acabado ya y nunca la descubriera con una jeringuilla en la mano y así todo volviera a empezar, sin deudas ni esperanzas, con la remisión de los pecados.

La siguió durante siete días. Aunque no se reunió con nadie, mantenía los hábitos y la disciplina propios de una clandestinidad organizada. Daba largos rodeos, volvía sobre sus pasos, se paraba en mitad de la calle, atraída al parecer por el escaparate de una ferretería, y echaba a andar de pronto en dirección contraria. En el metro nunca se bajaba en la estación más próxima a su destino, sino en la precedente o una parada después. Las dos veces que tomó un coche de alquiler se hizo llevar a unos grandes almacenes, entró en ellos, salió por una puerta distinta y completó el resto del trayecto a pie.

Lo único que le sobraba era tiempo, todo el tiempo del mundo. Debía de cobrar una pensión o recibiría algún dinero (quizá de sus camaradas), y se ayudaba con el trasiego de los cubos de basura. Hacía diez portales en la calle Orión, otros cinco en Alfa Centauro y seis más en los impares de Estrella Polar, frente al Ambulatorio Dr. Gräfenberg y la Biblioteca Pública García Hortelano.

Su rutina era rígida y ella parecía terca, solitaria y satisfecha. A las siete de la mañana salía de Asteroide 8, con una gabardina gris, vaqueros, botas negras y un bolso en bandolera donde llevaba las llaves de los portales. Iba metiendo cubos vacíos y los dejaba en una esquina del portal, salvo que el inmueble contara con cuarto de basuras. Antes de las ocho había acabado, se dirigía al Express, ocupaba el mismo asiento en una esquina de la barra y tomaba un café con dos porras mientras leía el periódico de la cruz a la firma, con una atención ejemplar que inspiraba respeto a Ana, la camarera del turno de mañana.

A las ocho y media de la noche repetía la misma ruta para sacar los cubos y rendía viaje en el Express, donde Pedro, el marido de Ana, que hacía el turno de noche, le servía siempre lo mismo: un vaso de agua, un sándwich descapotable y dos ginebras Giró con hielo. Debía de ser toda su cena y siempre la tomaba leyendo un libro cuyas páginas sujetaba abiertas con dos pinzas de tender la ropa.

No salía de aquel barrio triste, sideral y mortecino salvo para acudir a la biblioteca y tal vez algún día para llevar a cabo su ofensiva terrorista en esa espiral de violencia indiscriminada.

Porque era ella, a Clot no le cabía duda. Esa pequeña mujer de metro y medio, apacibles pechos y rostro huesudo, andaba por ahí inyectando estricnina en hostias consagradas.

Había causado ya varias muertes, la mosquita muerta.

¿A qué esperaba entonces Charlie Clot?

A él también le habían dejado solo. Garvía había logrado que le retiraran del caso. La pareja de tortolitos policiacos había emprendido un vuelo nupcial. A Perico Gamazo no quería recurrir, salvo que la descubriera con las manos en la masa. Sin embargo, o se le había acabado la provisión de tóxico, o se había convencido por fin de que «la violencia sólo engendra violencia», o había decidido, por las razones que fueran, que ya había sido suficiente. El caso es que no hacía nada ni remotamente amenazador. Trajinaba con sus cubos y, después de desayunar, se iba a la biblioteca. Casi todos los días sacaba dos libros y los devolvía al día siguiente. Leía de todo. Compraba a diario en antiguos mercados del centro alimentos insólitos y que ya estaban mandados recoger de una dieta saludable: panceta, entresijos, riñones, jureles, bacaladillas, hígado, coliflor, careta, morcilla de Tineo. Recorría largas distancias cargando con entrañas envueltas en papel de estraza. Algunas tardes paseaba por el parque del Eclipse.

El difunto Pachín Micawber le había pasado toda la información disponible. Era Rosario Valverde, la misma Charito que había sido detenida por primera vez en 1984, mientras Nacho Gamazo moría a tiros en la calle López de Hoyos. La misma a la que volvieron a encerrar al año siguiente. La misma a la que yo puse en libertad por gratitud hacia su padre. O quizá sólo por haber sido herido por su madre, a la que no sé si mataron mis tiros o los de mis compañeros.

La soltaron en el 92 y se instaló en la barriada del Berbiquí, donde permanecía desde entonces.

Como todas las mañanas, agarró dos cubos de basura, uno con cada mano, y los llevó rodando al portal del 11 de Orión. Buscó la llave y metió allí uno; el otro lo arrastró hasta el 13. Retrocedió de nuevo hacia la esquina, donde los basureros suelen detener el carro y donde vacían los cubos y, por lo general, allí mismo los dejan por la noche, sin devolverlos a cada portal: bastante tienen con arrastrarlos llenos hasta su vehículo.

Desayunó y subió a su casa. Cuando volvió a salir, una hora después, Clot adivinó que aquel iba a ser el día.

Había alterado su aspecto con cambios mínimos, pero suficientes para provocar una duda razonable: podía no ser lo que parecía. Vestida de diario o de sí misma, con su gabardina, sus vaqueros y sus botas negras, su presencia en cualquier punto del centro de la ciudad daba sentido al término «extracción social»: alguien así sólo podía haber sido «extraída», quizá con auxilio de herramientas, haciendo palanca, de un bloque de viviendas en alguna barriada de las afueras. Ahora en cambio, con las gafas de sol, la cazadora, el calzado deportivo y aquella bolsa de una tienda de ropa de Serrano, invitaba a ser tomada por lo que dictara la fantasía, la nostalgia o el resentimiento del observador: una recién separada, una actriz de incógnito, una borrosa y aturdida madre de familia o incluso una ya talludita, pero obstinada puticlista de lobby de hotel de convenciones y congresos.

Recorrieron en distintos vagones de metro la ciudad, hasta la estación de Colón. Como ya calculaba Clot, su destino final estaba aguas arriba, en el restaurante José Luis, calle Serrano 89, en plena Rive Droite.

Pidió en la barra un vermut, dejó la bolsa sobre el taburete y se dirigió hacia el buffet eucarístico del fondo, una mesa en la que había envases a disposición de los clientes, cortesía de la casa, como la taza de consomé en invierno. Llevaba la jeringuilla preparada en un bolsillo, así que todo sucedió en menos de un segundo: inyectó el tóxico, selló con silicona y volvió a dejar el envase en su sitio. Luego se metió en el lavabo.

Cuando volvió a la barra, Clot estaba sentado en el taburete adyacente. Había pedido un Cutty Sark con hielo.

–Si no le importa, voy a comulgar. ¿Quiere acompañarme? –preguntó el detective, mostrando el envase envenenado.

–¿Y si estuviera usted en pecado?

–A mi edad, casi todos los pecados ya son veniales o de omisión, no constituyen impedimento.

Se quitó las gafas negras y, por primera vez en los siete días de persecución, le miró a los ojos.

–Charlie Clot –pronunció ella.

–Charo.

–Pues hasta aquí hemos llegado, ¿verdad? ¿Vas a entregarme?

Más que sonreír, parecía que Charo acabara de evitar un estornudo repentino.

–Tenemos que hablar –dijo Clot–. Vamos a un sitio tranquilo.

–Ya sabes dónde está mi casa.

–¿Me viste el jueves? ¿Me reconociste?

–En cuanto salí por la puerta. Estabas en el Express, con un *Marca* en la mano.

–Tú estabas leyendo a Maeterlink, ¿verdad? Siempre leyendo.

–Bien leídos, sólo he leído catorce libros en mi vida –aseguró ella, con otra de sus sonrisas imprevistas.

–¿Era *La vida de las hormigas*?

–Exacto: las vemos nacer, realizar sus humildes obligaciones y desaparecer a cientos de miles de millones, sin dejar huella, sin que nada ni nadie lo note, sin que hayan tenido nunca otra finalidad que la muerte. No queremos pensar que lo mismo debe ocurrir con nosotros –citó ella.

–¿En tu casa o en la mía?

–Ven y mira cómo vivo.

Adelgazada por el descenso a través del patio de luces, tamizada por la ropa tendida, la escasa claridad del amanecer cubría, como si lo amortajara, el cuerpo desnudo del hombre dormido. La mujer sentada al borde de la cama apagó el despertador, que aún no había sonado. Le miraba en silencio, sentada sobre el colchón, con tanta piedad que evocaba el descendimiento de la cruz. Charlie Clot dormía boca arriba, con una mano sobre el pecho y la otra rozando la cintura. Bajo sus párpados, las pupilas se movían. Soñaba y sonreía. Tumbado en diagonal, ocupaba la mayor parte de la cama, como había tomado posesión, con una naturalidad parecida a la inocencia, del inmueble entero. Recordó Rosario las dos botellas de whisky, una ya vacía, su americana en el respaldo de la silla, la gorra de visera sobre el sofá, la sartén en la que Clot había hecho unos huevos fritos, los zapatos al pie de la cama y la pistola en la mesita de noche, al alcance de la mano de cualquiera de los dos.

Salió descalza, con la ropa en la mano, y se vistió en la cocina. Bebió un vaso de agua, encendió un Ducados y, tras dos caladas, lo apagó bajo el grifo y lo tiró al cubo, donde vio dos condones usados sobre las cáscaras de huevo.

Los contempló como si conservaran la impronta de un rostro dolorido, igual que un creyente examinaría el lienzo de la Verónica, como si el látex aún tuviera adherido un sentimiento enigmático, esa niebla del amanecer que se queda pegada a los tejados o el aroma de lavanda en un pañuelo.

En la calle hacía frío. Metió los cubos en los portales y ya había terminado el desayuno en el Express y esperaba las vueltas cuando le oyó a su espalda:

–He recogido un poco. Sólo por encima.

–No hacía falta –dijo ella.

–Gracias por dejar la pistola. Sólo quería despedirme.

–¿Vienes a eso, a despedirte? ¿Te vas?

–Yo no tengo a donde ir.

Ana apareció entonces con algunas monedas en un platillo y una bolsa de papel, y anunció:

–Aquí tienes el cambio y los churros para llevar.

–Quédate la vuelta y gracias, Anita.

Rosario le dio la bolsa a Charlie.

–¿Me ibas a subir el desayuno?

–No confías en mí.

–¿Y tú confías en mí, Rosario?

–Tampoco. Mejor así, ¿verdad?

–Mucho mejor. Vamos yendo.

Salieron juntos del Express y pasaron el resto del día, hasta la hora de los cubos de basura llenos, al final de la tarde, en los cincuenta metros cuadrados de Asteroide 8, 4.º interior izquierda, con la otra botella de Cutty Sark y *La vida de las hormigas*.

No confiaban el uno en el otro ni se necesitaban, así que debió de ser allí donde se dieron cuenta de que estaban por fin en condiciones de quererse, más por propia voluntad que por obediencia debida a cualquier sentimiento que pudiera haber tomado posesión de ellos. También debieron de hacerse confesiones, sin duda parciales y muy calculadas, como quien pasa a limpio un borrador y tacha, organiza, añade y construye una narración que se convertirá en verdadera gracias a la indoblegable fe (o quizá sea sólo esperanza o caridad) que el ser humano ha puesto en que la verdad es aquello que tiene sentido.

Debieron de absolverse el uno al otro. A ellos les pareció suficiente y a mí me vale. Al fin y al cabo, doctores tiene la Iglesia y, a estas alturas, entre la absolución y el castigo, yo ya he elegido el castigo.

Cambiaron cromos: el padre de Charlie ciego y mirando hacia la ventana, la madre de Rosario muerta a tiros en la calle.

346

Ella le ofrecería el cromo de la violencia indispensable para transformar la vida, y también el del valor, la desesperación o la generosidad necesarias para aceptar ser culpable. Puede que Clot exhibiera entonces aquel cromo de la inutilidad de la violencia o el de la fragilidad moral del mesianismo; y ella debió de intentar cambiárselo por el del testimonio que despierta las conciencias dormidas.

Ambos sabían, como lo sé yo, que la culpa sólo remite o con la absolución o con el castigo, y que aquel que ya no es capaz de creer en una instancia superior con potestad para perdonar, no tiene otro remedio que juzgarse por su cuenta y administrarse a sí mismo el castigo con los medios a su alcance.

Ese cromo, como el de Pirri, aparece en todos los sobres. A mí me ha tocado: al que ha perdido la fe sólo le queda el acerbo privilegio de condenarse a sí mismo en tercera persona.

Tal vez tenían los mismos cromos repes, el de la cobardía temeraria, el de la soledad, el del sentimentalismo complaciente, el del martirio acreedor. Aun así, debieron de calcular que entre los dos podrían completar por fin un solo álbum.

Por la tarde volvieron a la cama y Carlos Clot tembló como tiemblan las cuadernas de una nave que encalla.

El alma es como el casco de un buque: la quilla es el deseo.

Acabaron la noche en el hospital: Clot, inconsciente; ella, aturdida, pero sin miedo, porque pensaba que hay cromos que ni siquiera los fabrican y así nos obligan a seguir comprando sobres todas las semanas, y están en su perfecto derecho, como le habría explicado Francisco Javier Cachón.

Carlos Clot comenzó a sangrar a las once. A las doce Rosario le propuso ir al hospital.

–No es nada del otro mundo –insistió Charlie.

–Estás vomitando sangre a borbotones.

–Tú no te preocupes, guapa de cara.

Tuvieron que ir a Urgencias: sufría una hemorragia masiva provocada por la rotura de sus varices esofágicas. A los dos días, sin embargo, firmó el alta voluntaria y, en contra de la opinión del médico, abandonó el hospital abrazado a Rosario y a esa testarudez que compartían.

Cogieron un coche de alquiler y Clot le indicó al conductor que se detuviera en el parque del Eclipse. Quizá lo hizo para acomodarse a la disciplina de la clandestinidad de Rosario o quizá sólo quería contemplar la puesta de sol entre las patas de los columpios de los niños.

Miró la lejanía bajo ese palio de luz vencida que atenúa la superficie de las cosas para dejar a la vista su interior, como un hueso descarnado y pulido.

Dos tipos de modales exquisitos, con trajes italianos y corbata de seda llamaron a la puerta de Asteroide 8. Le pidieron a Carlos Clot que les acompañara y le aseguraron que estaría de vuelta a tiempo para ver el partido. Era el gran día, el momento decisivo declarado Acontecimiento Histórico, el 28 de junio. No emplearon la fuerza ni la amenaza, no era necesario. La violencia institucional, como Dios, está presente en todas partes, sin necesidad de hacerse demasiado visible en ninguna. Por eso es tan poderosa, ni siquiera es reconocible. El uso directo de la fuerza en cambio sólo es el recurso de los que nada tienen que perder.

Era una habitación de grandes dimensiones y planta rectangular, con ventanales en todas las paredes. Desde aquel décimo piso la ciudad parecía dejada caer, un juguete olvidado por un niño caprichoso.

–¿Caso resuelto, Charlie? –le pregunté.

Por supuesto que le habíamos vigilado, él tenía que saberlo.

–Eso parece. A mi edad uno nunca sabe cuándo preferiría no dar en el blanco.

A los cinco minutos se abrió la puerta y, sin más ceremonia, el gran Perico Gamazo, el Rey del Envasado, penetró en la estancia con paso corto y nervioso. Como las palomas, parecía que al andar se impulsara con la cabeza. Llevaba un traje bien cortado, un impecable terno de Hortelano.

–No se levanten, no perdamos más tiempo –el poderoso Perico tomó asiento en una mecedora.

El descamisado, el subversivo, el revolucionario Perico Gamazo de los veinte años ya era un anciano de aspecto despiadado.

Había perdido a sus dos hijos y a su mujer, pero había cumplido el sueño por el que su padre tuvo que dar un puñetazo: tenía un imperio y había logrado unir el negocio familiar del envasado con el de transporte naval de los Montovio. Y había estado a punto de casar a Laurita con un Cachón Bustelo, uno de los príncipes de la Inmaculada Transición, el recién nombrado ministro.

–¿Se puede fumar? –preguntó Charlie.

–Si lleva tabaco –le respondió Perico–. ¿Le gustan las vistas, Clot?

Con aquellas pinceladas cárdenas, malvas y negras del atardecer, la ciudad era como un cerebro humano, partido en dos lóbulos por el caudaloso Canal Castellana.

–No parece real.

–Alguien dijo que la realidad es como un reloj: lo que se mueve no son las manecillas, que es lo que vemos. Lo que se mueve es lo que no vemos: la maquinaria interna, que es la que hace moverse a las agujas del reloj. Con el cuerpo social sucede lo mismo. La maquinaria está dentro, invisible, oculta en un amasijo de sangre, de nervios, de tejidos, en cavidades sin luz, en órganos y glándulas bajo la carne. La verdad social, como la del cuerpo, sólo se hace presente de una forma...

–¿En el dolor? –aventuró el detective.

–El dolor es el lenguaje de lo que no vemos, el tictac de la maquinaria interna. Sólo en el dolor hay, como en la Eucaristía, «presencia real».

–No sé cuál será la revelación de un dolor de muelas.

–Pues la tiene, Clot, no lo dude. El dolor, la inflamación, las pústulas, las llagas, la fiebre, el pus o el gemido reumático de las articulaciones no son más que una epifanía.

–¿Qué quiere decir? ¿Que en los Precintos donde encierran a los yonquis hay más verdad que en esta habitación? Un crimen es una epifanía de la verdad social, ¿es eso? Hay más verdad en esas mujeres derrengadas, que doblan el espinazo empujando un carrito con todas sus posesiones...

Antes de hablar, Perico Gamazo frunció los labios, como si percibiera un olor desagradable o se dispusiera a recitar en francés un poema de Baudelaire.

–No fastidie, Clot, usted sigue siendo esquemático. El dolor es católico, es decir, universal. Habla en todas partes, aunque usted sólo lo oye cuando grita. No hace falta la demagogia de la miseria. Todo es la misma infección, el mismo órgano hinchado, podrido, enfermo...

–¿El corazón?

–El corazón sin duda. El corazón necesita aire, como una pelota. Sin pneuma, sin espíritu, el corazón se deshincha, pfffff, y se convierte en un guijarro, una piedra lanzada al vacío, un asteroide errante en la oscuridad.

–Supongo que al menos en eso estamos de acuerdo –concedió Clot.

–¿Lo ve? Nos entendemos. Voy a decirle cuál es la única forma de insuflar el hálito en el corazón, ¿sabe cuál es?

–Dígamelo.

–El perdón. Así como nosotros perdonamos a nuestros deudores.

–Recibido. Cambio y corto. ¿Adónde quiere llegar?

–Le propongo un canje, algo así como un intercambio de prisioneros. Nosotros dejaremos en paz a esa mujer, Rosario, aunque no se lo merezca.

–¿Y qué espera a cambio? ¿Cuál es la contrapartida?

–La otra mujer. No intente vengarse. Mujer por mujer. Intercambio de mujeres, la base misma de la civilización. Rosario, con quien tengo entendido que usted mantiene relaciones, queda libre. Y usted se la lleva lejos de aquí y se compromete a no molestar a Miss Seltz.

–Seltz no es una mujer.

–Qué más da. La mujer con atributos, dejémoslo así.

–Es una hiena. Merece un castigo.

Perico Gamazo cabeceó, como si hiciera un gran esfuerzo para armarse de paciencia, y por fin dijo:

–¿Y quién no, Clot, amigo? Piénselo: ¿es que no merecemos todos un castigo? Ojalá no nos den nunca lo que de verdad merecemos, ¿no le parece? *Scriptum est enim mihi vindictam, ego retribuam, dicit Dominus.*

–Está escrito: mía es la venganza. Dice el Señor: yo pagaré –tradujo el detective.

–El jefe siempre paga los cafés, ¿no lo sabía? Tenía entendido que frecuenta los bares.

–¿Y el veneno en las hostias?

–Eso ya está resuelto, amigo Clot: caso cerrado. Hemos capturado a los sindicalistas.

Clot se encogió de hombros y sólo añadió:

–Pero mi amigo Pachín Micawber está muerto.

–Todos lo sentimos. Gran hombre, Micawber. Pneumático, atravesado por el viento del espíritu. Él la perdonaría, estoy seguro.

–Él sí.

–Este es el trato, amigo: mujer por mujer. Usted se olvida de Miss Seltz. Déjela en paz: el Señor pagará la cuenta. Lo que se deba. Está todo apuntado. A cambio, nadie molestará a Rosario Valverde. Y usted se compromete a llevársela a la mayor distancia posible. ¿Para qué vamos a seguir, Clot? ¿Para que la sangre nos desborde a todos? Váyanse, olvídense de todo lo demás, pero váyanse lejos y sean felices.

–Si nos dejan –casi cantó Clot.

Si nos dejan, nos vamos a vivir a un mundo nuevo.
Yo creo podemos ver
el nuevo amanecer
de un nuevo día.
Yo pienso que tú y yo
podemos ser felices todavía.

Si nos dejan, buscamos un rincón cerca del cielo.
Y allí, juntitos los dos,
cerquita de Dios,
será lo que soñamos.
Si nos dejan, te llevo de la mano, corazón,
y allí nos vamos.

Si nos dejan, de todo lo demás nos olvidamos.

–Es lo que le estoy proponiendo. Les dejamos. Váyanse lejos. Mujer por mujer, un trato justo.

Clot encendió otro cigarrillo. Miró a Perico Gamazo y luego por la ventana. Había luces a lo lejos, un faro, televisiones encendidas. Del agua del Canal se desprendía una neblina pegajosa, una humareda que debía de venir de las profundidades. Resopló con los ojos cerrados, como solía hacerlo el difunto Pachín Micawber.

–De acuerdo –dijo por fin.

–Démonos todos la mano, Clot, tenemos un trato. Tú eres nuestro testigo, Menéndez –me indicó a mí–. Sobra tiempo para ver el partido.

–Podemos, podemos –intervine.

–Oé, oé, oé –confirmó Perico Gamazo.

«Todo está perdonado», declaró Luis Aragonés, el victorioso seleccionador nacional, tras recibir la ovación unánime, aunque luego añadió, con su particular estilo de oráculo: «Al que venga le deseo que le tratéis lo mejor posible, porque yo puedo tener una fuerza mental importante, pero otro a lo mejor no la tiene tanto».

Aquella noche fue sólo el principio de la redención de España. El propio rey lo había asegurado, el presidente del Gobierno lo confirmó:

–Esto es sólo el principio.

Tal y como había profetizado el maldito «sabio de Hortaleza» con esa importante fuerza mental suya, Fernando Torres se convirtió en el as escondido en la manga del combinado español, la última bala en la recámara, que se disparó en el minuto 33.

Por la mínima, pero ganamos. Cuarenta y cuatro años después volvíamos a ser campeones de Europa, los mejores, los que por fin lográbamos redimir la dolorosa, la inútil, la trágica Historia de España.

El partido no fue fácil, los mazacotes alemanes saltaron al terreno de juego como tricampeones, con la firme determinación de triturarnos. Para hacernos papilla contaban los teutones con su experiencia en finales: lo llevan impreso en el código genético, a lo largo de los años han sufrido un proceso de adaptación biológica para disputarlas sin despeinarse.

De poco les sirvió: teníamos equipo, identidad, horizonte, otra España era posible y contábamos con la tutela de la Familia Real (la reina y la infanta Elena se vistieron de rojo pasión), con el talismán milagroso del rey en el palco del Ernst Happel.

«Hemos sufrido, pero ha valido la pena», concluyó el monarca.

«Soy el primer presidente que gana un título en democracia y no se me va a olvidar nunca», confesó el presidente del Gobierno y añadió: «Mi generación tenía derecho a esta victoria».

Un derecho insólito que tenía nada menos que a una generación como titular. Sin duda porque se refería al sagrado derecho a ganar la paz, tal y como se había ganado la guerra.

Al día siguiente, el editorial de *El País* se titulaba «Pudimos» y el de *Abc* constataba con satisfacción «el orgullo de millones de ciudadanos de exhibir sin ridículos complejos ni absurdos pudores su condición de españoles y su orgullo por la bandera nacional y por el escudo constitucional que los jugadores lucen en el pecho».

Fue el centésimo octogésimo día del calendario gregoriano, festividad de San Pedro y San Pablo, aunque enseguida se elevó una propuesta al Ministerio para consagrarlo a San Luis Aragonés y San Fernando Torres.

Luis Aragonés, a sus sesenta y nueve años, consiguió ser manteado por el equipo y emprendió, tal y como había prometido si ganábamos, el camino de Santiago a pie, sin más equipaje que esa su fuerza mental tan importante y que (a lo mejor) otro cualquiera no tenía.

Después, con una improvisada grandeza de corazón nos perdonó a todos y, sobre todo, a nosotros, los réprobos, los empecatados raulistas que nos habíamos negado a creer en él.

Fue el manchego Iniesta el que acertó a expresar lo que la patria pensaba, cuando murmuró, aturdido, ante las cámaras de televisión: «Joder, joder. Esto es la hostia».

Aquello era la hostia, la hostia consagrada, con la «presencia real» del cuerpo y la sangre de España.

Iker Casillas, el capitán, levantó el trofeo por encima de su cabeza, y el público comenzó a gritar:

–¡España entera se va de borrachera!

A los pocos días llegó a Madrid el combinado español.

Sé que la ciudad se convirtió en una explosión de legítimo orgullo, de patriotismo sin complejos, de reconciliación nacional. Quedaba demostrado: otra España era posible, como era por fin posible ser feliz sin sentirse culpable. Oé, oé, oé: pudimos, pudimos. Habíamos conseguido despegarnos de nuestra propia sombra, dejar atrás aquella guerra que unos ganamos y otros perdieron, y abrazarnos sin miedo, porque a partir de ahora todos íbamos a ser inocentes.

Las autoridades zarparon de la Moncloa en una góndola engalanada con corales de tonalidad furia roja y descendieron el Canal Castellana para ir al encuentro del equipo, que esperaba de uniforme en una gabarra anclada frente a Isla Cibeles.

La Casa Real vino en veloces fuerabordas, propios de su carácter juvenil y deportivo, aunque cada miembro de la Familia utilizaba su propia lancha, por motivos de seguridad. S.M. el Rey pilotaba él mismo la planeadora *Bribón XXI* y, tal y como estaba previsto, decidió saltarse el protocolo: sobrepasó al atónito jefe del Ejecutivo y trasbordó de un salto a la embarcación del equipo para abrazar uno por uno a los muchachos. El soberano vestía chándal oficial, capa de armiño y escarpines de competición, y cuando se abrazó a Fernando Torres, el Niño prorrumpió en sollozos.

—Qué grande eres —comentó el monarca con su característica espontaneidad.

—Superlativo —corroboró el presidente Zapatero, al que los escoltas acababan de izar a la embarcación a pulso.

La vicepresidenta piafaba de entusiasmo, mientras Luis Aragonés repetía con aire sibilino la misma frase, cada vez con una entonación diferente, hasta lograr convertirla en un auténtico enigma:

—Cago en la mar... cago en la mar... cago en la mar... —iba diciendo.

Xavi, Cazorla, Güiza, Cesc, el ministro Rubalcaba y el siempre zaragatero José Bono, presidente del Congreso, organizaron una conga cantando *Que viva España*. Enseguida se sumaron el capitán Iker Casillas y Villa, qué maravilla.

La hinchada relinchaba de satisfacción. Había en las riberas del Canal más de un millón de españoles que gritaban como una sola garganta: ¡Campeoooooones, campeooooones, oé, oé, oé!

Llegó el momento de máxima trascendencia. Un silencio sobrecogedor acogió los primeros compases del himno nacional. Todo el mundo, más de un millón de españoles de bien, se puso firme y con una mano abierta apretada contra el pecho, a la altura del corazón.

El equipo se alineó sobre la cubierta de la gabarra. Delante de ellos se colocó la representación de las más altas instituciones del Estado: S.M. el Rey, el presidente del Gobierno, el de la Conferencia Episcopal y los de las principales empresas del Ibex, todos rígidos, solemnes, hieráticos y de perfil, como esculturas egipcias.

La gabarra emprendió una majestuosa y lenta navegación hacia Isla Cibeles para hacer entrega de la copa a la Madre de los Dioses.

Era el momento más grave y decisivo de la Historia de España: la hora de la redención.

Entonces se oyó el estallido.

La estatua de la diosa saltó en pedazos y la isla entera desapareció en el agua negra del canal.

La gabarra volcó y, aunque todos los ocupantes consiguieron ganar la orilla a nado, la copa se hundió sin remedio y quedó sepultada en el légamo tenebroso de la Historia.

Toda España enmudeció. ¿Quién podía haber hecho una monstruosidad semejante en contra del más hondo sentimiento de una nación entera?

Aquello era un atentado dirigido al corazón mismo de un pueblo.

Lo supe de inmediato.

Lo mismo le había sucedido en la cárcel a su padre, el marqués de Morcuera: el intercambio de prisioneros, mujer por mujer, en el que confiaba Perico Gamazo no había funcionado. Charo había vuelto.

Aquello era obra de Rosario Valverde, la Charo, y el grupo de Tequendama.

Que Dios me perdone, pero quiero creer que mi amigo, el viejo y querido Carlos Clot, volvió con ella.

Al día siguiente el país se levantó traumatizado, como si acabara de sorprender a su madre patria en la cama con un hombre visto de perfil.

Se anunció la reconstrucción de la estatua de la Cibeles y de su isla artificial, pero no aparecía la copa, por más que dragaban y por más que se sumergían los hombres-rana. Esa copa, el Santo Grial, la popular «ensaladera» gracias a la que todo un país había conseguido por fin unirse en el esfuerzo común.

Se comprobó que el explosivo era en su mayoría TK-112, y que procedía de la antigua mina de La Camocha: era la firma de Joaquín Visiedo, el Tequendama.

Yo me vestí con mi mejor traje y una corbata de un azul tenue pero luminoso, como el de la pleamar en invierno. En el bolsillo, junto a la invitación a la boda, metí la peseta de plata del Gobierno Provisional.

Paseaba al atardecer por el malecón del Prado cuando me salió al paso un individuo amenazador con un sobretodo azul. Me puso una mano sarmentosa en el hombro.

–Hay un barco –me dijo.

Había un barco, de acuerdo. Eso lo sabíamos todos. Un buque maldito con el pabellón amarillo de cuarentena, encallado en Delicias y rodeado por una malla metálica y vigilancia policial.

–Venga conmigo –insistió el viejo marinero–. No hay tiempo que perder.

No sé qué poder ejerció sobre mí: le seguí como quien se tira a un pozo.

Esto era una vez un rey y una reina que tenían dos hijos, y uno de ellos era una niña, la más pequeña, y va y se le ocurre una vez salir de paseo. La madre le dijo que volviera temprano, antes de que se enfriara el agua del río, pero la muchacha se puso a andar con sus grandes pies, y cruzó el río, y anduvo más y se metió en un campo donde había muchas mariposas. Qué bonitas, qué bien vuelan, y cómo mueven las alas, pensó la niña y se puso a intentar cogerlas. Y persigue que te persigue mariposas, cuando se quiso dar cuenta ya estaba todo muy oscuro, el agua ni se veía, y no se podía distinguir de la tierra firme, y sonaba la corriente del río como si quisiera hacerle daño, con unas olas impacientes, y no se sabía a qué distancia estaba el agua ni por dónde cruzar el río para volver a casa. Así que andaba perdida, dando vueltas, y en la arena dejaban sus pies unas huellas tan grandes como sepulturas abiertas.

Y la noche que se le estaba echando encima.

¿Y si venía el cuélebre, el tragaldabas, el sacamantecas o la zarrampla? ¿Y si venía el hombre malo, el hombre de ceniza? Este hombre era el que le daba más miedo de todos porque tenía el cuerpo y la cara hechos de trozos de tiniebla cosidos entre sí, de retales de oscuridad, de jirones de noche sin estrellas pegados con grapas y esparadrapo; y sus manos eran de sombra y en sombra dejaban aquello que tocaban.

Y si venía, y si venía, y si venía..., pues, ¿sabes qué? Que al final apareció el hombre malo con una moneda de plata que brillaba desde lejos.

Acerca la cabeza, pequeña, le dijo a la niña perdida: cierra los ojos y pide un deseo. Y ella le preguntó si se podía pedir lo que una quisiera. Le dijo que sí, pero que recordara bien que sólo podía concederle tres deseos.

Cierra los ojos y pide un deseo: así es como empiezan los cuentos que nunca acaban bien, la pequeña lo sabía, pero qué más le daba, con tal de cumplir su deseo.

Conviérteme en mariposa, le pidió, y nada más pedirlo, el hombre de ceniza chasqueó sus dedos de sombra, ¡catapún!, y en mariposa nocturna quedó convertida la niña.

Se puso a volar y revolotear y venga de volar por encima del agua, moviendo las alas, pero en cuanto pasó un rato se dio cuenta de que no era tan divertido por dentro como le parecía visto desde fuera y, al final, vio a una niña que se puso a perseguirla. ¡Pero si era ella! Se reconoció enseguida. ¡Era ella misma, cuando aún era niña, antes de que se cumpliera su deseo! Y esa niña que era ella misma sólo quería cogerla, ahora que era mariposa; y, cuando ya le iba a dar alcance, ella gritó sin darse cuenta: ¡Conviérteme en lobo feroz!

El hombre de ceniza chasqueó sus dedos de sombra y, ¡zas!, en lobo que se quedó convertida, y la niña que la perseguía huyó a todo correr, muy asustada de que se la comiera el lobo.

En cuanto se volvió lobo le entró un hambre de lobo, un hambre como no había sentido en su vida la niña pequeña, ni tampoco cuando fue mariposa, pero resulta que allí no había nada que comer, ni un triste mendrugo de pan había, y de pronto, con sus nuevas orejas de lobo distinguió que se iban acercando las suelas de las botas de los cazadores. Enseguida vio que estaba rodeada y los cañones de las escopetas apuntaban hacia ella. Y los cazadores estaban muertos de miedo y gritaban: ¡Que viene el lobo, que viene el lobo! ¿Cómo podía ser que ellos tuvieran miedo, si la que más miedo tenía era ella, aunque ahora fuera un lobo? ¿Cómo no se daban cuenta de que sólo tenía hambre y miedo, por muy lobo feroz que fuera?

Asustados, iban a disparar y entonces a ella se le escapó un grito: ¡Conviérteme en mí misma!

El hombre de ceniza chasqueó sus dedos de sombra y ¡zaca!, dicho y hecho: en niña perdida en la oscuridad que se convirtió otra vez, y los cazadores se fueron a buscar al lobo, que se les había vuelto a escapar.

¡Pero qué tonta había sido! Había gastado los tres deseos y había vuelto al principio. Y ahora se daba cuenta que cada nuevo deseo cumplido lo había borrado con otro deseo, siempre retrocediendo.

El hombre de ceniza le dio entonces aquella moneda y, cuando la niña la tuvo en su mano, la plata reflejó la luz de la luna y ella pudo ver el camino de vuelta, y así cruzó el río, y echó a correr hacia su casa, aunque una vez miró hacia atrás.

Y entonces vio cómo se deshacía el hombre malo, que era todo de ceniza y sombra, y de humo, y de noche y tinieblas, y desapareció como si un viento repentino se lo llevara sobre las aguas del río.

Y ya no paró de correr y, cuando llegó a su casa, salía el sol, pero en una sola noche resulta que en su casa había pasado media vida.

Sólo habían sucedido tragedias.

A su hermano el mayor le habían echado de la casa con una maldición: que se lo comieran los lobos. Pero los lobos no se lo comieron, porque se puso una piel de lobo encima y así se volvió lobo, y luego sus padres lo mataron sin querer, pensando que era un lobo de verdad.

Y resulta que su madre también se había muerto de la tristeza por su niña perdida y de la tristeza por el hermano que se había vuelto lobo.

Así que la niña era por fin la heredera al trono, y también iba a casarse con un príncipe para ser feliz y comer perdices, pero al probar una de las perdices, que ya estaban preparadas, resulta que tenía dentro un veneno, y se murió, y colorín colorado este cuento se ha acabado.

¿Quieres que te lo cuente otra vez?

Cómo no imaginar, cómo no iba a imaginármelos. Cómo no sentir en los huesos el traqueteo de aquella diligencia que partió del mercado de la Cebada, llegó hasta San Francisco el Grande y cruzó el Viaducto frente al atardecer cóncavo de las Vistillas. Cómo no escuchar el chirrido de sus ruedas y los gritos con los que el cochero refrenaba a los caballos cuando se lanzó por las vertiginosas curvas de la Cuesta de la Vega para llegar después, a galope tendido, hasta el puente de Segovia. Como no atragantarse con la polvareda. Cómo no ver el esfuerzo de las bestias trotando cuesta arriba sobre las grietas y los baches del antiguo macadam del paseo de Extremadura. Cómo resistir el impulso de agitar un pañuelo en el aire y despedir para siempre a la improbable parejita, sus amores difíciles, su destino adverso. Cómo no decir por fin adiós muy buenas a las varicosas venas de Clot y a la esperanza indefensa de esos dos cabezotas.

Quizá no miraron atrás, sino cada uno por su ventanilla: a un lado esas viviendas de Aluche con todas las persianas echadas; al otro lado los pinares de la Casa de Campo; como si atravesaran un pasadizo, trazando a mano alzada la divisoria entre el malestar de la cultura y una naturaleza exenta de instinto y de albedrío; entre la imaginación sin horizonte y la memoria irredimible; entre el sueño yerto y tenaz del pasado y el presente vengativo y despechado que se esfuerza por corromperlo. En algunos tramos, en vaguadas de Batán, en collados de Campamento, en el páramo de Cuatro Vientos, la línea de este frente de batalla se volvía tan borrosa que provocaba la incómoda y acuciante sensación de duermevela, ese estupor de quien no logra distinguir si aún sigue soñando o si ya todo sucede de verdad y ahora por fin está despierto.

Había piedras calcinadas, esqueletos de antiguos automóviles como herrumbrosas armaduras de lechos nupciales, farolas apedreadas, enredaderas tenaces escalando antenas de telefonía móvil, neumáticos ardiendo, plásticos imperecederos, residuos de todos los sueños interrumpidos con un sobresalto, pecios del naufragio de la Historia.

A esa hora de luz débil pero piadosa fueron testigos del encuentro entre una mujer que se apresuraba hacia la máquina tragaperras del bar y un rebaño de cabras remolonas, de vuelta al aprisco.

Elevada en la mísera vega del Almorca, suspendida en una nube de hormigón y días laborables, vieron la barriada del Berbiquí al alcance de la mano, como si ahora pudieran arrojarla hacia atrás, a su espalda, como un puñado de alubias, para repetir nueve veces, sin volver la vista: ¡Salvadnos a nosotros dos! Sólo a nosotros dos. No miraremos atrás. Sombras, fantasmas del pasado: ¡marchaos!

Aquellos dos, apretados uno contra otro en la diligencia de Navalcarnero, eran iguales que cualquier otra pareja avanzando hacia un horizonte que siempre está a la misma distancia, abrazados en el trineo de *Doctor Zhivago*, en el último asiento de aquel autobús amarillo de *El graduado* (después de bloquear la puerta con un crucifijo), en la nave espacial de *Blade Runner* o a pie, como en *La fuga de Logan:* una mujer y un hombre, dos meteoritos lanzados al vacío, dos rocas heladas desplazándose en la oscuridad.

–¿Adónde me llevas? ¿Estamos huyendo, Charlie? –preguntó ella.

–Nadie nos persigue. Si nos vamos, nos salvamos.

–¿Y adónde quieres ir?

–De momento hasta Navalcarnero. Luego ya veremos. El cielo es el límite.

Y Carlos Clot se puso a canturrear a José Alfredo Jiménez:

Yo pienso que tú y yo
podemos ser felices todavía.

Si nos dejan, buscamos un rincón cerca del cielo.
Y allí, juntitos los dos,
cerquita de Dios,
será lo que soñamos.
Si nos dejan, te llevo de la mano, corazón,
y allí nos vamos.

Si nos dejan, de todo lo demás nos olvidamos.

Anochecía. Dos días más tarde iba a llegar a Madrid la selección nacional victoriosa para entregarle el trofeo a la Cibeles.

Charlie sacó del bolsillo una petaca y se la ofreció a Charo.

–Sólo bebo gin.

–A mí la transparencia me asusta. Bebo algo que sea más parecido a mí. Más opaco. Al llegar compraremos gin Giró.

–¿Al llegar a Navalcarnero?

–Nuestro cachito de cielo.

–Tú no sabes lo que es el Cachito de Cielo.

–Es un bolero.

–En Madrid se conoce como el Cachito de Cielo a un convento de misioneras, ¿no lo conocías, verdad? Siempre he sabido cosas que quizá no debería saber, pero ya no me da vergüenza. El convento es un antiguo palacio, en la Travesía de Belén, allí hay un comedor de caridad, dan cientos de comidas cada día: la sopa boba. Por eso se llama el Cachito de Cielo.

–¿Tú has comido allí?

–Muchas veces, Carlos.

En silencio, Clot miraba pasar campanarios verticales y vencejos volando en horizontal.

De pronto ella dijo:

–¿Sabes qué? Espérame en el cielo, corazón.

–Si es que me voy primero –bromeó Clot–. ¿Ya me das por muerto?

–No quiero ir. Espérame tú allí, en ese cachito de cielo. Espérame sentado. Desde allí no se oye el grisú explotar, ¿me entiendes?

–Ni se oyen las olas bramar. Te entiendo. Pero nosotros tenemos derecho a ser felices.

–¿Felices? ¿Allí, juntitos los dos? ¿Felices nosotros solos? ¿Sin ser parte del resto? No, gracias, Charlie. Yo no quiero olvidarme de todo lo demás. No quiero morir sola, en la oscuridad, sin que el marinero piense en mí. No quiero morir sola, en la inmensidad, sin que el minero piense en mí. No quiero un cachito de cielo para nosotros dos.

–Ya veo.

–El cielo hay que tomarlo por asalto y para todos, Charlie. No es un escondite. ¿Qué íbamos a hacer allí solos?

–No estamos solos. Somos tú y yo, estamos juntos.

–Sí que estamos solos. Tú y yo no es más que un animal imaginario, la bestia de dos espaldas, la más fabulosa de todas las criaturas inventadas. Mucho más imposible que el ave fénix, que el unicornio o que el basilisco. Yo doy la vuelta, Charlie. Quiero restablecer el contacto con la organización. Tengo que hablar con Tequendama. Vamos a hacer algo.

En menos de un minuto, pasó mucho tiempo, pasó su padre ciego, la mano de su hija soplando un beso, la casa de Asteroide donde su cuerpo y el de Rosario habían encallado, el barrio entero del Berbiquí y también el pasado que enterramos bajo el agua, y entonces Clot respondió:

–Vamos.

–¿Volvemos?

–Volvemos juntos.

Zarpamos del muelle de Santa María de la Cabeza, con viento de bolina y la noche oscura como tinta, y en poco más de veinte minutos alcanzamos la barbacana de Delicias, la doblamos y pusimos proa a puerto hasta topar con el cordón sanitario de gruesa malla metálica. No había agentes a la vista. El viejo marinero ordenó arriar el velamen, para que la claridad del lienzo no nos delatara, y lanzó un par de cabos para acercarnos a la alambrada. Suspendido de una entena, el viejo se puso a recortar la malla de acero con unos alicates, mientras canturreaba esa antigua canción mexicana del bergantín que se va a pique por culpa de un capitán que se emborrachó. El estribillo recordaba una y otra vez los «pobres pedazos de corazón, que la mar brava se los tragó».

Que Dios me perdone, pero no podía dejar de pensar en la Sagrada Comunión: en pedazos de carne del corazón y sangre de las venas, comed y bebed todos de él.

–Está listo –avisó por fin el viejo marinero–. Ahora es siempre en línea recta. No salpiques con los remos ni hagas ningún ruido.

Me acurruqué en la popa del bote, aseguré los remos en los escálamos y me volví hacia el viejo:

–Gracias, amigo –le dije.

–Mi moneda –exigió impasible.

Le entregué la peseta de plata del Gobierno Provisional, la misma que me había devuelto Laura Gamazo. Silbaron las sogas en los cabrestantes y el bote descendió de golpe. En cuanto la quilla tocó el agua, el viejo dio una patada en la popa y me impulsó contra la red. Cerré los ojos. La proa golpeó la malla y esta cedió como una lengüeta. El boquete abierto por los alicates del viejo marinero tenía el tamaño exacto y logré traspasar la barrera, aunque el casco recibió arañazos y un cable me rozó la cabeza. No quise mirar atrás.

Contra el viento, comencé a remar de la manera más incómoda, sentado hacia la proa, porque no quería perder de vista el galeón. A cada golpe de los remos, el buque iba creciendo como un corazón que latiera. Me palpé la frente y me mojé los dedos en sangre; tenía un corte profundo que me iba a dejar una cicatriz indeleble. Otra, porque nada había conseguido borrar la que me hizo en Barcelona la madre de Charo.

Al límite de mis fuerzas, pero ya estaba allí. Mi bote golpeaba contra el enorme casco y no veía forma de trepar a bordo. Grité. No hubo respuesta. Ni una voz, ni un ruido, nada, ni siquiera aquellos malditos dados rebotando en la cubierta, incapaces de abolir ni el azar ni el destino.

No sé si pensé en lanzarme al mar, pero saqué del bolsillo la cartulina de la invitación y me desnudé. Del todo.

Sí, claro que me la miré, ¿quién no lo haría?

Me pareció mi propio antepasado, esa criatura de la que, según afirman, provenimos: larva surgida de las aguas, anfibia, a cuatro patas, puesta en pie, que aprendió a enterrar a los muertos, a fabricar lanzas, a tallar en piedra el cuerpo de una mujer y a pintar bisontes, a plantar y recolectar, a inventar un lenguaje, ese español de mis veinte años y en el que nada más me queda por decir.

Tiré la invitación por la borda y la vi hundirse muy despacio, dando vueltas sobre sí misma, hasta perderse de vista, amortajada por el agua tenebrosa.

Oí de pronto un golpe y alcé la vista. De la borda de babor caía una escalera de mano. Ascendí desnudo, escalón a escalón, y dejé el bote a la deriva.

Así termina todo, este es el final. Para mí ya no hay camino de vuelta.

Últimos títulos